# 100 LUGARES QUE NUNCA VISITARÁS

# 100 LUGARES
# QUE NUNCA
# VISITARÁS

## LAS LOCALIZACIONES MÁS SECRETAS

## DEL MUNDO

## DANIEL SMITH

**EL PAIS**

**AGUILAR**

# Contenidos

# Introducción

En ocasiones tenemos la sensación de que nuestro mundo es más transparente que nunca. La era de los vuelos de bajo coste nos ha permitido llegar a cualquier rincón del planeta en cuestión de horas, mientras que el imparable crecimiento de las redes sociales ha desdibujado como nunca antes los límites entre nuestras vidas privadas y públicas. El mismo Mark Zuckerberg, el multimillonario fundador de Facebook, ha hablado en varias ocasiones de su sueño de llevar a cabo "una misión social para convertir el mundo en un lugar más abierto y mejor conectado". Por otro lado, innumerables políticos y portavoces de grandes compañías nos aseguran constantemente que su bandera es la transparencia total y que nuestro papel en esta gran sociedad abierta es de vital importancia.

A pesar de todo ello muchos de nosotros sentimos que en nuestro mundo están pasando muchas cosas de las que no tenemos conocimiento. Parece como si se tomaran decisiones a puerta cerrada sobre cosas que nos afectan en nuestro día a día. Para la mayoría de los que vivimos en democracia, la idea del secretismo resulta un tanto preocupante, ya que la asociamos con regímenes opresivos como los de Hitler o Stalin, que causaron millones de muertes en el siglo XX. Este secretismo nos hace pensar en guerras que se han luchado en nuestro nombre por motivos que nunca han sido explicados claramente, en decisiones de negocios de las que no sabemos nada hasta que nos cuestan nuestro puesto de trabajo, en personajes públicos que nos dicen que debemos comportarnos de un cierto modo mientras que ellos hacen lo contrario cuando nadie les observa.

Samuel Johnson, de quien podría decirse que fue el hombre de letras más importante de Inglaterra, además del responsable del famoso *Diccionario de la lengua inglesa* publicado en 1755, tenía sus propias ideas acerca de los secretos. Fue un gran comentarista social en su época, y una vez declaró: "Cerca del secretismo y el misterio se hallan el vicio y la picardía". ¿Estaba siendo el doctor Johnson demasiado simplista con esta conclusión? Siempre ha habido una tensión entre lo que necesitamos saber, lo que

nos gustaría saber y lo que otros quieren que sepamos, es un tira y afloja donde no siempre está claro en qué dirección hay que tirar.

A diferencia de Johnson, al cardenal Richelieu le preocupaba mucho menos el dilema moral. Como ministro del rey francés Luis XIII desde 1624 a 1642 se convirtió en el máximo exponente de la *realpolitik* mucho antes de que se inventara el término. Mientras que Nicolás Maquiavelo establecía los principios del arte de la política en obras de tanto renombre como *El príncipe* (su filosofía ha sido resumida a menudo con la frase "el fin justifica los medios"), Richelieu la ponía en práctica para convertirse en el más poderoso detrás del trono. El cardenal allanó el camino para la creación de una monarquía absolutista que llegó a culminarse con el reinado de Luis XIV y gobernó bajo la premisa de que a veces debían hacerse cosas que no podían llevarse a cabo públicamente. Para Richelieu sólo había una manera de actuar: "El secretismo es esencial en los asuntos de estado".

Puede que en un principio la idea nos cause rechazo, pero en muchas esferas de nuestra vida aceptamos tranquilamente la necesidad del secretismo. Por ejemplo, si tu equipo de fútbol estuviera a punto de jugar una final, te parecería fatal que el entrenador hiciera pública la alineación y las tácticas que planea usar, antes del inicio del partido. Tampoco esperarías que el contrincante hiciera otra cosa

que guardarse sus cartas. En este contexto forma parte del juego. En cierta manera entendemos que el secretismo es a veces esencial para conseguir objetivos a largo plazo. En la vida pública esto también sucede, muchas guerras han terminado después de "conversaciones de paz privadas" y también se han creado o salvado muchos puestos de trabajo mediante "acuerdos secretos de negocios".

Al fin y al cabo siempre habrá conflicto entre la necesidad de secretismo y la desconfianza que despierta su existencia. Muchas veces es la misma gente que exige transparencia en la vida pública la que protege más la intimidad de su vida privada, de modo que no importa cuánto nos

cueste aceptarlo, los secretos y el secretismo son componentes fundamentales de nuestra sociedad. A efectos prácticos esto significa que una gran parte de nuestro mundo se halla lejos del alcance del ciudadano de a pie.

¡Por supuesto esto no quiere decir que tenga que gustarnos! Si alguna vez has tenido la tentación de saber lo que pasa detrás de alguna puerta, de mirar por el ojo de una cerradura, o si una señal de "prohibido el paso" te provoca aún más las ganas de entrar, este libro es perfecto para ti.

Aquí encontrarás 100 lugares que se hallan, en mayor o menor grado, en la vida pública, pero que están fuera de nuestro alcance. Hay varios

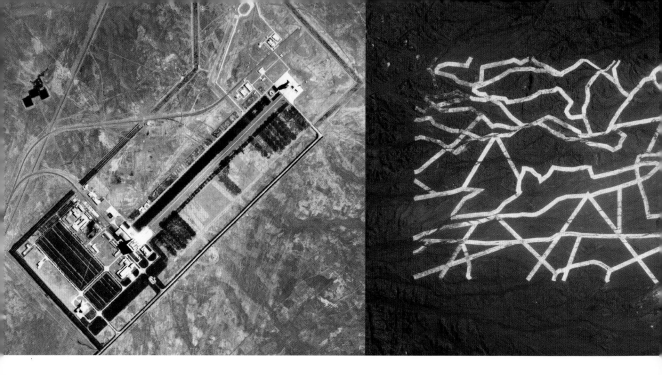

motivos por los que el acceso a estos sitios está vetado y varían en cada caso, pero todos son un ejemplo de la lucha permanente entre lo que nos gustaría saber y lo que otros quieren que sepamos.

A algunos de ellos no se puede acceder debido a lo que ocurre en su interior, ya sea porque hay agentes practicando las oscuras artes del espionaje o porque son centros de datos donde se construye un gigantesco archivo de información al tiempo que se registra nuestra actividad en la red. Algunos de estos lugares son tan secretos que su existencia ni siquiera está oficialmente reconocida y, en algunos casos, hasta se desconoce su ubicación exacta. A otros no se puede acceder por motivos de seguridad —como la sala donde se guardan las Joyas de la Corona inglesa— o porque simplemente son demasiado peligrosos —¿quién se anima a pasar el día en la Isla de las Serpientes, con ese nombre tan atractivo?—. Hay también lugares que guardan secretos históricos, como el legendario Salón de Ámbar, que parece haber desaparecido de la faz de la tierra, o la tumba de Genghis Khan, cuyo ocupante ordenó que se tomaran medidas extremas para asegurar que el lugar permaneciera oculto. Uno de estos sitios —la gran isla de basura del Pacífico— hasta se podría describir como un asunto muy sucio, y es un desastre medioambiental en proceso de formación del que los gobiernos del mundo se desentienden por completo.

Ya sea porque crees que estás en tu derecho de saber o simplemente porque eres una persona curiosa, estas páginas te permiten dar un paseo por algunos de los lugares más secretos, inaccesibles y vigilados del planeta (aunque, por supuesto, puede que haya otros lugares aún más secretos y todavía totalmente desconocidos). ¿Dónde si no podrías echar un vistazo a las cuevas de Tora Bora, saber cómo es la sede central de la CIA o colarte en las cámaras del Banco de Inglaterra, y todo sin moverte de casa? Empezamos el viaje bajo las olas del océano Pacífico, observando los restos de un submarino que simboliza todas las intrigas de la Guerra Fría. De ahí vamos poco a poco hacia el este dando la vuelta al mundo y parando en lugares tan

dispares como Washington D.C, el Archivo Secreto del Vaticano, una guarida en una montaña en Corea del Norte y una estación de satélites en un lugar remoto de Australia.

Cualesquiera que sean tus motivos para querer saber un secreto, el proceso de descubrimiento es sin duda lo mejor. El poeta Robert Frost supo captar la emoción que crean en nosotros los secretos cuando escribió: "Bailamos en círculo con nuestras suposiciones, mientras que el secreto se encuentra en el centro, poseedor de todas las certezas". Así que siéntate y abróchate el cinturón para emprender un viaje único a lugares que no sabías que existían o que jamás podrías visitar aunque quisieras. Vamos, atrévete, la puerta está abierta...

# 1 El submarino soviético K-129

UBICACIÓN: en el fondo del océano Pacífico.
CIUDAD MÁS PRÓXIMA: Petropavlovsk, Rusia.
MOTIVO DE INCLUSIÓN: submarino soviético hundido misteriosamente durante la Guerra Fría. Su localización es incierta.

El K-129 era un submarino de la flota soviética del Pacífico. Tras hundirse en extrañas circunstancias en 1968, fue localizado por la Armada de EE UU, que posteriormente intentó reflotarlo en una operación encubierta. Aunque se consiguieron rescatar algunos restos, la mayor parte del submarino sigue bajo el mar. Lo que encontraron exactamente los estadounidenses sigue siendo un misterio.

El K-129 fue botado en 1960 y tenía su emplazamiento en la base naval de Rybachiy, al extremo este de la región de Kamchatka. La nave zarpó con sus 98 tripulantes el 24 de febrero de 1968 en una patrulla rutinaria, y, después de llevar a cabo unas pruebas de inmersión, el capitán informó de que todo funcionaba correctamente. Fue lo último que se supo del submarino.

En marzo, el mando naval soviético comenzó una búsqueda exhaustiva y organizó una gran operación de rescate en el Pacífico Norte. No logró encontrar el submarino, pero sus esfuerzos atrajeron la atención de la inteligencia norteamericana. Analizando los datos suministrados por su sistema de vigilancia sónica, EE UU logró identificar el punto exacto donde se encontraba el K-129, a casi 5.000 metros de profundidad.

Ante la oportunidad de hacerse con un submarino de la flota nuclear de la URSS, el presidente Nixon autorizó una operación encubierta de rescate conocida como Proyecto Azorian. Para llevarla a cabo, se construyó un barco diseñado específicamente para esta misión, el *Hughes Glomar Explorer*. La versión oficial decía que su objetivo era la extracción de manganeso del fondo marino.

La operación de rescate se desarrolló en julio y agosto de 1974, con un resultado ambivalente. Se recuperó parte del submarino, pero una gran sección cayó de nuevo al fondo del mar por un fallo técnico. El lugar exacto del naufragio y los detalles de la operación siguen siendo alto secreto, pero se dice que EE UU se llevó cabezas nucleares, libros de códigos y manuales de operaciones.

Muchos creen que los restos se hallan a 1.500 millas náuticas al noroeste de la isla hawaiana de Oahu y a 1.200 millas náuticas del sudeste de Petropavlovsk. Las razones del naufragio del K-129 jamás fueron descubiertas, aunque existen teorías sobre una explosión accidental o una colisión con una nave norteamericana. Puede que sepamos la verdad cuando los archivos del caso se hagan públicos en unas décadas, pero también es posible que el secreto descanse para siempre en el fondo del mar, junto a las víctimas.

RUSIA

ESTADOS UNIDOS

Islas Aleutianas

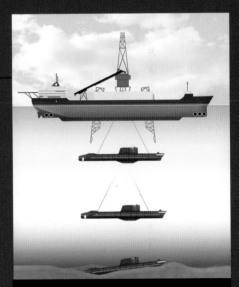

**RASTREANDO EN SECRETO** *El Glomar Explorer fue expresamente construido por EE UU para la operación de salvamento. La versión oficial afirmaba que el barco pertenecía a una compañía del millonario Howard Hugues y que se destinaba a la extracción de minerales del suelo oceánico.*

**PLATAFORMA DE MISILES** *Diseñados a finales de los cincuenta, los submarinos de la clase Golf II, como el K-129, llevaban motores diésel y eléctricos, y alcanzaban una velocidad de 31 km/h (17 nudos) en superficie y 22 km/h (12 nudos) sumergidos. Portaban tres misiles nucleares con un alcance de unos 150 km.*

# La gran isla de basura del Pacífico

**UBICACIÓN:** océano Pacífico Norte.
**CIUDAD MÁS PRÓXIMA:** Honolulú (Hawái), EE UU.
**MOTIVO DE INCLUSIÓN:** es el mayor vertedero del mundo. Su jurisdicción es dudosa.

Una masa de plástico no biodegradable se ha ido acumulando en las aguas del Pacífico Norte hasta alcanzar un tamaño que casi triplica al de España. Formada debido a las corrientes del océano, esta ingente masa de residuos tiene su origen en países de todo el mundo y a largo plazo representa una de las mayores amenazas para el medio ambiente. Aun así, ningún estado u organismo internacional ha trazado un plan razonable para afrontar el problema.

Este vertedero flotante no es responsabilidad de un solo país y es un asunto verdaderamente sucio que pocos, fuera de la comunidad de activistas medioambientales, están dispuestos a reconocer o intentar solucionar. Esta bolsa de residuos se ha formado con innumerables toneladas de basura vertida al mar, casi en su totalidad desde tierra.

Que esta masa de residuos se encuentre al norte del Pacífico se debe a un giro oceánico, un flujo de corrientes marinas que gira en círculos y atrae enormes cantidades de escombros, los cuales se acumulan en su centro. Los ecologistas denunciaron la existencia de este fenómeno ya en los años ochenta, pero hasta 1997 no se confirmó su existencia, cuando Charles Moore y su tripulación avistaron el gran vertedero durante una regata. Posteriormente, Charles Moore inició una campaña para atraer la atención sobre este problema.

El plástico no se degrada como el papel o el algodón, al contrario: se disgrega en componentes cada vez más pequeños y nocivos durante cientos de años. Algunos se refieren a estos diminutos trozos de plástico como "lágrimas de sirena", un nombre mucho más romántico de lo que merecen. Muchas aves y mamíferos marinos mueren atrapados en los residuos de plástico, pero entrañan aún más peligro las toxinas que el plástico introduce en la cadena alimentaria, y que envenena desde el más diminuto plancton a la más grande de las ballenas.

Los científicos estiman que la isla de residuos contiene tres cuartos de millón de fragmentos de plástico por kilómetro cuadrado. El 90 por ciento de los residuos en el mar es de plásticos. El 70 por ciento de estos se hunde y causa daños impredecibles a la vida del lecho marino, pues, además de contaminar los fondos, bloquea el paso de la luz. A pesar de esto, la gran sopa de basura del Pacífico sigue siendo un basurero flotante que no interesa a ningún gobierno. Podemos suponer sin temor a equivocarnos que si se tratara de la gran reserva de petróleo del Pacífico habría un poco más de interés en reclamar su soberanía.

Alaska

## AGUAS ENVENENADAS
*El creciente uso de plásticos está contribuyendo a extender la huella destructiva de la humanidad desde los lugares en los que vivimos hasta las profundidades del océano. Un alto precio a pagar por comodidades como el embalaje de los productos.*

ESTADOS UNIDOS

OCÉANO PACÍFICO

Giro del Pacífico Norte

Hawái

## SUCIO SECRETO
*No se conoce exactamente el impacto de esa masa de residuos en el ecosistema del océano Pacífico, pero cada vez se dedica un mayor esfuerzo a investigar y comprender sus efectos. Lo que está fuera de toda duda es que constituye una catástrofe de grave amenaza medioambiental.*

# La estación de investigación HAARP

**UBICACIÓN:** Gakona (Alaska), EE UU.
**CIUDAD MÁS PRÓXIMA:** Anchorage, Alaska, EE UU.
**MOTIVO DE INCLUSIÓN:** complejo de investigación atmosférica de acceso restringido del Departamento de Defensa de EE UU.

El Programa de Investigación de Auroras Activas por Alta Frecuencia (HAARP en sus siglas en inglés) se describe a sí mismo como "la primera herramienta para el estudio de la física ionosférica y la radiociencia". Su objetivo principal es "avanzar en el conocimiento de las propiedades físicas y eléctricas de la ionosfera terrestre, las cuales pueden afectar a nuestras comunicaciones y sistemas de navegación civiles y militares".

Las Fuerzas Aéreas y la Marina de los EE UU fundaron el HAARP y también la DARPA *(véase pág. 70)* para investigar la ionosfera, la parte de la atmósfera entre 80 y 800 kilómetros por encima de la superficie de la Tierra. En esa zona, los gases cargados de electricidad pueden absorber, distorsionar y reflejar ondas de radio, con importantes efectos en los sistemas civiles y militares de comunicaciones, navegación, detección y vigilancia.

Dependiendo de la actividad del sol, la ionosfera de Alaska puede ser de latitud media, aurora o polar, lo cual ofrece múltiples posibilidades de investigación. La zona de Gakona, además, está bien comunicada, pero lo bastante alejada de áreas habitadas como para no sufrir la interferencia de luces eléctricas o ruidos que dificultarían los experimentos. El proyecto HAARP se inició en 1990, y su fase principal se terminó en 2007.

La herramienta clave del HAARP es el Instrumento de Investigación Ionosférica (IRI por sus siglas en inglés), un potente radiotransmisor de alta frecuencia que emite señales de radio a una frecuencia de entre 2,8 y 10 megahercios. La antena del IRI está formada por 180 torres de más de 22 metros de altura dispuestas en forma de retícula. Algunas de las señales que emite son absorbidas por la ionosfera —el resto rebota de vuelta a la Tierra o sigue hacia el espacio— y los efectos que tienen en ella son grabados y analizados.

Aunque no es un proyecto secreto (varias universidades norteamericanas colaboran), la entrada al recinto es muy restringida. La financiación militar y el hecho de que se centre tanto en el cielo han propiciado que el HAARP sea acusado de tener oscuras intenciones. Se le ha atribuido el desarrollo de sistemas antiaéreos a través de la manipulación de la atmósfera, de modificar el clima para causar fenómenos climáticos, tsunamis y terremotos, y hasta de desarrollar tecnología para el control de la mente. El aspecto de la antena IRI contribuye a su mala reputación entre los *conspiranoicos,* que ven en ella una máquina capaz de emitir rayos mortíferos.

# Bohemian Grove

**UBICACIÓN:** condado de Sonoma (California), EE UU.
**CIUDAD MÁS PRÓXIMA:** San Francisco, California.
**MOTIVO DE INCLUSIÓN:** actividades secretas en la reunión anual del misterioso Bohemian Club.

En medio de un precioso bosque de secuoyas de Monte Río, en el condado de Sonoma, Bohemian Grove se convierte cada año en un campamento de verano para algunos de los hombres más poderosos del mundo. Los rumores acerca de actividades desenfrenadas y rituales paganos salpican a este evento organizado por el Bohemian Club, pero otros temen que en este lugar se estén tomando sin control alguno importantes decisiones que afectan al gobierno y al comercio.

El Bohemian Club es un club privado y exclusivamente masculino que se encuentra en Taylor Street, en San Francisco. Fue fundado en 1872 por miembros del periódico *San Francisco Chronicle* para crear un vínculo entre los miembros de los círculos culturales de la ciudad. Sin embargo, en poco tiempo el club se abrió a otros grupos sociales y pronto acabó bajo el control de los hombres más ricos y poderosos de San Francisco. El perfil actual de un socio del Bohemian Club es el de un varón blanco de mediana edad y, normalmente, aunque no siempre, simpatizante del Partido Republicano.

En la actualidad, la lista de espera para acceder al club es de más de quince años, con un precio de entrada de 25.000 dólares más una cuota anual de 5.000 dólares, pero más importante aún es que cada solicitud debe ser sometida a examen, lo cual significa que hay que tener muy buenos contactos y haber estudiado en alguna de las universidades más prestigiosas de EE UU. Entre sus miembros se cuenta un buen número de presidentes, como Eisenhower, Nixon, Ford, Reagan y los dos Bush, junto con otros nombres conocidos, desde Mark Twain y William Randolph Hearst hasta Clint Eastwood y los Rockefeller.

Bohemian Grove abarca más de 1.000 hectáreas, aunque la zona del club es bastante menor. El primer campamento en Bohemian Grove tuvo lugar en 1893 en un terreno alquilado que el club acabó comprando a un leñador en 1899. Ahora acoge entre 2.000 y 3.000 asistentes cada verano repartidos en pequeños campamentos de acuerdo con su perfil y experiencia. El programa, de dos semanas de duración, incluye charlas, pasatiempos y actos pensados para hacer contactos. Todo empieza con la peculiar ceremonia de "la quema de las preocupaciones". Los asistentes, situados al borde de un pequeño lago, observan como algunos miembros escogidos, vestidos con togas rojas y encapuchados, *sacrifican* una imagen llamada Dull Care, poniéndola en una barca a la que se prende fuego y se empuja hacia el lago. Se dice que este ritual simboliza el adiós a las preocupaciones diarias mientras dura el encuentro.

**AMIGOS PODEROSOS**
*Entre los invitados a esta reunión en Bohemian Grove de 1967 aparecen dos futuros presidentes de EE UU, Richard Nixon y Ronald Reagan, que flanquean a Harvey Hancock (director de una campaña electoral de Nixon). Al otro lado de Nixon se sienta Glenn Seaborg, ganador del Nobel de Química en 1951.*

California

ESTADOS UNIDOS

San Francisco

**MENTES BURLONAS** *El gran búho de Bohemian Grove preside "la quema de las preocupaciones", que no es otra cosa que una ceremonia un tanto frívola. Durante varios años, Walter Cronkite, el famoso periodista y también miembro del club, prestó su voz al búho.*

**CAMINO HACIA EL PODER** *Esta entrada a Bohemian Grove es bastante discreta, pero los bosques del condado de Sonoma han sido testigos de cómo algunos de los personajes más influyentes de la historia se soltaban la melena en plena naturaleza.*

Todo esto ocurre bajo la mirada de un gran búho que mide más de 12 metros y que es la mascota del club.

A algunos les resulta inquietante la ceremonia de cremación por su similitud con ciertos rituales paganos e incluso por su aire satánico. Hasta se ha llegado a afirmar, sin fundamento alguno, que se han hecho sacrificios humanos como parte del ritual. Testigos presenciales aseguran que la ceremonia (y el campamento en general) recuerda más bien a las bromas de las hermandades universitarias. Al parecer, el asunto tiene menos que ver con rituales secretos y más con hombres de mediana edad que quieren revivir su juventud bebiendo demasiado, escuchando los discos de Grateful Dead, fumando puros y orinando en los árboles.

Quizá sea más legít~~i~~ ~~cri~~~~tic~~ ~~e~~l campamento por permitir qu~~e~~ ~~el est~~ado de los más influyentes políticos, hombres de negocios y militares del mundo occidental mantengan reuniones completamente opacas. Cuenta la leyenda, por ejemplo, que el Proyecto Manhattan, que condujo a la creación de la bomba atómica, se planeó en Bohemian Grove, durante una reunión en 1942. Aunque los miembros de este club no tengan como objetivo

crear un nuevo orden mundial —tal y como opinan sus opositores más vehementes—, la mera existencia de un club de este calibre no ayuda a convencer a los escépticos de que vivimos en una sociedad transparente y democrática.

Un argumento en defensa del club, frente a las acusaciones de que es una élite conspiradora que dirige acontecimientos nacionales e internacionales, es su lema, sacado de *El sueño de una noche de verano* de Shakespeare: "Las arañas tejedoras ténganse lejos de aquí". Esto quiere decir que los asuntos de los miembros no deberían cruzar la puerta. Aunque sus detractores podrían argumentar que es lógico que digan eso, ¿no?

El perímetro de Bohemian Grove está vigilado todo el año y especialmente durante el verano, aunque en los últimos años algunos intrusos (incluso un puñado de periodistas) han logrado entrar. Esta vigilancia tan estricta ha hecho sospechar que Bohemian Grove es un lugar donde se toman decisiones en nuestro nombre, pero sin nuestro conocimiento. Pero puede ser igualmente cierto que sus miembros mantienen el secretismo para no tener que avergonzarse de las tonterías que hacen cuando pierden la compostura.

# El rancho Skywalker

**5**

UBICACIÓN: condado de Marin (California), EE UU.
CIUDAD MÁS PRÓXIMA: Novato, California.
MOTIVO DE INCLUSIÓN: su acceso es restringido, es el patio de recreo privado del creador de *La guerra de las galaxias*.

El rancho Skywalker tiene una extensión de más de 2.000 hectáreas, pero solo se ha edificado sobre seis de ellas. George Lucas empezó a comprar las tierras en 1978 cuando se hizo rico con las ganancias de *La guerra de las galaxias*. El rancho es un refugio para el director de cine, donde puede llevar sus negocios de manera discreta y estrujar los cerebros de sus creativos lejos de la mirada del público.

Aunque Lucas no reside en el rancho casi nunca, no por eso la vigilancia es menos estrecha. El lugar no está abierto al público, aunque a veces se han hecho visitas guiadas a periodistas, ganadores de concursos y a otras pocas almas afortunadas. La entrada tiene un puesto de guardia y hay cámaras para controlar todo lo que pasa en el recinto, y está prohibido hacer fotografías. En resumen, si no eres amigo de George, uno de sus empleados de confianza o simplemente alguien con mucha suerte, este es un lugar que no vas a ver jamás.

En el centro del rancho se encuentra la casa principal, de tres pisos y construida en estilo victoriano, donde se encuentran las oficinas de Lucas. Hay varios edificios más para las diversas divisiones de su compañía, así como una vasta biblioteca científica que destaca por su inmensa claraboya de estilo *art nouveau*. En otras zonas se ubican una sala de proyecciones, una casa de invitados, un zoo y hasta una estación de bomberos. Por si esto fuera poco, Lucas puede pasearse por sus viñedos, visitar el observatorio de la colina o nadar en el lago artificial Ewok.

El rancho acoge además los archivos de Lucasfilm, una cueva de Aladino para cualquier amante del cine. El lugar fue proyectado para conservar material relacionados con sus películas, así como las piezas de atrezo de las sagas de *La guerra de las galaxias* e *Indiana Jones*, y otras películas (*American Grafitti* o *Willow*). Pero si hubiera que describir lo exclusivo que es este rancho, baste decir que hasta al presidente Ronald Reagan se le negó una visita guiada.

# El centro de datos de Google en The Dalles

**UBICACIÓN:** condado de Wasco (Oregón), EE UU.
**CIUDAD MÁS PRÓXIMA:** Portland, Oregón.
**MOTIVO DE INCLUSIÓN:** Es un lugar de alta seguridad, el primer centro de datos construido especialmente para Google.

Google es una de las compañías líderes del mundo de Internet que está redefiniendo nuestra cultura, a la vez que está haciendo una cantidad ingente de dinero. Dado que su motor de búsquedas es el líder mundial, la empresa necesita unos gigantescos bancos de servidores para mantener el sistema en funcionamiento. El enorme centro de datos de The Dalles fue construido con mucho secretismo, costó unos 600 millones de dólares y se inauguró en 2006.

Larry Page y Sergey Brin fundaron Google cuando estudiaban en la Universidad de Stanford, y le dieron forma como sociedad anónima en 1998. Su misión, en sus propias palabras, es "organizar la información mundial para que sea útil y accesible a todos". Desde que lanzó su buscador, Google ha plasmado este objetivo creando programas, redes sociales y hasta sistemas operativos.

No sorprende que la compañía no quiera dar muchos detalles de sus centros de servidores repartidos por el mundo, pero puede que haya más de diez instalaciones de este tipo, que sumarían un total de un millón de servidores.

Cuando Google decidió construir su primer centro a medida, escogió The Dalles, cerca del río Columbia y no muy lejos de la presa de Dalles. Este lugar no solo ofrecía un terreno adecuado y un pueblo que contaba con suficientes trabajadores —el número de empleados ronda los 200—, sino que también disponía de abundante energía hidroeléctrica y ecológica. Un negocio como el de Google consume inevitablemente grandes cantidades de electricidad y la oportunidad de levantar una instalación respetuosa con el medio ambiente se ajustaba perfectamente con su lema: "No seas malvado".

Al principio el centro de datos se llamó Proyecto 02 y su apertura estuvo envuelta en el misterio, hasta los periodistas tuvieron que firmar acuerdos de confidencialidad. Aunque posteriormente el nivel de secretismo se ha reducido, la seguridad —tanto de las instalaciones como de la información que contienen— es de vital importancia.

Un equipo de seguridad de la información trabaja en todo momento para garantizar la integridad de los datos electrónicos. Asimismo, el centro está rodeado con una valla patrullada constantemente por guardias y vigilada por un circuito cerrado de cámaras de seguridad. Aunque el cometido de Google sea dar acceso universal a toda la información del mundo, no alberga tales deseos para sus centros de datos.

El río Columbia proporciona energía hidroeléctrica

Vía de mercancías

4 torres de refrigeración para ventilar los servidores

Calle Steelhead

Edificios del servidor principal

El generador produce energía para los servidores

Edificio de administración

# El arsenal de Hawthorne

**UBICACIÓN:** condado de Mineral (Nevada), EE UU.
**CIUDAD MÁS PRÓXIMA:** Sacramento, California.
**MOTIVO DE INCLUSIÓN:** es un lugar de alta seguridad, el almacén de munición más grande del mundo.

Situado en la orilla sur del lago Walker, en la Gran Cuenca del oeste de Nevada, este gigantesco depósito de armas ocupa una extensión de más de 59.000 hectáreas salpicada por cerca de 2.500 iglús que almacenan las reservas de municiones del ejército (para ser usadas después de los 30 primeros días de conflicto bélico). Entre sus funciones también figuran las de renovar, retirar y destruir munición convencional.

La instalación empezó a funcionar en 1930 como arsenal de la Marina de Hawthorne. Se construyó en 1926 después de que el depósito que se encontraba en Lake Denmark (Nueva Jersey) explotara y causara numerosas muertes civiles. Este accidente también dañó el cercano arsenal de Picatinny. Posteriormente, un tribunal de investigación concluyó que el nuevo arsenal para abastecer la zona del Pacífico debía construirse en una zona remota a 1.500 kilómetros de la costa oeste. De este modo, se eligió Hawthorne y las obras empezaron en 1928. En 1977 pasó a manos del ejército y en 1994 dejó de usarse como fábrica de munición.

Hoy el arsenal da trabajo a una comunidad de 4.500 personas (la mayoría civiles) y está bien comunicado por ferrocarril. En su momento de mayor actividad, a finales de la Segunda Guerra Mundial, empleaba a 5.500 personas. En la actualidad, Hawthorne también se utiliza como campo de entrenamiento y cuenta con instalaciones para pruebas con fuego real o una reproducción de un poblado de Afganistán para entrenar a las tropas que van a ser desplegadas allí. Este *barrio afgano* está formado por estructuras de varios pisos y maniquíes a modo de soldados enemigos que recrean un escenario inquietante en medio de los desiertos y montañas del estado de Nevada. En 2005 Hawthorne se incluyó en una lista de bases que podrían ser clausuradas, pero finalmente se desestimó, en gran parte por las posibilidades de entrenamiento que ofrece.

La seguridad en Hawthorne corre a cargo de la empresa privada Day and Zimmerman Hawthorne Corporation, aunque antes estaba protegido por el cuerpo de marines. Además de disponer de protección permanente, Hawthorne también cuenta con sus propios servicios de emergencias e incendios. Podríamos decir que en el arsenal todo el mundo sabe por dónde van los tiros.

Mine Road da acceso a los búnkeres del norte de Hawthorne

Hawthorne City

Autopista Veteran's Memorial

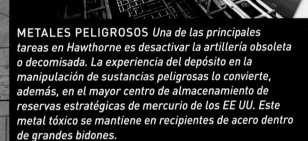

**METALES PELIGROSOS** *Una de las principales tareas en Hawthorne es desactivar la artillería obsoleta o decomisada. La experiencia del depósito en la manipulación de sustancias peligrosas lo convierte, además, en el mayor centro de almacenamiento de reservas estratégicas de mercurio de los EE UU. Este metal tóxico se mantiene en recipientes de acero dentro de grandes bidones.*

La II Avenida Sur da acceso a los búnkeres del sur de Hawthorne

Condado de Mineral, Nevada

**A CUBIERTO** *Los búnkeres tipo iglú del arsenal de Hawthorne almacenan y custodian enormes cantidades de municiones. Un total de 2.427 búnkeres están dispersos por la zona, unos 56.000 metros cuadrados de espacio de almacenaje. Los servicios de emergencia están siempre preparados para actuar en caso de accidente.*

# Skunk Works

**8**

**UBICACIÓN:** Palmdale (California), EE UU.
**CIUDAD MÁS PRÓXIMA:** Palmdale, California.
**MOTIVO DE INCLUSIÓN:** instalaciones secretas para desarrollo de alta tecnología con aplicaciones militares.

Skunk Works es el sobrenombre con el que se conoce la sede de los Programas Avanzados de Desarrollo de la empresa Lockheed Martin, que durante décadas ha estado involucrada en proyectos secretos de referencia. La fama de Skunk Works es tal que el término se usa ahora para designar cualquier proyecto de tecnología punta que se realiza dentro de una organización de forma independiente.

Lockheed Martin se constituyó tras una fusión empresarial en 1995, pero la antigua Lockheed tiene una historia que se remonta a 1912. En 1943, el Comando de Servicio Táctico Aéreo de las Fuerzas Aéreas de EE UU se reunió con Lockheed para que desarrollara un caza a reacción. Un reducido grupo de ingenieros, bajo la supervisión de Clarence L. *Kelly* John-son, diseñó en menos de un mes lo que acabaría siendo el XP-80 Shooting Star. Los planos de este avión aseguraron a Lockheed un contrato con el Gobierno y eso supuso la creación de Skunk Works. El nombre viene de una tira cómica, *Li'l Abner,* de Al Capp, en la que aparecía una cervecería llamada Skonk Works donde se preparaban extraños brebajes.

**CAZA INVISIBLE** *El Lockheed F-117 Nighthawk, desarrollado en Skunk Works, era un avión táctico que estuvo operativo entre 1983 y 2008. Su peculiar forma dispersaba las ondas de radar evitando que estas se reflejasen en los receptores enemigos.*

Johnson seleccionó y formó reducidos equipos que en los años siguientes trabajaron en una serie de proyectos de investigación altamente avanzados. En la década de los cincuenta estableció 14 normas y usos del grupo, y en la número 13 se especificaba que el acceso de personas ajenas a los proyectos e incluso al personal involucrado se controlaría con estrictas medidas de seguridad. La organización trabajaba regularmente con la CIA y las Fuerzas Aéreas, y las pruebas se hacían a menudo en la legendaria Área 51 (*véase pág. 30*).

Skunk Works pronto se hizó famoso por su secretismo y por la ausencia de documentación oficial (a menudo, los contratos se firmaban cuando los proyectos ya estaban en marcha). Jugó un papel crucial en el desarrollo de tecnologías innovadoras como el avión espía U-2 en los años cincuenta y el Proyecto Have Blue, que llevó a la creación del avión invisible en 1978. A día de hoy, sigue desarrollando tecnologías de última generación, incluidas, en sus propias palabras, "aeronaves que son un hito y constantemente redefinen el vuelo".

Aunque durante muchos años Skunk Works tuvo su sede en Burbank (California), hoy se encuentra en la Planta 42 de las Fuerzas Aéreas de los EE UU en Palmdale (California). Se calcula que Lockheed Martin recibe alrededor del 7 por ciento del presupuesto anual del Departamento de Defensa de los EE UU y Skunk Works sigue siendo su división más innovadora, con un 90 por ciento de sus proyectos clasificado como secreto.

**BAJO EL RADAR** *La aeronave no tripulada Darkstar fue desarrollada por Skunk Works en los años noventa para volar durante más de ocho horas a una altura de 14.000 metros. Es probable que haya sido confundida con un ovni.*

# Los túneles del narcotráfico entre EE UU y México

**9**

**UBICACIÓN:** frontera entre EE UU y México.
**CIUDAD MÁS PRÓXIMA:** San Diego (California), EE UU / Tijuana, México.
**MOTIVO DE INCLUSIÓN:** acceso restringido a las galerías subterráneas del narcotráfico.

La línea divisoria entre EE UU y México se extiende a lo largo de más de 3.000 kilómetros y tiene la reputación de ser la frontera más permeable del mundo. Los gobiernos de ambas naciones llevan tiempo empeñados en una batalla encarnizada para erradicar el contrabando de drogas a través de la frontera, que en los últimos años ha pasado a ser literalmente subterráneo.

El narcotráfico genera miles de millones de dólares al año y se calcula que ha causado unas 40.000 muertes entre 2006 y 2011. Después de que el gobierno mexicano lanzara una ofensiva a mediados de la pasada década, los cárteles de la droga se han vuelto más eficaces, están mejor armados y se organizan con precisión militar.

Este pragmatismo despiadado se ve reflejado en los túneles que facilitan el transporte de drogas de un país a otro. Algunos alcanzan los 800 metros de largo y se hallan equipados con sofisticados sistemas de iluminación y ventilación, las paredes se sostienen con estructuras de madera y hasta tienen un sitema de raíles sobre los cuales se desplazan unos vagones eléctricos.

El suelo de los túneles se cubre con planchas de madera y en algunos casos con cemento, mientras que un sistema de drenaje evita filtraciones de las aguas subterráneas. Se accede a las galerías a través de escaleras de cuerda, aunque algunas entradas tienen escaleras de madera y hasta ascensores hidráulicos, lo que indica que en las obras pueden haber colaborado ingenieros o profesionales de la construcción.

Las entradas a los túneles se encuentran en su mayoría en Tijuana, en el lado mexicano, y en San Diego, en el lado de EE UU. Normalmente estas entradas se localizan dentro de propiedades privadas, muchas de ellas en almacenes abandonados. También se han descubierto varios túneles cerca de comisarías de policía y otros edificios oficiales.

El suelo arcilloso de California facilita la construcción de túneles, aunque algunos han sido desviados hasta Arizona, donde se puede usar una red subterránea ya existente de canales de desagüe. Se calcula que se tarda entre seis meses y un año en construir cada túnel usando herramientas manuales y taladros neumáticos. De acuerdo con las cifras oficiales, se han descubierto más de 150 túneles ilegales desde 1990 y se han requisado cientos de toneladas de marihuana. Normalmente se descubren durante la temporada de cosecha de la marihuana, en octubre, lo cual indica que su construcción sigue un calendario estacional.

**EN LA FRONTERA** *Un soldado mexicano inspecciona un túnel desde el lado de Tijuana, a raíz del descubrimiento de un alijo de 20 toneladas de marihuana en 2010. En la imagen superior, una estrecha valla separa la bulliciosa Tijuana del protegido lado estadounidense de la frontera, en San Diego.*

# Área 51

**UBICACIÓN:** al sur del estado de Nevada, EE UU.
**CIUDAD MÁS PRÓXIMA:** Las Vegas, Nevada.
**MOTIVO DE INCLUSIÓN:** base de pruebas secretas de EE UU y lugar donde presuntamente se guardan artefactos extraterrestres.

El Área 51 es parte de las instalaciones de las Fuerzas Aéreas de los EE UU en Nevada y se cree que está vinculada con la base Edwards, en California. Como centro de desarrollo y prueba de aeronaves y armas, se podría esperar que fuera una zona bastante reservada, pero el Área 51 es el *lugar secreto* más conocido del planeta y con razón. Los teóricos de la conspiración sostienen que aquí hay pruebas irrefutables de que los alienígenas han visitado la Tierra.

El Área 51 está a 40 kilómetros de la población más cercana y tiene una extensión de 36.423 hectáreas en el desierto de Nevada. Cuenta con un gran hangar, siete pistas de aterrizaje, antenas de radares y un conjunto de edificios más pequeños para la administración, alojamiento y restauración. Su función más importante es desarrollar y probar nuevas tecnologías y sistemas de defensa.

El lago Groom es una gran salina que se encuentra dentro del Área 51 y que se utilizó para probar bombas y artillería durante la Segunda Guerra Mundial. En 1950, después de que el Gobierno se asociara con Skunk Works de Lockheed *(véase pág. 26)*, se convirtió en el terreno de pruebas para el avión espía U-2. También ha sido testigo de un trabajo vital en el desarrollo de sistemas de radar y bombarderos invisibles y, a día de hoy, sigue siendo un centro de desarrollo de las tecnologías militares más avanzadas. Se dice también que se traían a este centro aviones soviéticos capturados durante la Guerra Fría para dar un mayor realismo a los entrenamientos militares.

En el área, la confidencialidad siempre ha sido primordial. Los empleados deben prestar juramento de que mantendrán el secreto, y se dice que los edificios situados dentro del complejo están privados de ventanas para que los diferentes equipos de desarrollo no sepan en qué trabajan sus compañeros.

El secretismo que rodea el Área 51 ha inspirado toda clase de especulaciones. Hay quien asegura que se están llevando a cabo programas de investigación para controlar la climatología, dominar la teletransportación y hasta viajar en el tiempo. No obstante, el Área 51 es más conocida por los teóricos de las conspiraciones por ser el lugar donde los científicos han estudiado ovnis y formas de vida alienígenas.

Tales argumentos sostienen que fue allí adonde llevaron una nave alienígena y a sus ocupantes después de estrellarse en Roswell (Nuevo México) en 1947. En julio de ese año la base aérea de Roswell comunicó que había sido encontrado un objeto volador no identificado. En los días y

Lago Groom

**PREPARADOS PARA EL ÉXITO** *Los US Army Air Corps construyeron las dos primeras pistas junto al lago Groom en los años cuarenta. Una red más extensa de pistas surgió a partir de los años cincuenta, tras reconocer Kelly Johnson, de Skunk Works, el potencial de la zona como lugar de pruebas.*

Nueva pista 14L/32R

Torre de control principal de todas las pistas

Nuevo edificio de comandancia de la base (2005)

Antigua pista 14R/32L (en desuso)

## SECRETOS OCULTOS

*Aunque los fanáticos de los ovnis aseguran que los hangares del Área 51 contienen los restos de una nave alienígena, probablemente se trate en realidad de algún prototipo de aeronave de alta tecnología. De todas maneras, muchos teóricos de las conspiraciones sostienen que el hangar 18 todavía esconde evidencias extraterrestres.*

Pista sur 12/30

GeoEye

**E.T. VUELVE A CASA** *La Ruta 375 del estado de Nevada, lugar de avistamientos de ovnis, fue nombrada oficialmente Autopista de los Extraterrestres en 1996, en una ceremonia que tuvo lugar en la cercana localidad de Rachel. Desde entonces, Rachel acoge un próspero negocio de recuerdos de alienígenas y del Área 51.*

semanas previos, varios ciudadanos dijeron haber visto un objeto en forma de disco en el cielo. Poco después, los militares retiraron el comunicado (años después unos documentos demostrarían que el objeto era un globo sonda de vigilancia), pero para entonces la prensa ya se había hecho con la historia.

La popularidad de la leyenda continuó creciendo hasta que llegó a su punto máximo en los años setenta, con una gran cantidad de libros sobre conspiraciones, informes, documentales y películas. Unos decían que se había encontrado una nave espacial. Otros añadían que también a sus tripulantes. Hasta se llegó a afirmar que existían secuencias, convenientemente extraviadas, de una autopsia a un alienígena. En 1989, un tal Bob Lazar añadió más leña al fuego al afirmar en una entrevista que había trabajado como físico en el Área 51 y que había visto al menos nueve naves espaciales que las autoridades usaron para investigar la ingeniería alienígena.

Algunos de los ufólogos más apasionados sostienen que el Área 51 contiene un complejo subterráneo de túneles y almacenes (entre ellos el legendario hangar 18) donde se almacena todo este botín extraterrestre. Hasta se asegura que son los pro-

pios alienígenas quienes dirigen estos proyectos. Lógicamente, la veracidad de estas historias no puede ser comprobada, pero siguen siendo muy atractivas si se cree en los marcianos...

Sea cual sea la verdad, los visitantes en potencia deben saber que para el Gobierno de los EE UU el acceso a la base está estrictamente prohibido. De hecho, su existencia no fue oficialmente reconocida hasta que en 1995 Bill Clinton firmó una orden presidencial en la que el Área 51 quedaba exenta de toda regulación medioambiental. El lugar se desclasificó en 1997, aunque los proyectos que allí se llevan a cabo siguen siendo alto secreto.

El tráfico aéreo civil y la mayoría del militar está prohibido en su espacio aéreo, y violar deliberadamente esta norma supone un consejo de guerra. El Área 51 no aparece en ningún mapa oficial y la zona está adornada con señales que advierten a los intrusos que el "empleo de la fuerza" está autorizado. Equipos de guardias de seguridad vigilan la alambrada, que tiene sensores de movimiento repartidos aleatoriamente. Si estás planeando una sesión de emociones fuertes con alienígenas, lo mejor que puedes hacer es quedarte en casa y ponerte el DVD de *E.T.*

# El archivo de Granite Mountain

**UBICACIÓN:** Little Cottonwood Canyon (Utah), EE UU.
**CIUDAD MÁS PRÓXIMA:** Salt Lake City, Utah.
**MOTIVO DE INCLUSIÓN:** lugar de alta seguridad, es el archivo de la iglesia de Jesucristo de los Santos de los Últimos Días.

El archivo de Granite Mountain, gestionado por los mormones, está excavado en las profundidades de una montaña de Utah, y las visitas del público o de periodistas rara vez se autorizan. A lo largo de los años este secretismo ha levantado sospechas acerca de por qué la iglesia de Jesucristo de los Santos de los Últimos Días es tan celosa de su intimidad. La iglesia, por su parte, justifica el acceso limitado a sus instalaciones por motivos de seguridad.

Granite Mountain contiene un almacén excavado en sus profundidades donde se guarda una enorme cantidad de documentos relacionados con la Iglesia mormona, sus actividades, su estructura y su historia. También contiene un archivo de información genealógica sin parangón en el mundo. Se dice que guarda más de 35.000 millones de datos genealógicos y casi dos millones y medio de rollos de microfilme —y cada año se va incrementado con 40.000 rollos más—. El archivo tiene a 50 personas contratadas para catalogar, almacenar, copiar y, desde 2002, digitalizar el archivo.

La historia de la Iglesia mormona comienza en Nueva York durante la década de 1820 con un hombre llamado Joseph Smith, que aseguraba haber tenido unas visiones. Según él, en una de ellas un ángel le llevaba a la ladera de un monte en donde se encontraba enterrado un libro escrito en tablas de oro. En 1830 publicó *El Libro de Mormón,* del que dijo que era la traducción de estas tablas, y fundó una nueva iglesia basada en sus enseñanzas. Todavía se conserva algo más de una cuarta parte del manuscrito original de Smith, y se guarda en Granite Mountain.

El movimiento se extendió rápidamente, pero a menudo entraba en conflicto con algunos ciudadanos debido a sus creencias poco ortodoxas —entre las cuales se encontraba la poligamia—. El propio Smith falleció a manos de una masa enfurecida en Illinois en 1844. El liderazgo de los mormones pasó a manos de Brigham Young, quien trasladó la iglesia a Salt Lake City (Utah), que ha sido desde entonces su hogar espiritual.

Las creencias mormonas enfatizan las relaciones con los ancestros, por lo que la iglesia comenzó a acumular registros genealógicos a finales del siglo XIX. En los años treinta del pasado siglo, comenzó a microfilmar estos datos y una década más tarde ya tenía más de 100.000 rollos que necesitaban ser urgentemente almacenados en un lugar permanente. Se consideraron varios sitios en Salt Lake City, pero se desestimaron hasta que un arquitecto que vivía en Little Cottonwood Canyon propuso excavar en Granite

Mountain. No solo sería una ubicación de máxima seguridad, dijo, sino que ofrecería la posibilidad de controlar la temperatura, una de las mayores preocupaciones de los encargados del archivo.

Las obras empezaron en mayo de 1960 y se excavaron túneles abovedados a 250 metros de la cima de la montaña y hasta 700 metros de profundidad. Se construyeron tres corredores principales para llegar al archivo y cuatro túneles que atravesaban estos pasillos transversalmente. Las galerías se forraron de cemento y acero (según varios testigos, están pintados de bonitos tonos pastel) y se hicieron seis cámaras que también se forraron de acero —el proyecto le costó a la iglesia dos millones de dólares—. El complejo tiene una superficie de más de 6.000 metros cuadrados. En la entrada, unas enormes puertas que pesan entre 9 y 14 toneladas y que pueden soportar un ataque nuclear ayudan a impedir el acceso a intrusos.

El material se guarda en unos archivadores de más de tres metros de altura. El traslado de los microfilmes comenzó en 1963 y el archivo ya era totalmente operativo en el año 1965. La montaña no solo ofrece protección ante un posible ataque nuclear, sino que también preserva de desastres naturales como incendios o terremotos. La iglesia sostiene que la mejor manera de proteger el material es limitando estrictamente el contacto humano. Por este motivo las visitas guiadas están prohibidas, ya que cosas como las marcas de dedos, el polvo o las fibras de la ropa podrían ser una amenaza para su contenido. Desde 2001 los avances tecnológicos han permitido mantener el archivo a una temperatura constante de 13 ºC y a un 35 por ciento de humedad.

En 2010, 300 millones de registros de Granite Mountain fueron publicados en Internet y quedaron a disposición de investigadores y del público en general como un gesto de mayor transparencia. Aun así, el nivel de seguridad que mantiene el archivo nos lleva a preguntarnos qué otros secretos se ocultan dentro de la montaña.

# 12  ADX Florence

**UBICACIÓN:** condado de Fremont (Colorado), EE UU.
**CIUDAD MÁS PRÓXIMA:** Pueblo, Colorado.
**MOTIVO DE INCLUSIÓN:** es la prisión de más alta seguridad de América.

En la prisión ADX Florence, también conocida como el Alcatraz de las Rocosas, viven los criminales más peligrosos de América. Entre sus internos se encuentran terroristas curtidos y presos demasiado violentos para tenerlos en instalaciones normales. La mayoría de los reos sabe que la única manera que tiene de abandonar la penitenciaría es con los pies por delante.

El centro se inauguró en noviembre de 1994 con un coste de 60 millones de dólares y se encuentra saliendo de la autopista 67, a los pies de las Montañas Rocosas. Tiene una extensión de casi 15 hectáreas y se halla no muy lejos del pequeño pueblo de Florence (4.000 habitantes). Tiene capacidad para 490 presos y el personal está formado por unos 350 empleados. El terreno fue donado por los habitantes de Florence en 1990, principalmente por las expectativas de trabajo.

ADX Florence debe su existencia a un hecho ocurrido el 22 de octubre de 1983 en un centro penitenciario en Marion (Illinois). Ese día, dos guardias fueron asesinados en incidentes aislados pero prácticamente idénticos, cuando los presos que estaban escoltando se soltaron las esposas y los apuñalaron con la ayuda de otros reos. Este caso abrió el debate sobre cómo tratar a los prisioneros violentos que ya cumplen duras penas y para quienes la amenaza de mayores pérdidas de libertad no tiene ningún efecto. Una de las soluciones acordadas fue la *control unit prison*, de la cual ADX Florence es el primer ejemplo.

Aquí los prisioneros más peligrosos de Norteamérica permanecen aislados de sus guardias y de los otros presidiarios el máximo posible. Solo un 5 por ciento de ellos llega al centro directamente de los juzgados. La mayoría procede de otras prisiones donde han demostrado su propensión a ejercer una violencia extrema. La seguridad es muy estricta: a cada preso se le asigna uno de los seis niveles de seguridad existentes.

Las celdas miden unos 2,1 por 3,6 metros y contienen los muebles mínimos, hechos de obra. Los lavabos e inodoros han sido diseñados para frustrar cualquier intento de inundar las celdas, mientras que las ventanas han sido proyectadas para que los presos no puedan saber su ubicación exacta dentro de las instalaciones (dificultando así cualquier intento de fuga). Las vistas generalmente se limitan a un trozo de cielo o de pared.

El complejo principal tiene unos muros muy altos y todo el recinto está rodeado de torres de vigilancia y vallas con alambre de espino cuya altura equivale a la de dos hombres. Guardias con perros

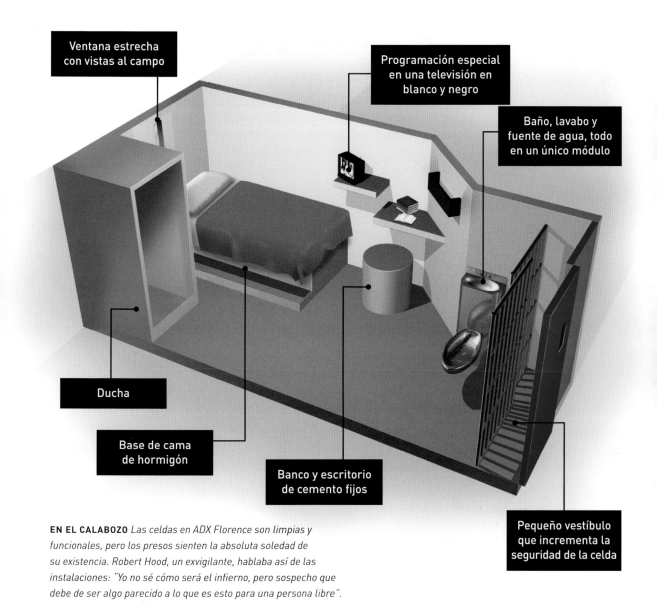

**Ventana estrecha con vistas al campo**

**Programación especial en una televisión en blanco y negro**

**Baño, lavabo y fuente de agua, todo en un único módulo**

**Ducha**

**Base de cama de hormigón**

**Banco y escritorio de cemento fijos**

**Pequeño vestíbulo que incrementa la seguridad de la celda**

**EN EL CALABOZO** *Las celdas en ADX Florence son limpias y funcionales, pero los presos sienten la absoluta soledad de su existencia. Robert Hood, un exvigilante, hablaba así de las instalaciones: "Yo no sé cómo será el infierno, pero sospecho que debe de ser algo parecido a lo que es esto para una persona libre".*

patrullan por el perímetro con regularidad. Dentro del complejo hay unas 1.500 puertas de acero activadas por control remoto, además de cámaras de vigilancia y detectores de movimiento y peso. Cuando un guardia abre una puerta manualmente, la llave que ha usado se coloca inmediatamente tras una pantalla de aluminio para que los internos no puedan memorizar visualmente su forma y tratar de crear una copia. Hasta hoy, no ha habido ningún intento de fuga que haya tenido éxito.

A los reos no se les permite tener ningún aparato de telecomunicaciones, pero sí hacer una única llamada telefónica al mes, de 15 minutos y bajo vigilancia. Se les encierra en sus celdas 23 horas al día durante el primer año de condena, y no comen ni socializan con los demás internos. Los guardias entregan la comida en cada celda. Los presidiarios pueden usar un patio exterior excavado como una piscina, de uno en uno y durante cortos periodos de tiempo. Después de un año, y dependiendo del caso, se intenta incrementar el nivel

**SIN SALIDA** *Dado que la prisión cuenta con algunos de los criminales más peligrosos del país las instalaciones son de alta seguridad. Y parece que esto funciona porque no ha habido fugas en las últimas dos décadas.*

de socialización, lo cual implica comer con los demás. Los internos que respondan bien a las normas de la prisión podrán pasar hasta 16 horas al día fuera de sus celdas en su último año de condena. Cada celda tiene un televisor en blanco y negro que emite programas educativos.

Dentro de la prisión se encuentra una zona conocida como Range 13 donde las medidas de seguridad son todavía más restrictivas. A los internos de esa zona se

les considera tan peligrosos que no tienen prácticamente ningún tipo de contacto con nadie. Range 13 pasa largos periodos desocupado y raramente contiene más de uno o dos presidiarios.

La lista de internos de este centro incluye personas como Timothy McVeigh (posteriormente ejecutado por su papel en los atentados de Oklahoma), Ted Kaczynski, conocido como *Unabomber*, Eric Rudolph (el terrorista del Parque Olímpico de Atlanta), Ramzi Yousef (condenado por el ataque terrorista al World Trade Centre en 1993 y visitante ocasional de Range 13) y varias personas condenadas por actividades relacionadas con Al Qaeda o la mafia.

# La base subterránea de Dulce

**UBICACIÓN:** Rio Arriba (Nuevo México), EE UU.
**CIUDAD MÁS PRÓXIMA:** Albuquerque, Nuevo México.
**MOTIVO DE INCLUSIÓN:** su existencia no ha sido reconocida, se cree que es una base extraterrestre.

Hay pocos sitios que hayan llamado tanto la atención de los amantes de las conspiraciones como la base de Dulce, un lugar del que hay pocas pruebas concretas. Sin embargo, algunos creen que en este lugar se trama una conspiración entre los poderes fácticos y formas de vida alienígena para llevar a cabo experimentos abominables con seres humanos. Exista o no, la base de Dulce por lo menos sirve para ver cómo se extienden las teorías de la conspiración.

Los rumores acerca de una base secreta subterránea en Nuevo México parten de Paul Bennewitz, un empresario en el sector tecnológico con un interés especial en la ufología. En los años setenta, Bennewitz empezó a decir que a menudo veía extrañas luces en el cielo y creía que podían estar relacionadas con la base aérea de Kirtland, a las afueras de su Albuquerque natal. La base era conocida por sus programas secretos de investigación. En 1940, por ejemplo, el personal del Laboratorio Nacional de Los Álamos que trabajaba en el Proyecto Manhattan (con el que se desarrolló la bomba atómica) la usó como centro de transportes. También alberga un complejo subterráneo para almacenar munición del que se dice que es el mayor depósito del mundo de armas nucleares.

Bennewitz no fue el único que dijo haber visto extraños espectáculos nocturnos de luces. En aquella época, Nuevo México también fue escenario de una serie de fenómenos sin aparente explicación, como por ejemplo numerosas mutilaciones de ganado. Por lo visto, Bennewitz contactó con una mujer que bajo hipnosis describió cómo ella y su hijo habían sido abducidos por extraterrestres y llevados a un subterráneo donde vieron cómo los animales eran mutilados. La mujer también aseguró que le habían insertado un implante que podía controlar su mente.

Esta historia impresionó a Bennewitz, quien siguió recopilando pruebas, como por ejemplo imágenes de vídeo en las que parecen verse las extrañas luces en el cielo. También construyó un sistema de receptores de radio y grabó cintas que contenían, según él, transmisiones desde ovnis. A finales de 1980 se puso en contacto con las autoridades de Kirtland para hacerles partícipes de lo que para él era una amenaza alienígena. Sus teorías fueron recibidas con cierto escepticismo y muy poco interés.

Pero Bennewitz no desistió en su empeño y continuó con sus pequisas hasta que en 1982 llamó la atención de un grupo de estudio de ovnis con cierta credibilidad, la Organización de Investigación de Fenómenos Aéreos (APRO por sus siglas en inglés). William Moore, una de las figuras más importantes de APRO, se hizo amigo de Bennewitz. Por aquel entonces, Bennewitz había llegado a la conclusión de que había dos tipos de alienígenas en la Tierra: los buenos, conocidos como "los blancos", y los malos, conocidos como "los grises". Los grises, le contó a Moore, vivían en una profunda base subterránea debajo de Archuleta Mesa, cerca de Dulce.

Dulce es un pequeño pueblo cerca de la frontera entre Nuevo México y Colorado, en la reserva apache de Jicarilla. Con una población de alrededor de 2.500 habitantes, es un lugar tranquilo, discreto y apartado. Cerca del pueblo se levanta la imponente Archuleta Mesa, una montaña de 2.800 metros de altitud. Según afirmaba Bennewitz, los grises habían llegado a un acuerdo con la Casa Blanca para llevar a cabo experimentos sobre formas de vida terrestres.

Durante los años ochenta, Moore le facilitó a Bennewitz *pruebas* que corroboraban sus sospechas, y le ayudó a divulgar su historia de que los alienígenas habían llegado al planeta y de que, con la complicidad del Gobierno de EE UU, estaban experimentando con humanos y probando métodos para controlar su mente. Ni que decir tiene que se le trató como a un loco excéntrico.

Más tarde, en 1989, Moore declaró públicamente haber formado parte de un plan —según algunos, trazado con la ayuda de las autoridades de Kirtland— para darle información errónea a propósito. El único motivo de la estratagema parece que fue lograr que Bennewitz se desacreditara a sí mismo. Después de esto, su salud mental se fue deteriorando hasta su muerte en 2003.

Hasta hoy nadie ha podido aportar pruebas fehacientes sobre la existencia de la

**TALADRO GIGANTE** *Una máquina tuneladora de las Fuerzas Aéreas de EE UU, capaz de horadar un túnel de varios metros de diámetro en la roca, fotografiada en Little Skull Mountain, Nevada, en 1982. Quienes creen en la existencia de la base de Dulce sugieren que este tipo de maquinaria pudo ser utilizada en su construcción.*

base de Dulce y todo indica que no es más que el producto de la imaginación de Bennewitz. Aun así, para muchos la cuestión fundamental prevalece: si Bennewitz no era más que un lunático, ¿porque molestarse tanto en desacreditarle?; ¿es posible, se preguntan algunos, que se tropezara con algo que no tuviera ninguna relación con extraterrestres, pero que in-comodara a las autoridades?; el plan de darle información errónea, ¿fue realmente para despistarle, y convertir con ello la base de Dulce en una tapadera para encubrir un secreto igualmente asombroso?, porque ¿qué mejor para esconder una verdad secreta que un montón de mentiras? O quizá tenía razón Bennewitz desde un principio...

# El complejo de Cheyenne Mountain

**UBICACIÓN:** condado de El Paso (Colorado), EE UU.
**CIUDAD MÁS PRÓXIMA:** Colorado Springs, Colorado.
**MOTIVO DE INCLUSIÓN:** un centro secreto dedicado a velar por la seguridad de Norteamérica.

El complejo de Cheyenne Mountain alberga el Mando Alterno Nacional del NORAD y, en los últimos tiempos, del USNORTHCOM. El NORAD es una iniciativa conjunta de Estados Unidos y Canadá para vigilar el espacio aéreo e identificar posibles amenazas a estos dos países. El sistema evalúa el peligro que supone cualquier actividad irregular y emite la alarma correspondiente.

El NORAD (Mando Norteamericano de Defensa Aeroespacial) se creó como un organismo de colaboración entre EE UU y Canadá en 1958, cuando la amenaza de ataque por parte de la URSS era una de las mayores preocupaciones del continente. A su vez, USNORTHCOM es el Comando Norte de EE UU y se creó para proteger al país después de los ataques del 11 de septiembre de 2001. El lema del NORAD resume a la perfección lo que sucede dentro de Cheyenne Mountain: "Disuadir, detectar, defender". Si la amenaza de la aniquilación mutua sirvió durante la Guerra Fría para disuadir a potenciales atacantes, la detección se consigue con la ayuda de un amplio radar y sistemas por satélite que captan cualquier tipo de actividad anómala en el cielo. A su vez, los cazas y bombarderos de las Fuerzas Aéreas y, como último recurso, los misiles están preparados para la defensa.

Ambas organizaciones tienen su cuartel general en la base de las Fuerzas Aéreas de Peterson, cerca de Colorado Springs. Aunque las operaciones cotidianas tienen lugar allí, Cheyenne Mountain siempre está alerta por si tiene que tomar el relevo de inmediato. La montaña tiene una altura de casi 3.000 metros y forma parte de las Montañas Rocosas. Fue elegida como base para el NORAD por su céntrica situación y su geología estable, además de por su proximidad a la Academia de las Fuerzas Aéreas de EE UU y otras instalaciones militares. Su construcción empezó en 1961 y se estima que se usaron más de 450.000 kilos de explosivos para vaciar la montaña. Hay 4,5 kilómetros de túneles y galerías en un área de casi dos hectáreas donde antes había 700.000 toneladas de granito. Se calcula que cuando el NORAD entró en funcionamiento el proyecto ya había costado 142 millones de dólares. En 1989 se empezó un programa de renovación, pero a mitad de los años noventa el proyecto iba con un serio retraso y estaba costando varios cientos de millones de dólares más de lo presupuestado.

El complejo consta de 15 edificios de acero con varias plantas (la mayoría tiene tres). Cada uno de ellos reposa sobre gigantescos muelles de una tonelada de

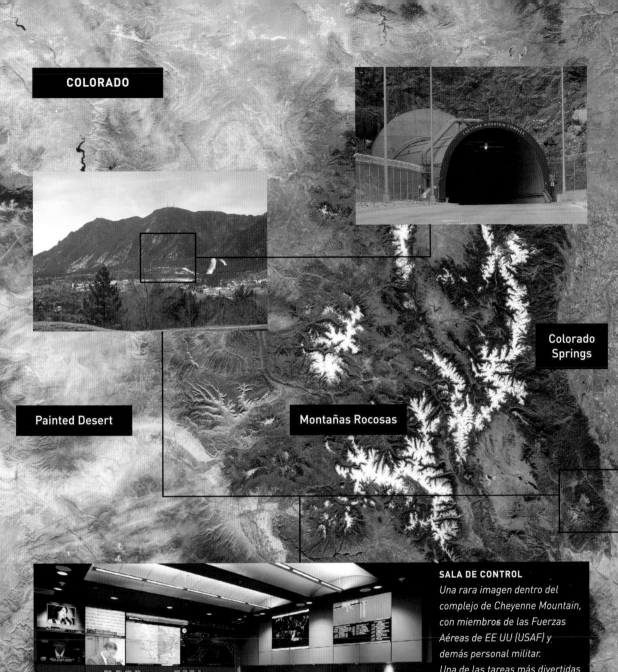

COLORADO

Colorado
Springs

Painted Desert

Montañas Rocosas

**SALA DE CONTROL**

*Una rara imagen dentro del complejo de Cheyenne Mountain, con miembros de las Fuerzas Aéreas de EE UU (USAF) y demás personal militar.*
*Una de las tareas más divertidas es el seguimiento del vuelo anual de Papá Noel por todo el mundo en Nochebuena.*

*Estas grandes puertas de acero de 25 toneladas se pueden abrir y cerrar en solo tres cuartos de minuto, lo justo para procurar no pillarse los dedos. Son una parte fundamental del sistema que aísla el interior de la montaña del mundo exterior.*

peso cada uno (y se calcula que hay cerca de 1.400) para que cada estructura pueda tambalearse horizontalmente en cualquier dirección y aislar así el impacto de una explosión nuclear o un terremoto. La construcción de un pasaje que corta la montaña de norte a sur también contribuye a minimizar el efecto de las ondas de choque.

Para entrar en el complejo hay que cruzar unas puertas de casi un metro de grosor y 25 toneladas de peso diseñadas para abrirse y cerrarse en 45 segundos. En el caso de que se produzca una explosión nuclear, las entradas principales están provistas de unos sensores que captan las ondas de presión y hacen que unas válvulas se cierren y sellen el complejo. Si esto sucediera, el edificio contiene suficientes reservas de comida para alimentar a varios cientos de personas hasta un máximo de 30 días, mientras que los manantiales naturales abastecerían el edificio con agua almacenada en cuatro enormes tanques subterráneos. Estos depósitos tienen una capacidad que supera los 5,5 millones de litros. Al parecer, los trabajadores a veces utilizan canoas para navegar por ellos. Asimismo,

un sistema de ventilación altamente eficaz aseguraría el suministro constante de aire fresco. La montaña también está equipada con instalaciones para cubrir otras necesidades básicas, como servicios médicos, peluquerías, gimnasios y saunas. En la superficie, las atracciones locales incluyen un zoo situado en las proximidades y un santuario dedicado a Will Rogers, un humorista de principios del siglo XX.

Afortunadamente, Cheyenne Mountain no ha sufrido nunca una alarma de alto nivel, aunque ha estado cerca de ello en una o dos ocasiones como resultado de un error humano o técnico. El más famoso ocurrió en 1980 cuando el ordenador del NORAD inició un simulacro de alarma sin darse cuenta de que era solo una prueba. Por suerte, un trabajador se percató de ello antes de que despegaran aviones o se lanzara ningún misil.

Cheyenne Mountain también puede presumir de carrera cinematográfica por haber sido el escenario en varias secuencias de *Juegos de guerra*, una película de 1983 en la que un *hacker* salva al mundo de la guerra nuclear.

# La Planta Piloto para el Aislamiento de Residuos

UBICACIÓN: cuenca de Delaware (Nuevo México), EE UU.
CIUDAD MÁS PRÓXIMA: Carlsbad, Nuevo México.
MOTIVO DE INCLUSIÓN: depósito de residuos nucleares de EE UU. Su acceso es restringido.

La Planta Piloto para el Aislamiento de Residuos (WIPP por sus siglas en inglés) se encuentra en el condado de Eddy, en Nuevo México, y desde 1999 es un vertedero para muchos de los residuos radiactivos transuránicos de EE UU. El lugar fue elegido por su estabilidad tectónica y geológica y se calcula que en los próximos 35 años recibirá unos 38.000 envíos de residuos. No obstante, será inaccesible para las futuras generaciones, quizá en los próximos 10.000 años.

Los residuos transuránicos consisten más que nada en ropa, herramientas, telas, tierra y otros materiales que han sido contaminados con elementos radiactivos cuyo número atómico es mayor que el del uranio (principalmente plutonio). Son, por tanto, residuos altamente peligrosos, un subproducto derivado de varios programas de investigación nuclear estadounidenses, y su eliminación supone un importante desafío.

Después de que se desestimara Kansas como lugar de almacenaje de estos residuos, se escogió la zona de Nuevo México. La cuenca salada de Delaware está formada por la evaporación de un mar hace 250 millones de años, durante el Pérmico. El lugar fue elegido porque geológicamente era ideal y por la ausencia de aguas subterráneas que podrían representar un peligro. El Congreso autorizó la construcción de la WIPP en 1979 y las pruebas en las instalaciones empezaron en 1988. En marzo de 1999 llegó el primer envío de residuos desde las instalaciones de investigación y desarrollo de armas nucleares de Los Álamos, en Albuquerque.

Los residuos transuránicos se clasifican en dos grandes grupos: los de manipulación mediante contacto directo (CH por sus siglas en inglés), que los trabajadores pueden manipular en ambientes controlados, sin ninguna protección especial más allá del contenedor en el que llegan, y los de manipulación remota (RH), que contienen altos niveles de radiación y deben ser transportados y manipulados en contenedores forrados de plomo. Los residuos RH constituyen solo un 4 por ciento del total que ha sido enviado a la WIPP.

Las cámaras donde se depositan se encuentran a 600 metros debajo de la superficie. Los recipientes de los RH se guardan en nichos perforados en las paredes de las salas de almacenaje que luego se sellan con cemento. Los residuos CH simplemente se colocan ordenadamente en el suelo. Cuando el almacén esté lleno tarde o temprano se hundirá, y cuando esto pase los huecos que queden se rellenarán con sal hasta que la WIPP quede completamente sellada a cientos de metros bajo tierra.

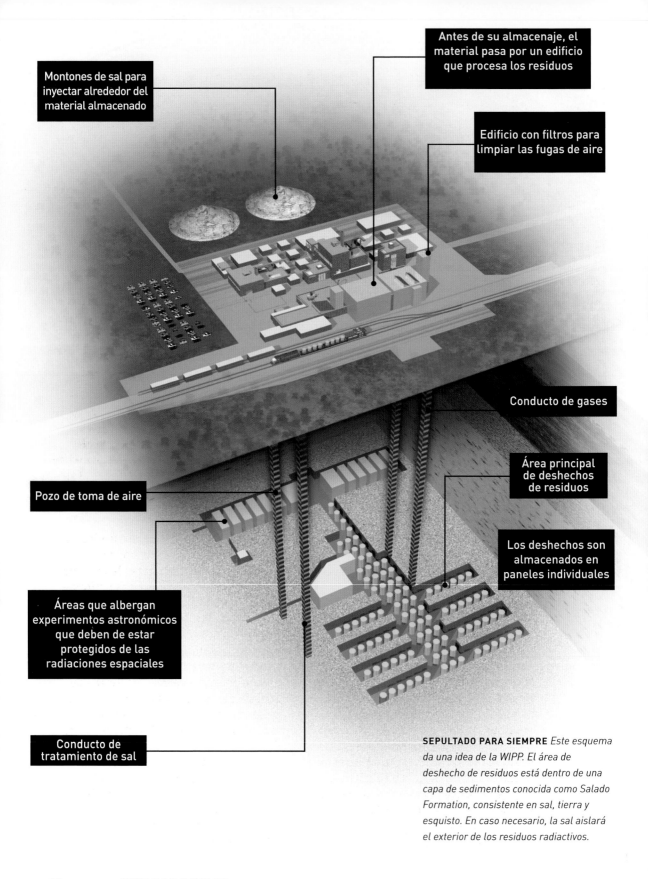

**Antes de su almacenaje, el material pasa por un edificio que procesa los residuos**

**Montones de sal para inyectar alrededor del material almacenado**

**Edificio con filtros para limpiar las fugas de aire**

**Conducto de gases**

**Área principal de deshechos de residuos**

**Pozo de toma de aire**

**Los deshechos son almacenados en paneles individuales**

**Áreas que albergan experimentos astronómicos que deben de estar protegidos de las radiaciones espaciales**

**Conducto de tratamiento de sal**

**SEPULTADO PARA SIEMPRE** *Este esquema da una idea de la WIPP. El área de deshecho de residuos está dentro de una capa de sedimentos conocida como Salado Formation, consistente en sal, tierra y esquisto. En caso necesario, la sal aislará el exterior de los residuos radiactivos.*

**BAJO TIERRA** *Uno de los túneles de la WIPP, perforado a una profundidad de unos 650 metros, en mitad de un espeso manto de sal. El primer conducto de exploración en Nuevo México fue excavado en 1981, 18 años antes de recibir el primer cargamento de residuos.*

La WIPP está regulada por varias agencias, de las cuales las más importantes son el Departamento de Energía y el Departamento de Medio Ambiente de Nuevo México. Su acceso está estrictamente controlado, como es natural, y el recinto está rodeado por una enorme valla.

Cualquiera que tenga que hacer una visita oficial debe visionar un vídeo de seguridad antes y disponer del equipamiento necesario (incluyendo un respirador de emergencia y un detector de radiación para ir bajo tierra). Todos los envíos de residuos están rastreados por satélite desde un centro de control y todas las vías de acceso al recinto guardan severas normas de seguridad. Hay 25.000 empleados entrenados y listos para actuar en caso de emergencia.

Mantener a la gente alejada del lugar es una de las preocupaciones principales, aunque igual de importante es asegurarse de que las futuras generaciones no se lo encuentran por casualidad. Por este motivo, un comité de científicos, antropólogos y lingüistas ha pasado años desarrollando un sistema para prevenir a las gentes de un futuro lejano para que se mantengan alejadas del lugar, mediante una serie de señales verbales y no verbales destinadas a indicar que la zona no es segura.

Pero ¿qué implica esto en la práctica? En primer lugar, cuando la planta esté llena se dispondrá un terraplén que bordeará el área de casi 50 hectáreas y que tendrá 11 metros de alto y 33 de ancho. En el suelo se distribuirán 128 objetos metálicos equidistantes y detectables por radar, junto con imanes que darán a la zona su propia firma magnética. Luego se colocarán unos bloques de granito de ocho metros de altura alrededor del terraplén, y alrededor de estos se delimitará una zona de 10 kilómetros cuadrados con más bloques.

Además de todo esto, se construirá con granito un punto de información en el centro del área donde están las instalaciones que tendrá mensajes escritos en varios idiomas, junto con pictogramas. Dos habitaciones más con la misma información se enterrarán en otros puntos del lugar y se mandará información a archivos del mundo entero para que los mapas, obras de referencia y otros se actualicen. Finalmente, de vuelta al recinto, se enterrarán de forma aleatoria unos discos de unos 23 centímetros de diámetro hechos de granito, arcilla o alúmina con mensajes escritos en uno de siete idiomas (inglés, árabe, chino, francés, ruso, español y navajo). Rara vez un lugar que intenta mantener alejados a los intrusos da tantos detalles de su localización exacta.

# 16 Centro de Investigación de Antropología Forense

**UBICACIÓN:** rancho Freeman (Texas), EE UU.
**CIUDAD MÁS PRÓXIMA:** San Marcos, Texas.
**MOTIVO DE INCLUSIÓN:** acceso restringido a la granja de cadáveres donde se estudia su descomposición.

El Centro de Investigación de Antropología Forense (FARF en sus siglas en inglés) está bajo la jurisdicción del Centro de Antropología Forense de la Universidad Estatal de Texas (FACTS en sus siglas en inglés). Es un laboratorio de investigación al aire libre que se ocupa de "reconstruir el intervalo desde el momento de la muerte y los estudios relacionados con la descomposición del cuerpo humano".

El FARF fue inaugurado en 2008 y analiza cómo los cuerpos se descomponen en espacios al aire libre, un área de especial utilidad en la criminología forense. Es una de las cinco instituciones de estas características que existen en EE UU —la primera se inauguró en 1981 en la Universidad de Tennessee, en Knoxville— y es sin duda la más grande de ellas, con una extensión de más de 10 hectáreas en el rancho Freeman, que pertenece a la universidad. En él se recrean varios tipos de escenarios, como zonas boscosas, matorrales y estanques.

Las instalaciones están regidas por estrictos protocolos de higiene, prevención de riesgos y seguridad. El perímetro está rodeado de alambre de espino y rara vez se permite la entrada a visitantes. No hay ninguna residencia privada en más de un kilómetro y medio a la redonda, aunque se dice que cualquier olor proveniente del laboratorio se disipa a unos 20 metros de distancia. El rancho Freeman no fue el primer lugar escogido, sino un sitio próximo al aeropuerto de San Marcos, pero fue vetado por el riesgo de que los cadáveres atrajeran a los buitres y estos pusieran en peligro a los aviones.

La investigación se lleva a cabo con grupos de seis cadáveres especialmente seleccionados. Algunos cuerpos se entierran en tumbas no muy profundas, otros se dejan expuestos a los elementos y otros se dejan hasta en maleteros de coches para intentar recrear con fidelidad escenarios de homicidios.

Si le interesa, puede disponerlo todo para donar su cuerpo al centro. Puede hasta dar el cuerpo de un ser querido si cree que ese hubiera sido su deseo.

# Laboratorio de Muestras Lunares
## Centro Espacial Johnson

UBICACIÓN: Centro Espacial Johnson (Texas), EE UU.
CIUDAD MÁS PRÓXIMA: Houston, Texas.
MOTIVO DE INCLUSIÓN: los laboratorios para la preservación y el estudio de muestras lunares son un lugar de alta seguridad.

Las misiones Apolo que exploraron la superficie lunar entre 1969 y 1972 trajeron a la Tierra cerca de 382 kilogramos de muestras geológicas de valor incalculable. El complejo de laboratorios de muestras lunares se construyó entre 1977 y 1979 para guardarlas en un lugar permanente, seguro y libre de contaminación. Los visitantes ajenos a la comunidad científica no son bienvenidos.

Alrededor de 100 científicos y educadores cuidadosamente seleccionados visitan las instalaciones cada año para examinar estas muestras, que se dividen en dos grupos: por un lado, las que han sido cedidas a científicos para experimentos y luego devueltas, y por otro las muestras *limpias,* que no han salido de la NASA desde que llegaron a la Tierra. Si los visitantes del centro van a tratar con las muestras limpias, deben seguir una serie de normas muy estrictas. Nada más llegar, deben quitarse todas las joyas y la ropa y ponerse un mono de nailon (conocido como *traje de conejito),* gorro, guantes y varias fundas para los zapatos. Después deben darse una ducha de aire durante un minuto para eliminar cualquier posible resto contaminante.

Las muestras limpias se manipulan dentro de una vitrina de acero inoxidable con unos guantes de goma a través del cristal para que no haya ningún contacto con la piel. Hay una entrada constante de nitrógeno en la vitrina cerrada al vacío para asegurar que no se acumule oxígeno o hidrógeno que pueda atravesar la goma de los guantes. Las herramientas que se usan para manipular las muestras siguen un ritual de limpieza muy estricto y se guardan en bolsas cerradas al vacío. Los únicos materiales que pueden entrar en contacto directo con las muestras son el acero inoxidable, el aluminio y el teflón. Los materiales usados en las instalaciones se eligen para evitar la contaminación química, y sistemas de seguridad de alta tecnología funcionan todo el tiempo.

La cámara de seguridad del recinto contiene 26.000 muestras limpias de la NASA y está sellada con una puerta contra inundaciones, que se puede atornillar en caso de que se desate un huracán. La cámara fue diseñada de manera que quede siempre por encima del nivel del mar, sobre el máximo previsto que este pueda subir en caso de huracán. Para más seguridad, una pequeña pero significativa parte de la colección se encuentra guardada en otro lugar secreto por si ocurre una desgracia en el Centro Espacial Johnson. Teniendo en cuenta que estos trocitos de roca lunar pueden ayudarnos a responder a preguntas fundamentales sobre el universo, es comprensible que se tomen tantas precauciones.

**FUERA DE ESTE MUNDO** *Las muestras de roca recogidas de las misiones lunares Apolo se guardan en el Edificio 31N del Centro Espacial Johnson, abierto oficialmente en 1979. Contiene muestras de nueve sitios diferentes explorados en la Luna.*

**ROCA DE SIGLOS**
*A la izquierda: una muestra de roca lunar espera a ser estudiada en el Laboratorio de Muestras Lunares del CEJ. A la derecha: en 1972, Harrison Schmitt fue el único geólogo que pisó la Luna, cuando formaba parte de la misión Apolo 17, el último alunizaje de la historia.*

# La reserva de oro de Fort Knox

**UBICACIÓN:** Kentucky, EE UU.
**CIUDAD MÁS PRÓXIMA:** Lousiville, Kentucky.
**MOTIVO DE INCLUSIÓN:** el depósito de lingotes de oro más famoso del mundo es un lugar de alta seguridad.

A pesar de que no es el depósito de oro más grande de los EE UU —ese honor le corresponde al Banco de la Reserva Federal de Nueva York *(véase pág. 82)*—, Fort Knox es legendario por su extraordinario nivel de seguridad. No en vano protegió durante la Segunda Guerra Mundial los tesoros y documentos más valiosos del mundo.

Fort Knox es una instalación secreta construida en 1936 por el Departamento del Tesoro de EE UU para almacenar las reservas de oro del país y ahora está bajo jurisdicción de la Casa de la Moneda de EE UU. El primer depósito de oro que se hizo llegó por ferrocarril en enero de 1937.

Cada lingote que se encuentra en las cámaras acorazadas mide 17,8 cm de largo por 9,2 de ancho y 4,5 de alto, y pesa 12,5 kg. En la actualidad, el oro guardado en las cámaras pesa en total unas 4.000 toneladas, pero durante la Segunda Guerra Mundial llegó a haber cuatro veces esa cantidad. Fort Knox también ha acogido varios objetos de gran valor, como la Constitución de Estados Unidos, la Declaración de Independencia y el discurso de Lincoln en Gettysburg, junto con las joyas de la Corona húngara, una Carta Magna y una Biblia de Gutenberg. La Constitución y la Declaración de Independencia, trasladadas por motivos de seguridad en 1940, se guardaron en un cofre de bronce que pesaba 68 kg hecho expresamente para este fin y que viajó bajo la estricta supervisión de los servicios secretos y las tropas armadas.

El edificio en sí consta de dos pisos con unas dimensiones de 32 por 37 metros. Su construcción original requirió 750 toneladas de acero reforzado, 670 toneladas de estructuras de acero, casi 453 metros cúbicos de granito y más de 3.200 metros cúbicos de cemento. La entrada a la cámara acorazada se realiza por unas puertas de más de medio metro de grosor a prueba de explosiones y que pesan más de 20 toneladas. La cámara se divide en varios compartimentos sellados con una cinta especial y una cera que mostraría signos de manipulación.

Como es de esperar, el edificio es impenetrable para todos aquellos que no sean invitados. Además de los sistemas de última generación para proteger el edificio (cuyos detalles son secretos), también hay dos garitas de vigilancia en la entrada, que cruza una valla de acero. Hay más garitas de vigilancia en cada esquina del edificio. Los guardias, miembros todos de la Policía de la Casa de la Moneda de Estados Unidos (fundada en 1792), han seguido un duro entrenamiento y no son muy dados a dialogar con posibles intrusos. De hecho, en el sótano del edificio hay un campo de tiro que ofrece a los

Base aérea
Goodman

**CIUDAD DE GARRISON** *El depósito de oro descansa a las afueras de Fort Knox Army Post, una base militar de 44.000 hectáreas y más de 12.000 soldados y personal preparada para defender las reservas de oro de la nación en cuanto reciba la orden.*

WELCOME TO
FORT KNOX

**INEXPUGNABLE** *La construcción de Fort Knox Army Post comenzó a principios de 1918. Este campamento permanente recibe su nombre de Henry Knox, un oficial bostoniano durante la Guerra de Independencia que llegó a ser el primer secretario de defensa del país.*

Campo de golf
Lindsey

Entrada principal
desde el Bulevard
Bullion

**DORADA VISIÓN** *Se estima que las reservas depositadas en Fort Knox se acercan al 2,5 por ciento de todo el oro alguna vez fundido, aunque va a la zaga del Banco de la Reserva Federal de Nueva York, que atesora el 4 por ciento del total histórico.*

Cementerio de
veteranos de
Kentucky

**KNOX BLINDADO** *Los sofisticados sistemas de seguridad Fort Knok incluyen torres y cámaras de vigilancia, y una alambrada que recorre todo el perímetro. Se cree que hay un túnel de salida por si alguien se queda encerrado por accidente dentro de la cámara, pero solo hay una vía para entrar.*

guardias un poco de tiempo extra para perfeccionar su puntería durante los descansos. Por supuesto, también está la base militar de Fort Knox, por si se necesitara más personal.

Para entrar en la cámara hace falta una combinación de cifras que no sabe nadie en su totalidad, por lo que varios miembros del personal deben estar presentes para marcar el código correcto. La cámara tiene una cerradura con un sistema de relojería que la bloquea durante 104 horas y hay un túnel secreto para aquellos que tengan la mala suerte de quedarse encerrados dentro, una vez que la cerradura se haya activado. Los empleados no pueden, por contrato, revelar ninguna información sobre los sistemas de seguridad y se prohíben las visitas.

Es normal que con tanta seguridad Fort Knox haya atraído el interés de los teóricos de la conspiración. De hecho, la total ausencia de movimiento de un volumen de oro significativo, tanto de entrada como de salida, ha levantado muchas sospechas. El oro que se ha movido ha sido en pequeñas cantidades para llevar a cabo controles de auditoría y de procesos. Así pues, abundan teorías como la que afirma que ya no queda oro en Fort Knox porque ha sido trasladado a Londres o la que asegura que ahora contiene objetos pertenecientes a pequeños hombrecillos verdes del espacio exterior.

Que no haya oro entre esas paredes de granito y acero es la idea que más ha rondado por la imaginación norteamericana a lo largo de los años. En 1974, la sospecha de que la cámara estaba vacía se extendió como la pólvora debido a la crisis financiera, sobre todo después de que se publicara el dato en un libro que atacaba el sistema financiero. Finalmente, el Departamento del Tesoro permitió la entrada a un civil, junto con miembros seleccionados de la prensa, para que se viera el contenido y así saciar la curiosidad de los que lo ponían en duda. Efectivamente, pudieron confirmar que había oro y en abundancia. Fue la primera vez que se permitió a un civil penetrar en la cámara de Fort Knox desde que lo hizo el presidente Franklin D. Roosevelt en 1943.

# La caja fuerte con la fórmula de la Coca-Cola

**UBICACIÓN:** Coca-Cola World, Atlanta (Georgia), EE UU.
**CIUDAD MÁS PRÓXIMA:** Atlanta, Georgia.
**MOTIVO DE INCLUSIÓN:** es el lugar donde se guarda la fórmula secreta de la famosa bebida.

Con 1.700.000.000 de unidades vendidas cada día, puede que la Coca-Cola sea la bebida preferida del mundo entero. Es tal la mitología que se ha formado alrededor de la marca que su fórmula es probablemente el secreto industrial mejor guardado de la historia. Desde que se escribió en papel a principios del siglo XX, la receta de la Coca-Cola ha sido protegida con mucho celo y ahora se encuentra en una caja fuerte que es a la vez una atracción turística.

La vida de la Coca-Cola empieza en Atlanta (Georgia) en 1886, con un farmacéutico llamado John Pemberton que creó maravillas como el "Vino francés de coca" —una mezcla de vino y cocaína que se subía a la cabeza— o el "mágico tinte indio de Pemberton". Como la prohibición del alcohol ya era una amenaza, Pemberton comenzó a trabajar en una versión no alcohólica de su vino de coca. El resultado fue un sirope marrón que quiso comercializar como "el elixir que todo lo cura". Por casualidad, parte de ese sirope se mezcló con agua con gas, creando así la bebida tan conocida y querida de hoy.

A pesar de todo, Pemberton fracasó como hombre de negocios y en 1891 tuvo que vender su negocio a Asa Griggs Candler por una suma irrisoria: 23.000 dólares. Candler se dio cuenta de que el valor de su compra se encontraba en el sabor único de la Coca-Cola y prohibió que se escribiera la receta en papel y mucho menos que se copiara. En 1919, Ernest Woodruff lideró a un equipo de inversores que compró la compañía a Candler. Para ello, Woodruff tuvo que conseguir un crédito y ofreció la fórmula de la Coca-Cola como aval. Después de convencer a Candler de que se la escribiera en un papel, Woodruff lo depositó en la cámara acorazada del Guaranty Bank de Nueva York. El papel estuvo allí hasta 1925, cuando Woodruff terminó de devolver el préstamo, y lo trasladó al Sun-Trust Bank en Atlanta (Georgia), donde estuvo hasta 2011.

Aunque hay innumerables imitadores en el mercado, la política de Coca-Cola es no presentar casi nunca demandas contra ellos, ya que eso obligaría a la empresa a revelar la fórmula ante los tribunales. Dicho esto, se sabe que la receta básica contiene una mezcla de cafeína, caramelo, coca, ácido cítrico, zumo de lima, azúcar, agua y vainilla.

El ingrediente de la fórmula que permanece en secreto es el Merchandise7X, responsable del sabor único de la bebida, a pesar de que supone solo el 1 por ciento de la preparación. A lo largo de los años, muchos han asegurado haber descubierto el secreto. En 2011, el programa de radio norteamericano *This American Life*

**UBICACIÓN NO TAN SECRETA** *Muhtar Kent, presidente y consejero delegado de The Coca-Cola Company, se prepara para guardar la caja que contiene la legendaria fórmula en la flamante cámara durante la exposición "The World of Coca-Cola", en Atlanta, en diciembre de 2011.*

anunció el redescubrimiento de una noticia publicada en el periódico *Atlanta Journal Constitution* en 1979. El artículo incluía la foto de una fórmula escrita en un viejo cuaderno y se decía que pertenecía a un amigo de John Pemberton. Por supuesto, Coca-Cola sigue asegurando que nadie ha encontrado todavía la fórmula correcta.

Se rumorea que dentro de la compañía tan solo un pequeño grupo de personas conoce su enunciado y no se les permite viajar juntos por miedo a que les pueda ocurrir algo y se pierda la fórmula para siempre. En 2011, la receta salió de la cámara acorazada del SunTrust Bank y, con un gran dispositivo de seguridad, fue trasladada a la caja fuerte construida especialmente para formar parte de la exposición "The World of Coca-Cola". Parece ser que la decisión del traslado no tuvo nada que ver con el hecho de que el banco SunTrust vendiera todas sus acciones de Coca-Cola en 2007.

A la prensa se le mostró una caja de metal que supuestamente contiene la receta original y que se guarda en una nueva cámara de acero de dos metros de altura. La cámara no se abre nunca y está protegida por una barrera que mantiene al público a varios metros de distancia. La zona está vigilada por guardias especializados en tratar con gente problemática. Justo delante de la cámara hay un escáner digital para manos, pero los directivos se han negado a confirmar si son de verdad.

# Centros de Control y Prevención de Enfermedades

UBICACIÓN: Druid Hills, condado de DeKalb (Georgia), EE UU.
CIUDAD MÁS PRÓXIMA: Atlanta, Georgia.
MOTIVO DE INCLUSIÓN: uno de los dos únicos lugares en el mundo que guarda muestras de la viruela.

Con el objetivo de mejorar la salud pública y llevar a cabo investigaciones para evitar enfermedades, los Centros de Control y Prevención de Enfermedades (CDC por sus siglas en inglés) representan uno de los dos únicos lugares autorizados para conservar muestras del virus de la viruela, actualmente extinguido en todo el mundo. Hoy se discute si ha llegado el momento de destruir el virus o se deben guardar pequeñas muestras para la investigación.

El CDC fue fundado en 1942 como la Agencia de Actividades de Defensa Nacional para el Control de la Malaria. Atlanta fue elegida para establecer la sede, ya que esta enfermedad era endémica en los estados del sur.

Posteriormente, la organización cambió de nombre varias veces y amplió el enfoque de sus investigaciones. Hoy día da empleo a 15.000 personas y tiene un presupuesto anual de varios miles de millones de dólares.

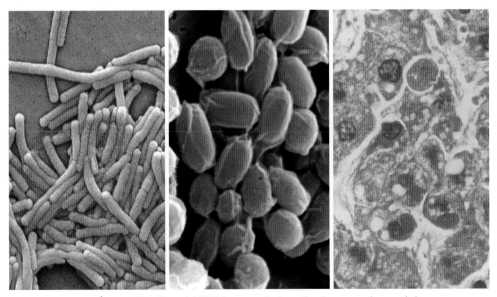

**ASESINOS MICROSCÓPICOS** *Científicos del CDC llevan a cabo investigaciones con algunas de las amenazas biológicas y virus más letales conocidos por la humanidad. En las fotos de arriba se pueden ver muestras de tejidos afectados por, de izquierda a derecha, Legionela, Ántrax y Ébola.*

**VIRUS A RAYA** *La sede del CDC de Clifton Road en Druid Hills (Georgia) vista desde la Universidad de Emory. El CDC le compró los terrenos para la construcción a la universidad en 1947 por la cantidad simbólica de 10 dólares.*

El CDC es, además, uno de los pocos centros que alberga laboratorios de bioseguridad de nivel 4, una categoría que refleja las extraordinarias precauciones que son necesarias para guardar ciertos agentes biológicos nocivos. Son precisamente esas estrictas medidas de seguridad las que permiten que en sus laboratorios se puedan almacenar muestras de la viruela. Solo un puñado de otros virus, como el ébola o el marburgo, están sometidos a ese elevado nivel de seguridad.

La viruela causó millones de muertes en todo el mundo durante siglos y parecía estar fuera de control hasta que Edward Jenner, un médico inglés, descubrió la primera vacuna efectiva en 1796. En 1980, después de un programa de vacunación global que se prolongó durante varias décadas, la Organización Mundial de la Salud (OMS) confirmó que la viruela era la primera enfermedad que había sido completamente erradicada de la Tierra. La última persona que la contrajo de forma natural (no se contagió en un laboratorio de forma accidental) fue un trabajador de un hospital somalí que no se había vacunado.

Se puso entonces en marcha un plan para que todas las muestras de viruela fueran entregadas y destruidas, pero EE UU y la Unión Soviética alegaron que ellos deberían poder conservar pequeñas muestras en instalaciones de alta seguridad para seguir investigando. El CDC fue una de esas instalaciones, y la otra, el Instituto VECTOR, el Centro Estatal de Virología y Biotecnología en Koltsovo, Rusia.

El CDC alberga alrededor de 450 muestras, y algunas han sido bautizadas de acuerdo con su origen: por ejemplo, Harvey procede de un paciente inglés que contrajo el virus en Gibraltar; Yamamoto, de Japón, y García, de Sudamérica. Todas se guardan en congeladores bajo llave en un edificio de alta seguridad donde no más de 10 científicos tienen acceso a ellas. En las raras ocasiones en que alguien debe acercarse tiene que equiparse con trajes de protección y con sistema de respiración.

La Organización Mundial de la Salud reabre regularmente el debate sobre si se deben destruir o no las muestras, y hasta ahora la respuesta ha sido negativa. Quienes defienden su eliminación sostienen que un rebrote solo es posible si el virus se conserva, mientras que quienes prefieren conservarlas arguyen que es imposible saber si estas son realmente las últimas que quedan en el planeta. Además, se supone que ningún país se quedó con ninguna pequeña muestra después de la destrucción de 1980, aunque no se puede saber con seguridad. Por si fuera poco, toda la población nacida a partir de 1980 está sin vacunar y se sabe que los vacunados solo pueden contar con una década de inmunidad. En una época en la que el bioterrorismo es una amenaza constante, los defensores de la conservación de las muestras sostienen que sería una locura eliminar nuestra mejor oportunidad para luchar contra una nueva epidemia.

**VESTIDOS PARA LA OCASIÓN** *Trabajadores del CDC en una investigación de los laboratorios de bioseguridad de nivel 4. Los trabajadores respiran a través de unos tubos conectados con sus trajes de seguridad. Un complejo sistema de ventilación asegura que los patógenos no se escapen de la zona de experimentos.*

# El almacén de Iron Mountain

**UBICACIÓN:** Boyers (Pensilvania), EE UU.
**CIUDAD MÁS PRÓXIMA:** Pittsburgh, Pensilvania.
**MOTIVO DE INCLUSIÓN:** es un almacén de alta seguridad construido en una mina abandonada.

Iron Mountain Incorporated es una de las compañías líderes mundiales en gestión de datos y su almacén de alta seguridad más conocido se encuentra a más de 60 metros de profundidad, en una antigua mina de Boyers (Pensilvania). Entre los materiales guardados figura la colección fotográfica Corbis, que pertenece a Bill Gates.

La compañía Iron Mountain fue fundada por Herman Knaust, un hombre de negocios que hizo fortuna cultivando y vendiendo champiñones. En 1936 pagó 9.000 dólares por una mina de hierro abandonada y rodeada por más de 40 hectáreas de tierra en Livingstone (Nueva York). Parece ser que Knaust estaba convencido de que ese era un lugar ideal para el cultivo del champiñón a gran escala. Pero en 1950 el mercado del champiñón cayó en picado y Knaust vio en ello una nueva oportunidad. La Segunda Guerra Mundial y la Guerra Fría habían evidenciado la necesidad de preservar los documentos oficiales en un lugar a salvo de ataques militares o de cualquier otro desastre. El en otro tiempo conocido como Rey del Champiñón rebautizó su mina y fundó la Iron Mountain Atomic Storage, Inc.

Por otra parte, el pueblo de Boyers, en el condado de Butler (Pensilvania), había sido una próspera comunidad minera hasta que agotó sus recursos, y desde 1954 varias empresas utilizaban sus antiguas minas de piedra caliza como almacenes. Tras una época de expansión durante las décadas de los ochenta y noventa del pasado siglo, Iron Mountain compró en 1998 una de las minas de Boyers al grupo National Underground Storage por poco menos de 40 millones de dólares. Por varios motivos, esta mina se convirtió en el buque insignia de la compañía.

Unas 52 hectáreas de la mina están dedicadas al almacenamiento con temperatura controlada, y entre sus clientes se cuentan desde la biblioteca fotográfica de Corbis hasta departamentos del Gobierno, pasando por productoras cinematográficas o archivos nacionales. Las instalaciones están totalmente protegidas de los elementos, son geológicamente estables y pueden resistir un bombardeo.

Cuando se acercan a Iron Mountain, los visitantes son recibidos por guardias armados que comprueban sus credenciales y registran los vehículos minuciosamente. Para entrar en el complejo hay que franquear unas grandes puertas de acero y las visitas deben ir acompañadas en todo momento por personal de la compañía. Los sistemas de seguridad incluyen una estrecha vigilancia en todo el recinto. Ni siquiera Bill Gates conseguiría adentrarse en Iron Mountain así como así.

El pueblo de Boyers

Entradas de las minas para acceder a los almacenes

Aparcamiento principal

**ARCHIVADOR** *La compañía Iron Mountain tan solo es una de las organizaciones que usa las minas abandonadas de Boyers como almacenes alternativos. El departamento de recursos humanos del gobierno de EE UU por ejemplo, o la oficina de registros y patentes de EE UU gestiona sus propias instalaciones en las minas.*

**IMÁGENES FAMOSAS** *La colección Corbis contiene imágenes auténticas de muchos eventos históricos como la destrucción del zepelín alemán Hindenburg en Lakehurst, Nueva Jersey, en 1937.*

# El centro de operaciones de emergencia de Mount Weather

**UBICACIÓN:** las montañas Blue Ridge (Virginia), EE UU.
**CIUDAD MÁS PRÓXIMA:** Washington D.C.
**MOTIVO DE INCLUSIÓN:** unas instalaciones de alta seguridad cuya existencia no ha sido reconocida.

El centro Mount Weather se encuentra entre los condados de Loudon y Virginia y consta de dos partes principales, una en la superficie, preparada para gestionar desastres naturales, y otra bajo tierra. Se cree que esta sección subterránea, cuya existencia no ha sido reconocida oficialmente, serviría para asegurar la continuidad del Gobierno y acoger al personal clave de Washington en situaciones de crisis.

Mount Weather era un lugar donde se solían lanzar globos meteorológicos y más tarde pasó a manos del Departamento de Minas de EE UU. Durante los años cincuenta se inició un proyecto para perforar la montaña y construir un complejo militar de túneles y búnkeres.

Hoy día, el complejo, que ocupa varias hectáreas, está provisto, al parecer, de sistemas de ventilación de alta tecnología, salas de ordenadores, un estudio de radiodifusión, un hospital, un depósito de agua y dormitorios. Se ha especulado mucho con que el Presidente, altos cargos del Gobierno y miembros del Tribunal Supremo usarían Mount Weather como un centro de mando alternativo en caso de emergencia. Y se cree que parte del Congreso se trasladó aquí justo después de los ataques del 11 de septiembre de 2001.

Discretamente situado cerca de la Ruta 601, el centro se dio a conocer en 1977, cuando un Boeing 727 se estrelló cerca de allí debido al mal tiempo. A finales de los años setenta, la Agencia Federal para la Gestión de Emergencias (FEMA por sus siglas en inglés), que ahora forma parte del Departamento de Seguridad Nacional y se activa en caso de desastre, inauguró aquí sus instalaciones en superficie.

Mientras que las operaciones de la FEMA son de dominio público, la parte subterránea del complejo sigue siendo un misterio. Ningún periodista o ciudadano ha entrado a visitar las instalaciones, y los trabajadores mantienen un estricto código de silencio. La zona está rodeada de alambre de espino y de desniveles que impiden que los vehículos puedan acelerar mientras se acercan al complejo. Unas señales advierten: "Propiedad de EE UU. Prohibido el paso", y guardias armados patrullan los alrededores y protegen las entradas principales. De estas se dice que tienen unas puertas resistentes a explosiones de tres metros de grosor y que pesan 30 toneladas cada una. Se ha dicho también que hay personal fijo trabajando en Mount Weather y que son funcionarios del Gobierno trasladados a propósito. Esto ha llevado a los teóricos de la conspiración a convencerse de que el complejo alberga un Gobierno en la sombra que maneja al de Washington, aunque no hay pruebas que lo demuestren.

**SITUACIÓN DE EMERGENCIA** *La FEMA se constituyó en 1979 y gestiona parte de las instalaciones de Mount Weather desde que se inauguró. La organización fue duramente criticada por la gestión después de que el huracán Katrina arrasara Nueva Orleans. En la imagen a la izquierda se ve un vuelo de rescate durante esa operación.*

Torre de control del helipuerto

El edificio principal de operaciones de la FEMA

Zona restringida con acceso a las instalaciones subterráneas

Cafetería

Antenas de comunicación de alta frecuencia

Antigua carretera Blueridge

**UN REFUGIO PRESIDENCIAL**
*En caso de emergencia como el estallido de una guerra a gran escala, el complejo subterráneo de Mount Weather podría proteger al presidente de los EE UU y a los miembros más importantes de su gabinete que llegarían en helicópteros militares como el Marine One.*

# El complejo Raven Rock Mountain

**UBICACIÓN:** Pensilvania, EE UU.
**CIUDAD MÁS PRÓXIMA:** Camp David, Maryland.
**MOTIVO DE INCLUSIÓN:** es el centro de comunicaciones alternativo del Gobierno de EE UU. Sus actividades son secretas.

También conocido como el Pentágono subterráneo o simplemente como R-Site, el recinto de Raven Rock es un centro de comunicaciones excavado dentro de una montaña. Contiene docenas de sistemas de comunicación y suministra información obtenida por medios electrónicos a las autoridades de mando nacional (como el Presidente y el secretario de Defensa), los jefes de gabinete de la Casa Blanca y otros organismos, como el Departamento de Defensa.

Inicialmente, el complejo se construyó con la intención de que sirviera como una base de operaciones alternativa en caso de emergencia militar, como por ejemplo un ataque nuclear. Ante la amenaza creciente de la Unión Soviética a finales de los años cuarenta, se decidió crear esta base dentro de la montaña Raven Rock ya que está hecha de diorita, el tipo de granito más resistente que se conoce y que representa una defensa natural. El complejo se encuentra a unos pocos kilómetros de Camp David, pasada la frontera del estado de Maryland, aunque durante mucho tiempo Raven Rock estuvo bajo la jurisdicción de Camp Albert Ritchie, en Maryland.

La construcción del complejo se empezó en 1951 durante la presidencia de Harry S. Truman y tres años después ya estaba en funcionamiento. Está excavado en la roca casi 200 metros por debajo de la cima, tiene más de 65.000 metros cuadrados y dispone de espacio suficiente para 3.000 personas. Se dice que Raven Rock consta de cinco edificios de tres pisos cada uno, salas de ordenadores y hasta una

Torres de ventilación y refrigeración

Entradas D y C al este

reserva de agua gigante y un helipuerto subterráneos. Además está rodeado por un bosque de antenas parabólicas y torres de comunicaciones.

Se cree que hay cuatro o cinco entradas al complejo constantemente vigiladas por la policía militar de Raven Rock y un circuito cerrado de cámaras de seguridad. Desde la Ruta 16 se pueden ver las puertas de entrada recubiertas de metal. Cualquiera que se tropiece con este lugar se encontrará con vallas de alambre de espino y unas llamativas señales rojas de advertencia.

Sin embargo, Raven Rock fue una víctima de su tiempo. Gran parte de su tecnología se quedó obsoleta rápidamente y empezaron a correr rumores de su existencia, lo cual puede ser un problema para una

base que pretende ser secreta. A finales de los años setenta se empezaron a trazar los planes de renovación y modernización, pero se abandonaron antes de que terminara la década.

Otra gran amenaza para el futuro del complejo llegó en los años ochenta con el ascenso de Mijaíl Gorbachov. Con la descomposición de la Unión Soviética y el fin de la Guerra Fría a principios de los noventa, todo parecía indicar que Raven Rock pronto se convertiría en una reliquia del pasado.

La situación dio un giro inesperado cuando Dick Cheney, vicepresidente con George W. Bush, se ocultó en Raven Rock en una o más ocasiones después de los atentados terroristas de Nueva York y Washington el 11 de septiembre de 2001.

**DEBAJO DE LA ROCA** *Esquema del complejo Raven Rock Mountain, construido en la asfixiante atmósfera de la Guerra Fría. Un conductor avezado por la Ruta 16 puede llegar a ver alguna de las entradas, pero es difícil encontrar pistas de la vasta infraestructura que se encuentra debajo de la montaña.*

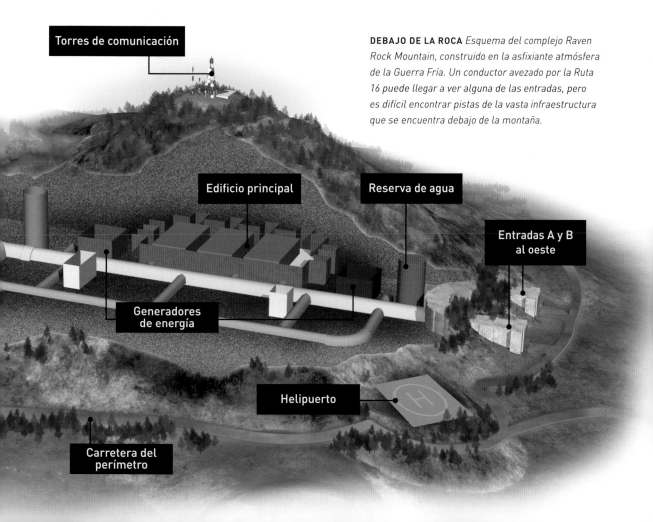

Torres de comunicación

Edificio principal

Reserva de agua

Entradas A y B al oeste

Generadores de energía

Helipuerto

Carretera del perímetro

**VISTA AÉREA** *El complejo presume de tener un buen equipamiento de comunicaciones que cuenta con un bosque de antenas en la cima de la montaña. Ya en 1951 los periódicos locales sospechaban que se estuviera construyendo allí un "segundo Pentágono", aunque otros dicen que para cuando se hubo terminado la construcción las instalaciones ya estaban desfasadas.*

Nunca antes había habido un ataque tan directo al corazón del Gobierno como cuando un avión secuestrado se estrelló contra el Pentágono, el núcleo del sistema de defensa nacional. De repente, el mundo parecía un lugar mucho menos seguro que el día anterior, y la necesidad de contar con una base de operaciones alternativa era más imperiosa que nunca en caso de que hubiera un ataque contra Washington aún más devastador. Y así, el futuro de Raven Rock quedó asegurado.

En la actualidad, la mayoría de operaciones que se llevan a cabo allí siguen siendo altamente confidenciales. La entrada al recinto se encuentra bajo estricta vigilancia y a todos los trabajadores y visitantes se les exige la máxima discreción. Es ilegal tomar fotografías del recinto, hacer mapas o dibujos sin permiso previo y los teléfonos móviles o cualquier otro aparato moderno de comunicación no están permitidos. De hecho, aunque se consiga meter un teléfono móvil en las instalaciones tampoco funcionaría porque no hay cobertura. Cualquiera que sea acusado de incumplir las normas puede sentir sobre sí el peso de la ley, ya sea con una cuantiosa multa o con una temporada en la cárcel.

Para esta base secreta, que ya no lo es tanto, la discreción sigue siendo muy importante, nadie tiene una idea precisa de lo que pasa en las profundidades de la montaña. Solo cabe esperar que la Casa Blanca no tenga que volver a usarla como base de emergencia.

# El Centro de Inteligencia George Bush

**UBICACIÓN:** Langley, condado de Fairfax (Virginia), EE UU.
**CIUDAD MÁS PRÓXIMA:** Washington D.C.
**MOTIVO DE INCLUSIÓN:** es el edificio que alberga a la CIA, la agencia de inteligencia de EE UU.

La Agencia Central de Inteligencia (CIA) es la encargada de obtener información relevante para la seguridad nacional y de facilitarla al Gobierno y a los legisladores de Washington. Además de poseer la que seguramente sea la mejor red de espías del mundo, también actúa en misiones secretas si así lo exige el Presidente. Su sede se encuentra en Langley (Virginia) y ocupa uno de los edificios más seguros del mundo.

El Gobierno de EE UU ha estado recabando información tanto en su territorio como en el extranjero desde que los ingleses fueron expulsados de Norteamérica en el siglo XVIII, pero la existencia de la CIA es bastante más reciente. En la década de 1880, tanto la Marina como el Ejército tenían sus propios servicios de espionaje, pero después de la Primera Guerra Mundial, sus respectivos cometidos pasaron a ser competencia del Departamento de Investigaciones, precursor del FBI. En 1941, con EE UU preparado para intervenir en la Segunda Guerra Mundial, el presidente Roosevelt nombró a William J. Dawson coordinador de información. En menos de un año, Dawson empezó a dirigir la nueva Oficina de Servicios Estratégicos (OSS por sus siglas en inglés). Aunque desapareció tras la guerra, la OSS estableció el patrón para la creación de la CIA, la cual se fundó en 1947, durante el mandato del presidente Truman.

Hoy, la CIA cuenta con cuatro grandes secciones: el Servicio Nacional Clandestino, que supervisa el trabajo de una red de espías; la Dirección de Ciencia y Tec-

nología, donde se analizan los medios de comunicación, fotografías por satélite e información similar para recabar datos; la Dirección de Inteligencia, que evalúa la información conseguida por los dos departamentos anteriores, y la Dirección de Administración, que lleva todo lo relacionado con el personal y la administración.

El Centro George Bush —situado al oeste de la capital— tiene una extensión de más de cien hectáreas entre el Edificio Antiguo de las Oficinas Centrales (OHB por sus siglas en inglés) y el Edificio Nuevo de las Oficinas Centrales (NHB por sus siglas en inglés). Aunque el código postal del centro pertenece a Langley —donde el presidente Madison y su mujer se escondieron cuando se escaparon del asedio de Washington en 1812—, ahora es un barrio, absorbido en 1910, de Mclean.

EL OHB fue diseñado por el despacho de arquitectos Harrison & Abramovitz y se construyó entre 1959 y 1961. El NHB se construyó entre 1984 y 1991 siguiendo los planos trazados por el despacho de Smith, Hinchman & Grylls. Se encuentra en la la-

**CENTRO DE INTELIGENCIA** *Arriba: La nueva sede fue diseñada por Hinchman y Grills Asociados y entró en funcionamiento en 1991. Página anterior: El sello de la CIA en el hall del edificio de la anterior sede. El diseño fue aprobado por el Presidente Harry Truman en 1950 y en él se puede ver la icónica águila de cabeza blanca americana*

dera de una montaña detrás del OHB y los dos edificios casi se funden el uno con el otro. El NHB está formado por dos bloques de oficinas de seis pisos, incluyendo un vestíbulo de cristal de cuatro pisos de altura. Durante la construcción del edificio en 1985, se llevó a cabo una ceremonia de colocación de la primera piedra en la que se insertó una cápsula del tiempo con objetos relacionados con la agencia para ser abierta en el futuro. La caja contenía, entre otras cosas, una copia del credo de la CIA, un medallón simbólico de la CIA, una cámara de espía diminuta y un microchip criptográfico.

El nombre del complejo ha provocado alguna que otra sonrisa, ya que el George Bush que más recientemente ha estado en el poder no es conocido precisamente por sus brillantes declaraciones (aunque puede que sea un error subestimarle). Lo cierto es que el complejo de la CIA lleva el nombre George H. W. Bush, padre de George W. Bush, porque fue el primer director de la CIA que alcanzó el cargo de mayor rango del país al asumir la presidencia en 1988. Bush padre dirigió la Agencia Central de Inteligencia entre 1976 y 1977, y el edificio fue rebautizado en su honor en 1999.

Todo lo relacionado con la CIA es confidencial, incluso el número de trabajadores y su presupuesto anual. Se ha insinuado que su presupuesto es en realidad ilimitado, aunque siempre se ha negado en declaraciones oficiales. Las últimas cifras que se han hecho públicas datan de los años noventa y hablan de una suma de más de 26.000 millones reservados para gastos en inteligencia. Es muy probable que los gastos de la CIA se hayan incrementado después del ataque terrorista del 11 de septiembre de 2001, cuando la CIA fue duramente criticada por fracasar en su cometido.

Las medidas de seguridad del centro George Bush son totalmente confidenciales y el acceso al edificio está restringido únicamente al personal autorizado. La página web de la organización explica que no está permitida la entrada a los ciudadanos por "motivos de logística y seguridad".

La CIA suscita opiniones de todo tipo. Para algunos, su trabajo es la base sobre la que se apoya la seguridad nacional. Para otros, su reputación está marcada por el fracaso, desde la falta de información del OSS sobre el ataque de Japón a Pearl Harbor hasta los fallos evidenciados tras los ataques del 11 de septiembre. Otros se preguntan quién supervisa a la CIA y con qué eficacia. A lo mejor alguien podría contestar estas preguntas desde el centro de inteligencia George Bush, pero no parece probable.

# La sede de DARPA

**UBICACIÓN:** Arlington (Virginia), EE UU.
**CIUDAD MÁS PRÓXIMA:** Washington D.C.
**MOTIVO DE INCLUSIÓN:** es la sede de la Agencia de Investigación de Proyectos de Defensa Avanzados del Departamento de Defensa.

La Agencia de Investigación de Proyectos de Defensa Avanzados (DARPA por sus siglas en inglés) es una agencia del Gobierno estadounidense encargada de llevar la investigación tecnológica al límite. Su objetivo es "mantener la superioridad tecnológica del ejército de EE UU (...) financiando investigaciones revolucionarias para darles un uso militar". La expresión "altamente confidencial" seguramente se inventó para hacer referencia al trabajo que se lleva a cabo en DARPA.

El lanzamiento del satélite soviético Sputnik en 1957 supuso un desafío que aceleró la creación en 1958 de la Agencia de Investigación de Proyectos Avanzados, que más tarde se convertiría en DARPA cuando se añadió la palabra "Defensa". Con un presupuesto anual de más de 3.000 millones de dólares, esta agencia se considera la más avanzada en innovación tecnológica dentro del Departamento de Defensa. Para cada proyecto se reúnen expertos en la materia, y la organización se enorgullece de ser independiente de cualquier otra agencia del Departamento.

Entre sus mayores logros se encuentra la creación de ARPANET, una red informática que se desarrolló para conectar universidades y laboratorios de investigación con DARPA. Fue la primera red en usar la conmutación de paquetes, que es la base de las comunicaciones de la era moderna y precursora de Internet. Otro de los logros de DARPA fueron el Proyecto Vela, con un papel vital en pruebas de detección de actividad nuclear, y el desarrollo de la tecnología del caza invisible.

DARPA está rodeada de un secretismo necesario si tenemos en cuenta que es el blanco de muchos críticos, preocupados por lo que pueda desarrollar ahí dentro un grupo de expertos que no tiene que dar ningún tipo de explicación. Tanto misterio ha dado paso a rumores de que algunos de sus logros solo se han podido llevar a cabo copiando la tecnología de naves espaciales alienígenas. Si ese fuera el caso ¡habría que felicitarles!

En 2009 se inauguró la impresionante nueva sede de DARPA en el número 675 de North Randolph Street, a poca distancia de la antigua sede en Virginia Square. El edificio nuevo tiene 13 pisos y una superficie de más de tres hectáreas. Es la primera estructura en Arlington que se construye siguiendo las medidas de prevención estándar contra el terrorismo establecidas por el Departamento de Defensa, y además puede presumir de poseer una tecnología punta en materia de seguridad. A quien le apetezca echar un vistazo por dentro debe saber que solo se entra si eres un genio de la tecnología cuyas dotes sean fuera de serie.

## INNOVACIONES

*En busca de un diseño táctico de coche volador la AVX Aircraft Company llegó a desarrollar este concepto de despegue vertical.*

## DE UN PLUMAZO

*El artilugio volador más pequeño de DARPA es un colibrí robótico equipado con una cámara que puede retransmitir imágenes a un operador. Ofrece la posibilidad de detectar posibles amenazas a una distancia segura.*

**CARGANDO EL PESO** *El sistema de apoyo al batallón dotado de piernas (LS3) es un robot diseñado para llevar 180 kilos de equipamiento de marines y soldados con demasiado equipaje.*

# El Pentágono

26

**UBICACIÓN:** condado de Arlington (Virginia), EE UU.
**CIUDAD MÁS PRÓXIMA:** Washington D.C.
**MOTIVO DE INCLUSIÓN:** es el centro neurálgico de la red de defensa de Estados Unidos.

El Pentágono es la legendaria sede del Departamento de Defensa de EE UU y, por la extensión que tiene, es el edificio de oficinas más grande del mundo. Siempre ha sido el objetivo de atentados, pero ninguno como el sufrido el 11 de septiembre, cuando un avión de pasajeros secuestrado se estrelló contra él. Las medidas de seguridad, que ya eran extremas, se perfeccionaron a consecuencia del ataque, convirtiendo al Pentágono en uno de los edificios mejor protegidos del mundo.

Durante los primeros días de la Segunda Guerra Mundial se puso en evidencia que el Departamento de Guerra de EE UU necesitaba una nueva sede desde la que poder coordinar todas sus operaciones. En 1941, el ingeniero jefe del departamento, el brigadista Brehon B. Somervell, diseñó los bocetos del futuro Pentágono, en un tiempo récord que él definió como "un fin de semana de mucho trabajo". Se seleccionaron varios sitios como posibles terrenos para la sede hasta que el presidente Roosevelt se decidió por el aeropuerto Washington-Hoover que acababa de cerrar.

Su construcción empezó el 11 de septiembre de 1941. A causa de la guerra se hicieron ciertas concesiones mientras duraron las obras. Por ejemplo, los arquitectos usaron el mínimo de acero posible ya que entonces era escaso; se construyeron rampas entre los pisos en lugar de instalar ascensores; el esqueleto del edificio se hizo de cemento armado, y para la fachada se utilizó piedra caliza de Indiana (Roosevelt prohibió el uso de mármol italiano). El lugar estaba convenientemente rodeado de descampados y ciénagas junto al río Potomac, de donde se sacó arena y grava para hacer el cemento.

El edificio tiene una altura de 23 metros y cada uno de los cinco lados tiene 281 metros de largo, que cubren así un área de casi 12 hectáreas (casi 14 incluyendo el patio central), y puede acoger a 24.000 trabajadores. Está formado por cinco pentágonos concéntricos de cinco pisos cada uno unidos por diez pasillos dispuestos de forma radial. Hay más de 28 kilómetros de pasillos y está diseñado expresamente para que cualquier separación entre dos puntos específicos nunca sea mayor a siete minutos. La fase inicial de construcción duró solo 16 meses y se completó con un coste de 83 millones de dólares. Cuando abrió oficialmente el 15 de enero de 1943 el Pentágono reunía unos 17 departamentos de guerra bajo el mismo techo.

En 1998 empezó el programa de renovación, la mayor puesta a punto de la historia del Pentágono. Las obras se llevaron a cabo en varias fases a lo largo de 13 años

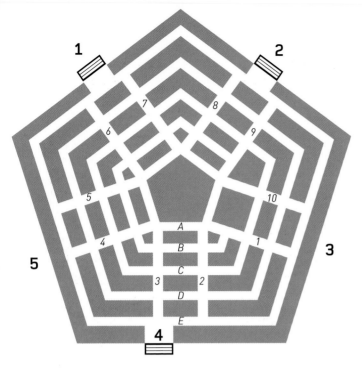

**PLANIFICACIÓN PERFECTA** *Cada sala del Pentágono tiene una serie de 5 o 6 letras y números asignados que combinados indican la planta y el anillo en el que se encuentran y también el pasillo y su localización exacta en este. Los números bajos se refieren a los pasillos y las letras a los anillos.*

*Leyenda: 1. Entrada al pasillo, 2. Entrada del río, 3. Entrada del metro, 4. Entrada sur, 5. Donde se estrelló el avión el 11 de septiembre.*

siempre había sido de vital importancia. A principios de 2002 el Departamento de Defensa creó la Agencia de Protección de las Fuerzas del Pentágono (PFPA por sus siglas en inglés), sucesora directa del Servicio de Protección Federal y la Policía Especial de EE UU. Las responsabilidades de la PFPA, además de hacer cumplir la ley, incluyen ahora llevar a cabo operaciones de seguridad, vigilancia, prevención de crisis y antiterrorismo en el complejo. La PFPA es la primera línea de defensa del Pentágono y sus alrededores.

Otra medida de seguridad introducida en los últimos años ha sido la eliminación de los accesos directos al Pentágono desde la estación de metro que lleva hasta allí y la desviación del tráfico para alejarlo del edificio, cuyas puertas están abiertas a los visitantes con reserva previa, para lo cual se debe superar el control de seguridad, mostrar un documento de identificación y pasar por un detector de metales.

El trabajo que se lleva a cabo en el interior del Pentágono es de alto secreto y sigue moldeando el mundo que nos rodea y definiendo las agendas geopolíticas. Desde aquí se hace la guerra y a menudo también se evita. La intención del Departamento de Defensa es evitar que el Pentágono sea una fortaleza aislada de los ciudadanos a los que sirve, pero la experiencia de 2001 ha hecho que, a pesar de no tener aspecto de fortaleza, su defensa sea tan sólida como si lo fuera.

y entre las medidas tomadas cabe señalar la de instalar sistemas de seguridad mejorados y el añadir refuerzos de acero a la estructura de cemento del edificio. También se instalaron ventanas resistentes a explosiones.

El 11 de septiembre de 2001, exactamente sesenta años después de que se iniciara la construcción del Pentágono, el vuelo 77 de American Airlines que había sido secuestrado, se estrelló contra el lado oeste. 64 personas murieron en el avión (incluyendo los cinco secuestradores), más 125 trabajadores de las oficinas. El número de muertes podría haber sido mayor, pero muchos de los trabajadores del ala oeste no estaban allí ese día debido a las obras del programa de renovación del edificio. No deja de ser irónico que, antes de los ataques del 11 de septiembre, el patio del Pentágono se llamara de manera informal "la zona cero", ya que siempre se creyó que el complejo sería uno de los objetivos principales de un ataque con misiles soviéticos en la Guerra Fría.

Los ataques de 2001 sirvieron para hacer más hincapié en la seguridad, aunque

# El despacho Oval

**UBICACIÓN:** el ala oeste de la Casa Blanca, Washington D.C, EE UU.

**CIUDAD MÁS PRÓXIMA:** Washington D.C.

**MOTIVO DE INCLUSIÓN:** es el despacho del Presidente norteamericano y el núcleo del Gobierno de los EE UU.

El despacho Oval es sinónimo de la presidencia norteamericana hasta tal punto que a veces se usa para referirse a la presidencia misma. Es conocido en el mundo entero por ser el escenario de innumerables mensajes presidenciales y por aparecer en series televisión y en películas (¿ha tenido alguna vez este despacho un inquilino más noble que el presidente Bartlett en la serie *El ala oeste de la Casa Blanca?*). En la vida real, solo unos pocos tienen acceso a este despacho.

El despacho Oval es la oficina principal del presidente norteamericano y, quizá por encima de cualquier otro lugar, ejerce como centro del Gobierno de los EE UU. La habitación mide 76 metros cuadrados, se encuentra en la primera planta del ala oeste de la Casa Blanca (Pennsylvania Avenue NW, número 1.600) y permite al comandante en jefe (el presidente) tener acceso directo a otros miembros importantes de su gabinete, y también a sus residentes al finalizar la jornada.

El primer despacho Oval se construyó en 1909 y fue diseñado por Nathan C. Wyeth para el entonces presidente, William Howard Taft, quien lo decoró con un llamativo color verde. En 1929 fue destruido por un incendio y el presidente Herbert Hoover supervisó las reformas en las que se instaló por primera vez un aparato de aire acondicionado.

El despacho Oval que conocemos hoy fue diseñado por Eric Gugler como parte de la construcción de la extensión del ala oeste que llevó a cabo el presidente Franklin D. Roosevelt en 1934. La estancia se trasladó de su posición central en el ala a la esquina sudeste.

En ella encontramos varios estilos arquitectónicos, entre ellos el georgiano, el barroco y el neoclásico. Se puede entrar a través de cualquiera de las cuatro puertas (la puerta este da al pintoresco jardín de las Rosas).

Roosevelt trabajó con Gugler para el diseño de ciertos aspectos del despacho, entre ellos el medallón del techo que contiene varios elementos del sello presidencial. Muchos presidentes han optado por redecorar el despacho, pero pocos han variado sus elementos más simbólicos, como el mirador en la fachada sur detrás del escritorio del Presidente (estas ventanas se instalaron durante la Guerra Fría y se dice que poseían dispositivos para dificultar las escuchas soviéticas de las conversaciones del Presidente a través de las vibraciones de sonido en los cristales). Muchos se conforman con renovar la moqueta, en la que siempre figura el sello presidencial desde los tiempos de Harry Truman.

**DENTRO DEL ALA OESTE** *El despacho Oval se trasladó a su actual ubicación en 1934, anteriormente había sido un patio para tender ropa. Solo se puede acceder al despacho desde dentro a través del laberinto de salas del ala oeste de la Casa Blanca, el conocido centro neurálgico de la presidencia de EE UU.*

*Leyenda: 1. Salón de las palmeras, 2. Salón de prensa y sala de reuniones, 3. Gabinete presidencial, 4. Secretario de prensa, 5. Asesor de seguridad nacional, 6. Vicepresidente, 7. Jefe de personal, 8. Vestíbulo, 9. Sala Roosevelt, 10. Despacho Oval.*

Durante la mayor parte de su historia, la Casa Blanca ha estado, sorprendentemente, abierta al público. Hasta una fecha tan reciente como la década de los noventa, durante el mandato de Bill Clinton, se mantenía una política de puertas abiertas. La amenaza de ataques ha hecho, sin embargo, que las medidas de seguridad hayan sido reforzadas.

La Casa Blanca está rodeada por una valla y todo el complejo se halla bajo la protección de la United States Park Police (la policía de parques de Estados Unidos) y el servicio secreto. En los últimos años se ha desviado el tráfico para alejarlo del edificio y se han levantado barreras policiales en las calles adyacentes. El espacio aéreo por encima de la Casa Blanca está restringido y el cielo de Pennsylvania Avenue está vigilado cuidadosamente por un avanzado sistema de misiles tierra-aire. Otros sistemas de seguridad en funcionamiento (radares y ventanas a prueba de balas, entre otros) se renuevan y actualizan regularmente. A pesar de todas las medidas de seguridad de la Casa Blanca, o quizá precisamente a causa de ellas (a algunos nada les gusta más que un desafío), no han faltado intrusos a lo largo de los años. Por ejemplo, en 1974 hubo dos graves incidentes. En el primero, un soldado del Ejército robó un helicóptero y aterrizó en el césped de la Casa Blanca. Posteriormente, el día de Navidad otro hombre estrelló su coche contra la valla y corrió hacia la Casa Blanca diciendo a los negociadores que llevaba explosivos (luego se descubrió que no era cierto).

Veinte años más tarde, en 1994, una avioneta se estrelló dentro del recinto cuando pretendía hacerlo contra la Casa Blanca. Un par de meses después hubo un intento de asesinar a Bill Clinton cuando su agresor disparó 29 veces con un rifle apuntando hacia la casa desde la valla que rodea el recinto. Incluso después de reforzar la seguridad a causa de los ataques del 11 de septiembre, varias veces ha habido intrusos que han intentado escalar la valla. Ninguno de ellos ha llegado jamás al despacho Oval.

# 28 Centralia

**UBICACIÓN:** Condado de Columbia (Pensilvania), EE UU.
**CIUDAD MÁS PRÓXIMA:** Filadelfia, Pensilvania.
**MOTIVO DE INCLUSIÓN:** es un antiguo pueblo minero que lleva 50 años ardiendo. El acceso está restringrido.

Centralia fue una vez un próspero pueblo minero con una población que superaba los 2.000 habitantes, pero en 1962 un incendio se desató debajo de él. Después de varios intentos fracasados de sofocarlo, se decidió dejarlo arder hasta que se extinguiera por sí solo —lo cual puede tardar otros 250 años—. De este modo Centralia se quedó sin futuro. Actualmente tiene una población de unas diez personas. Para aquellos que se quedaron, Centralia es el pueblo que su gobierno ha preferido olvidar.

Centralia se empezó a construir en 1854 y se llamó Centreville hasta 1865, cuando la oficina de correos insistió en que se cambiara el nombre debido a que ya había otro Centreville en la zona. Durante un siglo el pueblo contó con las minas de antracita para dar trabajo a sus habitantes. Entonces llegó la fatídica noche de mayo de 1962, cuando los operarios del servicio de recogida de residuos quemaron basuras en la entrada de una antigua mina, lo cual encendió el carbón que había justo debajo.

Se acometieron varios intentos para apagar el fuego, pero todos fracasaron o resultaron económicamente inviables. A medida que el incendio se prolongaba, la calidad del aire en la zona empeoraba y muchos vecinos sufrieron los efectos de los altos niveles de monóxido y dióxido de carbono. Aun así, en 1981 todavía quedaban unos mil habitantes en el pueblo. Por desgracia ese año un niño cayó en una grieta que se abrió de repente en el terreno y casi perdió la vida a causa de los gases nocivos. Quedó claro que había que hacer algo para proteger a los vecinos.

En 1984 el gobierno federal destinó 42 millones de dólares para trasladar a todos los vecinos. Casi todos tomaron el dinero que se les ofrecía y se mudaron a lugares cercanos, pero algunas almas valientes decidieron arriesgarse y se quedaron. En 1992, el gobierno se hizo con el control legal de Centralia y declaró los edificios que quedaban no habitables. Una década más tarde, la oficina de correos, que una vez insistió en el cambio de nombre, retiró el código postal a Centralia. En 2009 el gobernador del estado de Pensilvania inició el desahucio de los vecinos que quedaban. Era como si Centralia estuviera siendo borrada de todos los registros.

Aun así unas cuantas casas permanecieron ocupadas entre las señales de aviso sobre el fuego subterráneo y posibles corrimientos de tierra. En algunos lugares se puede ver humo y vapor sulfuroso emerger del suelo de forma inquietante, incluso en tramos de la Ruta 61 que se usaba para abastecer al pueblo. Con esa carretera clausurada, Centralia cerró sus puertas.

Condado de Columbia, Pensilvania

**CARRETERA AL INFIERNO** *Unos 50 años después de que las reservas de carbón subterráneas de Centralia empezaran a arder accidentalmente, sigue saliendo humo de las grietas en el asfalto de la Ruta 61 de Pensilvania. Hace mucho tiempo que el pueblo dejó de recibir un número significativo de vehículos.*

El Monte Carmelo

Anstes

Municipio de Centralia

**HUMO SAGRADO** *La iglesia católica ucrania de la Asunción de la Bendita Virgen María se encuentra en la ladera de una colina desde donde se ve Centralia. La iglesia celebró su centenario en 2011 atrayendo a un gran número de visitantes a este pueblo habitualmente desierto para tomar parte en la misa conmemorativa.*

Ashland

# El campo de entrenamiento militar Harvey Point

**UBICACIÓN:** Condado de Perquimans (Carolina del Norte), EE UU.
**CIUDAD MÁS PRÓXIMA:** Hertford, Carolina del N.
**MOTIVO DE INCLUSIÓN:** escuela de entrenamiento de la CIA no reconocida oficialmente.

El Gobierno de EE UU lo construyó en un principio como base naval, pero en las últimas décadas se ha especulado mucho sobre el uso que se le ha estado dando a Harvey Point. *The New York Times,* junto con muchos otros reputados periódicos, afirma que la CIA lleva usando el lugar como centro secreto de formación paramilitar y antiterrorista desde principios de los años sesenta.

El nombre de Harvey Point procede de una familia acomodada que vivió aquí hacia 1670. En 1942 este lugar de más de 490 hectáreas de extensión se convirtió en una base aérea desde donde despegaban hidroaviones durante la Segunda Guerra Mundial. A finales de la década de los cincuenta se convirtió durante un breve periodo en el campo de pruebas de un bombardero de larga distancia que no tuvo mucho éxito, y más tarde, en 1961, la marina cerró Harvey Point al público y anunció que se usaría como centro de pruebas de armamento.

En 1975, una comisión presidencial para actividades de la CIA reveló que se había usado Harvey Point para formar a personal doméstico y extranjero en la detección y desactivación de bombas. En los años siguientes el interés por las actividades que realizaba la CIA en la base siguió creciendo. En 1998 *The New York Times* publicó que, durante la década anterior, la CIA había llevado a cabo programas de entrenamiento contra el terrorismo tanto en Harvey Point como en otros enclaves, y que había formado a 18.000 agentes secretos de unos 50 países.

Hay una zona declarada de exclusión aérea de unos 40 kilómetros alrededor de la base. El recinto, que desde 1942 no aparece en ningún registro de la propiedad, se halla rodeado por una valla, y un espeso perímetro de cipreses lo protege de las miradas curiosas. Los habitantes de la zona dicen haber visto entrar y salir regularmente helicópteros y autobuses con los cristales tintados. También ha habido múltiples quejas por el ruido de explosiones —a veces con la suficiente fuerza para sacudir las viviendas cercanas o hacer temblar las ventanas—. Se especula que estas explosiones son en realidad detonaciones controladas que forman parte de las simulaciones en los ejercicios de entrenamiento antiterrorista.

Algunos incluso afirman que entre los alumnos de Harvey Point se cuentan personas que recibieron entrenamiento y que luego utilizaron esas habilidades en contra de los intereses de Estados Unidos. En todo caso, si en Harvey Point hay un centro de formación de la CIA, las ceremonias de graduación al terminar los cursos seguro que son muy discretas.

# El Banco de la Reserva Federal en Nueva York

**UBICACIÓN:** Nueva York, EE UU.
**CIUDAD MÁS PRÓXIMA:** Nueva York.
**MOTIVO DE INCLUSIÓN:** lugar de máxima seguridad, donde se guarda la mayor cantidad de oro del mundo.

Es uno de los doce bancos que forman el sistema de la Reserva Federal de EE UU, y se halla en un edificio de 22 plantas hecho de cemento y piedra caliza en el bajo Manhattan. Sin embargo, lo más interesante está bajo tierra, en las cámaras donde se guarda el oro. En 2008 el banco almacenaba 216 millones de onzas *troy*, lo que equivale a una quinta parte de las reservas monetarias de este metal en todo el mundo.

Diseñada por Philip Sawyer y con un coste de unos 23 millones de dólares, la actual sede de la Reserva Federal, en el 33 de Liberty Street, abrió sus puertas en 1924. Las cámaras están asentadas en el lecho rocoso de la isla de Manhattan, a unos 23 metros bajo tierra y unos 15 por debajo del nivel del mar. Este era el único terreno lo suficientemente resistente para soportar el peso de las cámaras y su contenido. Las paredes son de hormigón armado.

El valor inicial de las reservas de oro ascendía a unos 26 millones de dólares, pero en 2011 se estimaba en unos 411 billones. La mayoría del oro pertenece a bancos centrales extranjeros, aunque la identidad de los depositarios solo se revela a aquellos que lo requieren con un motivo de peso.

Los guardias uniformados mantienen a salvo el banco y el contenido de sus cámaras, y cada año deben superar unas pruebas para demostrar su destreza con las armas en el campo de tiro del propio banco. Un sistema de vigilancia electrónica y cámaras de seguridad registra todo lo que sucede, y una sala de control recibe alertas cada vez que las cámaras acorazadas se abren o se cierran. Si saltara una alarma, el personal de seguridad podría sellar el edificio en menos de 30 segundos.

El acceso a las cámaras no se realiza a través de un pasillo, sino mediante un corto pasaje que atraviesa el centro de un cilindro gigante de acero que bascula 90 grados en vertical dentro de una estructura de hormigón y acero. Hay varias cerraduras con sistema de relojería y con combinación que dictan cuándo se pueden abrir las cámaras, y ningún empleado tiene todos los códigos.

El oro está almacenado en 122 compartimentos diferentes entre los de la cámara central y las secundarias. Cuando se depositan nuevos lingotes —en una pared diseñada con ladrillos solapados—, los compartimentos correspondientes se cierran con un candado, dos cerraduras con combinación y el sello de un interventor. Almacenar el oro es gratis, pero el banco cobra una cuota por lingote al moverlo. Imaginamos que pocos propietarios tendrán problemas para pagar ese servicio.

### REFERENTE DE MANHATTAN

*El Federal de Nueva York del número 33 de Liberty Street en la isla de Manhattan, es el más grande de la docena de bancos de la reserva federal de EE UU. Mientras las políticas económicas se deciden en Washington, la gran manzana sigue siendo el corazón del sistema financiero de EE UU.*

Manhattan

El río Hudson

### EL TEMPLO DEL CAPITALISMO

*El banco se trasladó a su ubicación actual en el centro en 1924, a un edificio diseñado por los arquitectos York & Sawyer. Ocupa una manzana entera y el diseño neo renacentista influyó en el diseño de los bancos durante décadas.*

East River

Governor's Island

# El edificio Long Lines de AT&T

**UBICACIÓN:** en el 33 de Thomas Street
**CIUDAD MÁS PRÓXIMA:** Nueva York, EE UU.
**MOTIVO DE INCLUSIÓN:** lugar de alta seguridad y centro de comunicaciones; es uno de los edificios más seguros de Nueva York.

Los turistas que recorren las calles de Nueva York pasan la mayor parte del tiempo mirando hacia arriba, a la jungla de rascacielos que se eleva hacia las alturas. Sin embargo, el número 33 de Thomas Street no es como los demás edificios. Con sus 29 pisos y 170 metros en dirección a las nubes, no le falta altura, pero una segunda y atenta mirada revela su característica más significativa: no tiene ni una sola ventana.

Enclavado en el distrito de Tribeca, dentro de Manhattan, y propiedad de la compañía de telecomunicaciones AT&T, fue diseñado por John Carl Warnecke y Asociados y se terminó en 1974. Tenía la finalidad de acoger una centralita telefónica gigantesca y desempeña un papel vital en el buen funcionamiento del sistema de telefonía estadounidense y en el control aéreo de gran parte del país. Aparte de cumplir estas funciones, también ofrece un lugar seguro para el almacenamiento de datos.

Con Warnecke, el edificio estaba en manos de uno de los arquitectos más notables del siglo XX en EE UU. Cuando se hizo cargo del edificio de Thomas Street, ya era muy conocido por su amistad con el clan Kennedy. Aunque fue en Chicago donde se forjó un nombre, recayó sobre sus hombros el importante encargo de diseñar la tumba de John F. Kennedy en Arlington, consagrada en 1967.

Tal vez su mayor acierto, especialmente sobresaliente en el caso del edificio Long Lines de AT&T, fue aunar la belleza y los requerimientos puramente funcionales. Para contener todo el equipamiento técnico necesario, cada planta del edificio de Thomas Street mide 6 metros de alto, aproximadamente el doble que cualquier rascacielos. Este edificio se considera un ejemplo perfecto de la arquitectura brutalista, con su exterior de paneles de hormigón prefabricados y decorados con una fachada de granito sueco rosa. En una ciudad dominada por el cristal, un edificio así debería llamar la atención como una monstruosidad, pero en realidad está en armonía con el entorno.

Más importante aún es la increíble resistencia de su estructura. Se diseñó para que pudiera ser autosuficiente durante dos semanas en caso de ataque nuclear y los suelos están reforzados para poder aguantar alrededor de una tonelada y media por metro cuadrado. Es una construcción de resistencia inusual, lo cual es de esperar en un edificio tan crucial para el buen funcionamiento de las telecomunicaciones de una nación. Lo bueno que tiene es que nadie se puede colar por una ventana abierta.

# 'La tumba' de la Universidad de Yale

**UBICACIÓN:** Universidad de Yale, New Haven, Connecticut, EE UU.
**CIUDAD MÁS PRÓXIMA:** New Haven, Connecticut.
**MOTIVO DE INCLUSIÓN:** acceso restringido, sede de la famosa Hermandad de la Calavera y los Huesos.

De todas las sociedades secretas asociadas a las universidades americanas, ninguna es más famosa que la de la Calavera y los Huesos, cuyos miembros se reúnen en un edificio conocido como "la tumba". Esta hermandad presume de tener entre sus miembros a las personas más influyentes del planeta, y esto ha llevado a algunos observadores a verla como un grupo de formación para una conspiración todopoderosa.

Alphonso Taft y William Huntington Russell fundaron la hermandad en 1832 con el nombre de la Orden de la Calavera y los Huesos. Sus miembros eran conocidos como *bonesmen* (los hombres de los huesos) y desde 1879 se reclutan a través de un proceso de selección llamado *tapping* (dar leves toques). En una ceremonia que tiene lugar cada mes de abril, los veteranos se pasean entre los estudiantes novatos de Yale reunidos en el césped de Branford College. De entre ellos, 15 candidatos serán los elegidos y se les hará saber a cada uno con discretos toques. Entre los miembros conocidos de la hermandad se cuentan presidentes de EE UU y personalidades de Wall Street y Washington.

El local que usa la hermandad para sus reuniones, conocido como "la tumba", se encuentra en la calle principal de New Haven. Es un imponente edificio sin ventanas hecho de piedra de estilo grecorromano. Hay un debate abierto sobre la identidad del arquitecto. La primera ampliación se hizo en 1856 y la segunda en 1903. En 1911 se le añadió una torre proveniente de un edificio diseñado por A. J. Davis.

La ausencia de ventanas levanta suspicacias sobre lo que pueda haber dentro. Algunos testimonios cuentan que el interior es gótico y que las paredes están cubiertas de fotografías de antiguos miembros (la de George W. Bush es la última incorporación), armaduras medievales y esqueletos humanos y animales. Se dice también que en el edificio se halla la lápida de Elihu Yale, principal benefactor de la universidad durante sus inicios y origen del nombre de la misma. Otro rumor sin demostrar dice que la tumba contiene el esqueleto del jefe apache Gerónimo, que se dice fue robado a principios del siglo XX. También hay una sala cerrada con llave llamada "templo interior", donde se guardan importantes tesoros, entre otros los documentos fundacionales. También se ha dicho que los relojes de la tumba están adelantados cinco minutos.

Con tantos rumores de ceremonias de iniciación misteriosas, nombres en clave y juramentos secretos —más un aire elitista indiscutible— la Hermandad de la Calavera y los Huesos parece una organización orgullosa de su exclusividad.

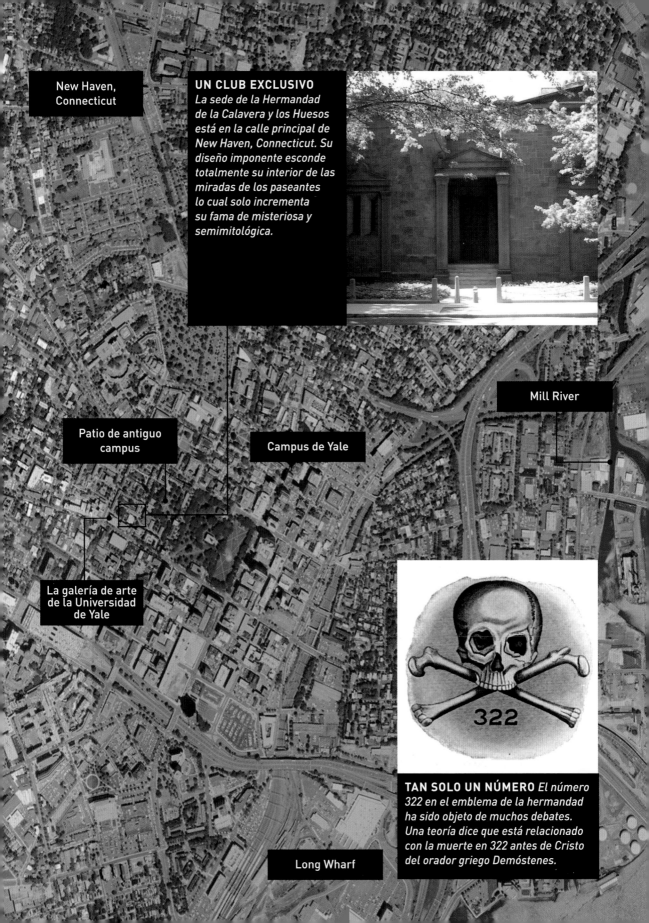

New Haven, Connecticut

**UN CLUB EXCLUSIVO**
*La sede de la Hermandad de la Calavera y los Huesos está en la calle principal de New Haven, Connecticut. Su diseño imponente esconde totalmente su interior de las miradas de los paseantes lo cual solo incrementa su fama de misteriosa y semimitológica.*

Mill River

Patio de antiguo campus

Campus de Yale

La galería de arte de la Universidad de Yale

**TAN SOLO UN NÚMERO** *El número 322 en el emblema de la hermandad ha sido objeto de muchos debates. Una teoría dice que está relacionado con la muerte en 322 antes de Cristo del orador griego Demóstenes.*

Long Wharf

# Air Force One

**UBICACIÓN:** estacionado en la base aérea de Andrews (Maryland), EE UU.
**CIUDAD MÁS PRÓXIMA:** Washington D.C.
**MOTIVO DE INCLUSIÓN:** lugar de alta seguridad, es el avión personal del presidente de EE UU.

Estrictamente hablando, *Air Force One* no es un avión sino un indicativo que se da a cualquier avión de las Fuerzas Aéreas de Estados Unidos que transporte al presidente. Se refiere a cualquiera de los dos Boeing de la serie 747-200 (numerados en la cola como 28000 y 29000) que están a disposición del Presidente. Actúa como "Casa Blanca móvil" y por lo tanto es el transporte más protegido que existe.

Franklin D. Roosevelt fue el primer presidente en hacer un viaje aéreo oficial cuando en 1943 voló a Casablanca, en Marruecos, para discutir con Winston Churchill sobre el desarrollo de la Segunda Guerra Mundial. Los asesores de seguridad del Presidente no aconsejaban el uso de aerolíneas comerciales, dado los riesgos que ello conllevaba, y se acordó adecuar un avión militar para el uso exclusivo del presidente. Entre tanto se adaptó un avión —con el sobrenombre de *Sacred Cow* (vaca sagrada)— que Roosevelt solo lo usaría una vez, para acudir a la Conferencia de Yalta en 1945.

En 1944 Roosevelt creó el Presidential Airlift Group (grupo aéreo de transporte presidencial), como parte de la Oficina Militar de la Casa Blanca. Desde entonces este grupo se ocupa de mantener operativo el avión presidencial, trabajan-

**LA CASA BLANCA VOLADORA** *Esta sección del Air Force One muestra dos pisos. Periodistas, personal de seguridad e invitados se sientan en la parte trasera del avión mientras que la suite del presidente se encuentra en el morro, delante del despacho del presidente y el despacho médico. Se puede ver la sala de reuniones sobre el ala.*

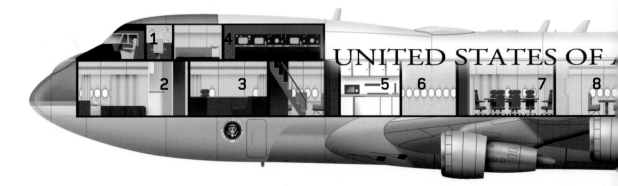

do desde la base aérea de Andrews, cerca de Maryland. El nombre *Air Force One* no se estableció hasta 1959, durante la presidencia de Dwight Eisenhower. Tres años más tarde, John F. Kennedy se convirtió en el primer presidente de los EE UU en usar un avión a reacción (un Boeing 707 adaptado).

El *Air Force One* del presidente apareció con frecuencia en los medios a raíz de los ataques terroristas del 11 de septiembre en 2001. Ante la incertidumbre de sus asesores sobre dónde guarecerle para mantener su seguridad, el presidente George W. Bush pasó la mayor parte de aquel día en el aire. Su piloto revelaría más tarde que se temió que el avión también pudiera sufrir un ataque.

Los servicios que ofrece la aeronave se distribuyen en tres niveles y más de 370 metros cuadrados. Tiene capacidad para acoger a unas 70 personas a bordo, pero la lista de invitados tiende a ser bastante exclusiva y cualquiera que vaya a viajar en ella debe pasar unos estrictos controles de seguridad. Aparte del Presidente, entre los pasajeros se puede encontrar a miembros de su familia u otros invitados excep-

cionales. George W. Bush, por ejemplo, llevaba ocasionalmente a sus perros y gatos a bordo para darles un paseo.

Obviamente, la parte del avión más lujosa está reservada para el Presidente. Su suite, que se encuentra en la parte delantera de la nave, incluye un dormitorio, un baño, un despacho y un minigimnasio. Hay suficiente espacio de oficina para que el personal de presidencia pueda trabajar, así como una sala de prensa totalmente operativa. En la mayoría de los viajes se permite el acceso a periodistas especialmente seleccionados, normalmente son alrededor de 13 y varían de un vuelo a otro. La agencia Reuters tiene un corresponsal y un fotógrafo asignados en todos los vuelos del Presidente. El personal de los medios de comunicación ocupa una zona de asientos a la que se accede por la puerta trasera del avión.

Además del piloto y copiloto, el personal de a bordo está compuesto por 26 personas seleccionadas entre los militares mejor considerados. Los pilotos mismos están, como es de esperar, en el punto más álgido de sus carreras. También hay un médico a bordo

*Leyenda: 1. Cubierta superior y área para la tripulación, 2. Suite presidencial, 3. Despacho del presidente, 4. Comunicaciones, 5. Cocina principal, 6. Personal de dirección, 7. Sala de reuniones, 8. Personal de oficina, 9. Zona de invitados, 10. Personal de seguridad, 11. Prensa y asientos extra para la tripulación.*

**REUNIÓN EN EL AIRE** *El presidente Barack Obama se reúne con miembros clave de su personal en la sala de reuniones del Air Force One el 3 de Abril de 2009 durante un vuelo corto entre Inglaterra y Francia.*

que viaja siempre con el Presidente. La seguridad del avión está en manos de agentes armados de los servicios secretos. De hecho, el *Air Force One* asegura tener el mismo nivel de seguridad y tecnología que el despacho Oval. Ni siquiera los invitados del Presidente tienen libertad total para moverse a bordo de la nave.

El avión está equipado con sistemas de defensa antimisiles y contramedidas de infrarrojos en cola y motores, diseñados para evitar misiles atraídos por fuentes de calor. Todos los cables están revestidos para proteger el avión de ataques de pulso electromagnético. Con más de 350 kilómetros de cables a bordo y unos 85 teléfonos, toda comunicación con y desde la nave está codificada.

Antes de cada vuelo, los servicios secretos comprueban y sellan los suministros

de combustible a la vez que comprueban que todas las medidas de seguridad en la pista sean las adecuadas. Los agentes tienen órdenes de disparar durante el embarque o el desembarque en caso de amenaza al Presidente. Varios de ellos vuelan al destino antes que el *Air Force One* para llevar a cabo los controles de seguridad necesarios. Una limusina acorazada espera al presidente allí para trasladarlo. Uno de los agentes a bordo del *Air Force One* está a cargo de "el balón" —el maletín que contiene los códigos de activación nuclear—. El avión siempre aterriza con el lado izquierdo de cara a las áreas públicas, dejando así las zonas presidenciales de la nave lo más protegidas posible.

En 2006 se produjo una sorprendente violación de las normas de seguridad que por fortuna no tuvo consecuencias: apareció un plano detallado de la nave en la página web de la base aérea de Robins (Georgia). A pesar de eso, el *Air Force One* es lo más seguro que uno puede encontrar volando a varios kilómetros de la tierra.

# El pozo del dinero de Oak Island

**UBICACIÓN:** costa sur de Nueva Escocia, Canadá.
**CIUDAD MÁS PRÓXIMA:** Halifax, Nueva Escocia.
**MOTIVO DE INCLUSIÓN:** escenario de un misterio histórico, es el lugar legendario donde hay un tesoro por encontrar.

Según una leyenda de Nueva Escocia, en 1795, Daniel McGinnis, de 18 años, encontró un agujero en un claro mientras investigaba unas misteriosas luces que se habían visto al sureste de Oak Island. Al inspeccionarlo con detalle se dio cuenta de que era un pozo artificial. Desde entonces ha sido excavado regularmente, pero todos los intentos por descubrir qué hay enterrado en él han fracasado.

Oak Island es una de los cientos de islas deshabitadas de la bahía Mahone, en Canadá, y se encuentra a 200 metros de la costa. Su extensión es de unas 57 hectáreas y su punto más alto se halla a 11 metros sobre el nivel del mar. Es propiedad privada y hay que obtener permiso antes de desembarcar.

Después de que McGinnis descubriera el pozo, volvió con dos amigos para empezar a cavar. Excavaron unos diez metros y parece ser que a su paso descubrieron losas y luego capas de troncos cada tres metros más o menos. También había marcas en las paredes del pozo que parecían de picos y hachas, lo que indicaba intervención humana previa.

Tras quedar exhaustos y sin encontrar nada, McGinnis y sus ayudantes abandonaron la excavación. En 1803 un grupo llamado Onslow Company le tomó el relevo y excavó otros treinta metros. Ellos también hallaron troncos de madera cada pocos metros junto con secciones de carbón y fibra de coco. Hacia el final de la excavación afirmaron haber encontrado algo más importante: una piedra con una extraña inscripción de símbolos. Más tarde la piedra desapareció misteriosamente, pero los símbolos ya habían sido supuestamente copiados en papel y circulaban entre varios buscadores de tesoros. Un investigador consiguió traducir la inscripción de la siguiente manera: "A cuarenta pies, dos millones de libras están enterradas", aunque hay mucho de mito en esta parte de la historia.

Desafortunadamente para la Onslow Company, su trabajo quedó interrumpido cuando el pozo se inundó. Durante los siglos XIX y XX se intentó con frecuencia seguir excavando. En 1849 se dijo haber encontrado eslabones de cadenas de oro. Con el paso de los años el pozo se inundó y se derrumbó varias veces, y el primer accidente mortal tuvo lugar en la década de 1860. Se inició un debate sobre si el pozo se inundaba por la existencia de un túnel construido para ese propósito (lo cual sería una obra de ingeniería impresionante) o si ocurría de manera natural debido a la particular geología de la isla y sus mareas.

En 1909 un equipo llamado Old Gold Salvage Group (grupo de rescate del viejo

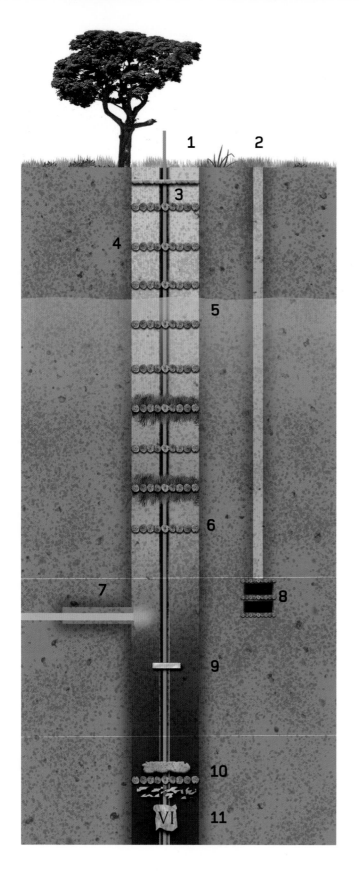

1

2

3

4

5

6

7

8

9

10

11

VI

**UN MISTERIO PROFUNDO** *Durante más de 200 años buscadores de tesoros han excavado en el pozo del dinero con más o menos éxito.*

*Leyenda: 1. Pozo original excavado en 1795, 2. Apertura secundaria excavada en 1849, 3. Apertura excavada en el pozo original en 1897, 4. Plataformas de roble, 5. Altura del agua en la inundación de 1804, 6. Altura a la que se descubrió una piedra con una inscripción en 1804, 7. Túnel para inundaciones, 8. Capas de metal y madera descubiertas en 1849, 9. Plancha de metal descubierta a finales de la década de 1890, 10. Capas de piedra y madera descubiertas al fondo de la apertura de 1898, 11. Pergamino encontrado en el fondo del pozo.*

*Los densos bosques de Oak Island han mantenido ocupados a los buscadores de tesoros durante más de dos siglos. La bahía de Mahone, donde se encuentra la isla, acaricia la costa de Nueva Escocia en el condado de Lunenburg y es un lugar popular de pesca y navegación.*

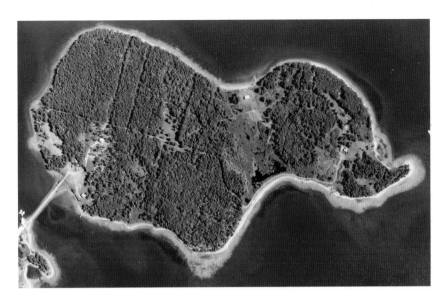

oro) se puso a trabajar en ello con Franklin D. Roosevelt, el futuro presidente de los EE UU, entre sus miembros. Una excavación llevada a cabo por William Chappell en 1931 llegó a los cincuenta metros bajo tierra y encontró todo tipo de objetos, entre ellos un pico de minero de Cornualles, pero no es seguro que fuera anterior a las excavaciones de 1795. Conforme avanzaba el siglo, cada vez había más escombros, y hasta la localización y estructura del pozo original habían dejado de estar claras.

A finales de los sesenta la Triton Alliance compró la mayor parte de la isla, y en 1971 habían conseguido descender hasta 72 metros. Este equipo afirmó haber introducido cámaras hasta una caverna bajo el pozo y aseguró que había obtenido fotografías que probaban la presencia de baúles de madera y restos humanos, aunque las imágenes no tienen suficiente calidad para confirmarlo. Debido a varias disputas legales y por razones medioambientales, no se han podido realizar nuevas excavaciones en las últimas décadas, pero el Acta de Oak Island firmada en 2011 permite que la búsqueda del tesoro continúe bajo licencia del Gobierno de Canadá.

Hay multitud de historias exóticas sobre qué puede hallarse al fondo del pozo. Algunos dicen que es el tesoro del Capitán Kidd, otros que es el de Edward Teach (más conocido como Barbanegra). Esta última teoría se ve apoyada por la proclamación pública de Barbanegra de que había enterrado su botín "donde nadie excepto Satanás y él mismo pueden encontrarlo". Otras historias aseguran que se trata de los tesoros encontrados por marineros españoles en un galeón naufragado o que contiene riquezas trasladadas por los británicos durante la revolución en Norteamérica o la Guerra de los Siete Años. Los hay que hasta sugieren que se trata del tesoro perdido de los caballeros templarios, o las joyas de María Antonieta, sacadas de París mientras esperaba la guillotina. Y por supuesto, allá donde haya un tesoro escondido siempre habrá quienes crean que no es otra cosa que el mismo Santo Grial.

Otros, sin embargo, buscan una solución más racional. No creen que sea una construcción artificial, sino un agujero o caverna subterránea natural. Lo que es seguro es que hasta que no haya pruebas que lo demuestren, la búsqueda del tesoro del pozo del dinero de Oak Island continuará.

# El centro de detención de Guantánamo

**UBICACIÓN:** provincia de Guantánamo, sur de Cuba.
**CIUDAD MÁS PRÓXIMA:** Guantánamo.
**MOTIVO DE INCLUSIÓN:** actividades confidenciales; es la controvertida prisión que estableció EE UU tras los ataques de 2001.

Guantánamo —conocido a veces también como Gitmo—, se estableció en 2002 tras los ataques al World Trade Centre y el Pentágono, y se puso en funcionamiento para la detención de los sospechosos de actos terroristas durante la lucha en Afganistán y, posteriormente, Irak. Hay presiones sobre EE UU por parte de la comunidad internacional para que cierre el centro. Organizaciones pro derechos humanos como Amnistía Internacional lo describen como "el gulag de nuestros tiempos".

La base naval de EE UU en la Bahía de Guantánamo existe desde 1898, cuando la isla pasó a manos estadounidenses después de la guerra de Cuba. En 1902 Cuba consiguió la independencia y el año siguiente su gobierno acordó el arrendamiento de la Bahía de Guantánamo a los americanos a perpetuidad —aunque el régimen comunista que gobierna desde la revolución cubana de 1959 no reconoce la legalidad de este acuerdo.

La base naval tiene una extensión de 120 kilómetros cuadrados y es la única base estadounidense situada en un país con el cual no tiene relación diplomática. Después de los ataques de 2001 en Nueva York, Washington y Filadelfia, George Bush declaró la famosa "guerra contra el terrorismo" y estableció este campo de detención para aquellos individuos considerados una amenaza potencial para la seguridad nacional. Con la protección natural del mar y las ciénagas que lo rodean, los campos de minas y la vigilancia permanente de la guardia militar, Guantánamo es uno de los centros de detención más seguros del planeta.

Muchos de sus internos fueron capturados durante la intervención militar en Afganistán e Irak tras 2001, pero un gran número llegó de otros lugares y fue entregado por terceras partes a cambio de recompensas. El campo central de Guantánamo, el Campo Delta —con capacidad para 600 prisioneros y junto a un acantilado al lado del mar— se abrió en abril de 2002 para sustituir al Campo X-Ray, que cerró ese mes.

Las imágenes de los prisioneros esposados y con el mono naranja, arrodillados en jaulas al aire libre mientras los guardias les vigilan, se convirtieron en las imágenes más vistas a principios del siglo, especialmente entre aquellos que sospechaban que Washington estaba negando un juicio adecuado a los sospechosos de terrorismo.

La Administración Bush declaró a los presos de Guantánamo "combatientes enemigos". Esto les negaba sus derechos como prisioneros de guerra que establece la Convención de Ginebra, así como el derecho a ser juzgados por el sistema pe-

ESTADOS UNIDOS

OCÉANO ATLÁNTICO

Florida

**UN ENCLAVE AMERICANO** *La bahía de Guantánamo está rodeada de colinas empinadas y es la bahía más grande de la costa sur de Cuba. Cristóbal Colón desembarcó aquí en 1494 durante su exploración del "nuevo mundo" y ha sido propiedad de hecho de los EE UU desde 1903 mediante un arriendo permanente.*

CUBA

MAR DEL CARIBE

**UNA DURA CONDENA** *El Campo Delta es un campo de detención permanente que sustituyó el Campo X-Ray en 2002 y se divide en varios sub campos. Algunos de ellos tienen unos regímenes de vigilancia más relajados que otros. A pesar de esto las condiciones de este campo siguen siendo motivo de preocupación para grupos de defensa de los derechos humanos.*

nal estadounidense. En lugar de ello se creó una comisión militar. Según Amnistía Internacional, de los casi 800 prisioneros hasta 2009, solo 26 han sido juzgados y solo tres condenados.

Poco después de su apertura, Guantánamo ya atraía la atención de la comunidad internacional porque los internos eran retenidos de manera indefinida y sin juicio. También se alertó de posibles malos tratos, desde el uso excesivo del aislamiento hasta palizas, privación de sueño, exposición prolongada a ruido y luz extremos, y un trato irrespetuoso del Corán por parte de los guardias. Antiguos internos han hablado hasta de degradación sexual. Naciones Unidas ha solicitado su cierre, pero Washington ha insistido en que es necesario para la defensa de la nación y ha negado todas las acusaciones de trato inhumano.

**¿QUIÉN ANDA AHÍ?** *Los detenidos en Guantánamo están sometidos a una estricta vigilancia por parte de los militares de EE UU. A día de hoy no consta que nadie haya logrado escaparse. Las probabilidades de éxito de tal intento son mínimas teniendo en cuenta su localización geográfica y sus sistemas de seguridad de última generación.*

Los defensores del centro sostienen que ha proporcionado información clave para impedir futuros ataques terroristas en EE UU y en otros lugares. Sin embargo, surgieron preguntas sobre las técnicas de interrogación que abrieron el debate sobre qué practicas se consideran tortura. Por ejemplo, se ha asegurado que la técnica del "submarino", que se usaba con ciertos internos, consistía en la inmovilización del prisionero para tirarle agua por encima y así crear sensación de ahogo.

Algunos han argumentado que el "submarino" es una forma de coacción que no se puede calificar como tortura, aunque muchos otros —incluyendo el presidente Obama— han concluido que sí es un método de tortura, haciendo que toda la información conseguida con esta práctica carezca de validez legal. Cabe señalar que el exsecretario de defensa de EE UU Donald Rumsfeld rechazó las afirmaciones acerca de que este método se utilizaba en la prisión y lo calificó de "mito".

El centro de detención de Guantánamo ha sido objeto de debate en los tribunales durante años, especialmente en lo que respecta el estado legal de los internos. Durante su carrera por la presidencia en 2008, Barack Obama se refirió a Guantánamo como "un triste capítulo de la historia estadounidense". Más tarde diría que habría sido un tremendo fracaso si, después de dos años en el poder, su administración no hubiera "cerrado Guantánamo de una manera responsable, puesto fin a la tortura y restablecido el equilibrio entre nuestra obligación de garantizar la seguridad y nuestra constitución". Aun así los planes para trasladar prisioneros a instalaciones de alta seguridad en territorio estadounidense encontraron una fuerte oposición por parte de sus ciudadanos y, a día de hoy, el campo sigue operativo.

# La Isla de las Serpientes

**UBICACIÓN:** océano Atlántico, frente al estado de São Paulo, Brasil.
**CIUDAD MÁS PRÓXIMA:** S. Paulo.
**MOTIVO DE INCLUSIÓN:** acceso restringido (riesgo de muerte o lesión); una isla plagada de serpientes y prohibida a visitantes.

Situada frente a la costa de Brasil, la Ilha da Queimada Grande está poblada por una rara y altamente venenosa especie de serpiente: la yarará. Sin ser muy original, a esta pequeña porción de tierra se la conoce como la Isla de las Serpientes —un infierno para los que tienen fobia a estos reptiles—. Tan solo se atreve a poner un pie en ella algún científico valiente o un aventurero loco.

La Isla de las Serpientes está poblada por una enorme colonia de yararás doradas (*bothrops insularis*), que se encuentran entre las serpientes más venenosas del planeta. La yarará dorada solo se halla en esta isla en particular, de modo que es comprensible que sea más bien agresiva a la hora de proteger su territorio. Su veneno es cinco veces más potente que el de su prima la terciopelo o barba amarilla, responsable ella sola de más muertes en Sudamérica que cualquier otra especie de vívora.

La isla tiene una extensión de unas 45 hectáreas, y el simple hecho de llegar hasta ella conlleva una determinación considerable, ya que hay que cruzar 30 kilómetros de mar enbravecido desde la costa del estado de São Paulo y son pocos los capitanes de la zona que quieren hacer ese trayecto. En la isla no hay ninguna playa y solo se puede acceder a ella a través de rocas cubiertas de percebes que te destrozan las manos al escalar. Todo esto es pura teoría, ya que la Armada brasileña prohíbe a los civiles visitar la isla. Solo a veces a algunos científicos acreditados se les permite pisar la isla.

Hay unas cinco mil serpientes arrastrándose por la isla y los cálculos más conservadores apuntan a que hay una serpiente por metro cuadrado. Se han apoderado incluso del faro abandonado de la isla, con lo que ser farero en este sitio tiene que estar sin duda entre los peores trabajos pagados del mundo. Cuenta la leyenda que el farero vivió aquí con su familia hasta que las serpientes entraron en su casa. Mientras intentaban huir fueron mordidos uno por uno por las serpientes que colgaban de las ramas de los árboles. Sea un mito o no, lo mejor es dejarlas tranquilas en su casa, en el paraíso secreto de las serpientes.

# 37 Surtsey

UBICACIÓN: en mitad del océano Atlántico, al sur de Islandia.
CIUDAD MÁS PRÓXIMA: Reikiavik.
MOTIVO DE INCLUSIÓN: quizá sea el hábitat natural más inmaculado del mundo, sin huella humana alguna.

Surtsey es uno de los lugares más jóvenes de la Tierra, ya que emergió del mar durante una erupción volcánica subacuática que se prolongó desde 1963 a 1967. El territorio fue rápidamente declarado reserva natural y solo un pequeño grupo autorizado de científicos ha tenido la oportunidad de desembarcar en la isla para estudiar el desarrollo espontáneo de la vida en el territorio.

La joven isla está situada a unos 20 kilómetros al sudoeste de Heimaey, la más grande de las islas Westman. Las primeras señales de una erupción subacuática se percibieron el 14 de noviembre de 1963, cuando se observaron cambios en la temperatura del agua, se vio una columna de humo saliendo de la superficie y se percibió olor a sulfuro de hidrógeno. Sin embargo, se cree que la erupción pudo haber empezado unos días antes, a unos 130 metros de profundidad.

Las erupciones siguieron la línea de una fisura tectónica y emergieron en forma de columnas de polvo y cenizas que alcanzaron una altura de varios miles de metros. La isla se formó en tan solo una semana, y la llamaron Surtsey por Surtur, el gigante de fuego de la mitología nórdica. Aunque el mar pronto comenzó a erosionar parte de la isla, las erupciones continuadas fueron añadiéndole superficie. A principios de 1964 alcanzó su diámetro máximo: más de 1.300 metros. Islandia rápidamente reclamó su soberanía sobre la isla y la declaró reserva natural.

Cuando terminaron las erupciones en junio de 1967, la isla tenía un área de 2,7 kilómetros cuadrados. Estaba formada básicamente de dos tercios de piroclastos (fragmentos de roca proyectados durante la erupción) y un tercio de lava que se enfrió rápidamente. Mientras que los piroclastos se han erosionado a lo largo de los años, el centro duro de lava es mucho más resistente. Se calcula que la isla, a merced de los vientos, no habrá sido consumida por el mar hasta el año 2100 y puede hasta que dure siglos. Sin embargo, las olas del Atlántico erosionaron completamente dos pequeñas islas hermanas que aparecieron durante la erupción inicial.

Los científicos se dieron cuenta de que era su oportunidad para estudiar la evolución biológica y geológica de una isla virgen. Si se podía mantener al hombre alejado, la localización remota de la isla significaba que no había ninguna amenaza para el territorio, excepto el mar. En 1965 apareció la primera forma de planta simple, aunque el primer arbusto no se formó hasta 1998. La mala calidad de la tierra mejoró rápidamente con los excre-

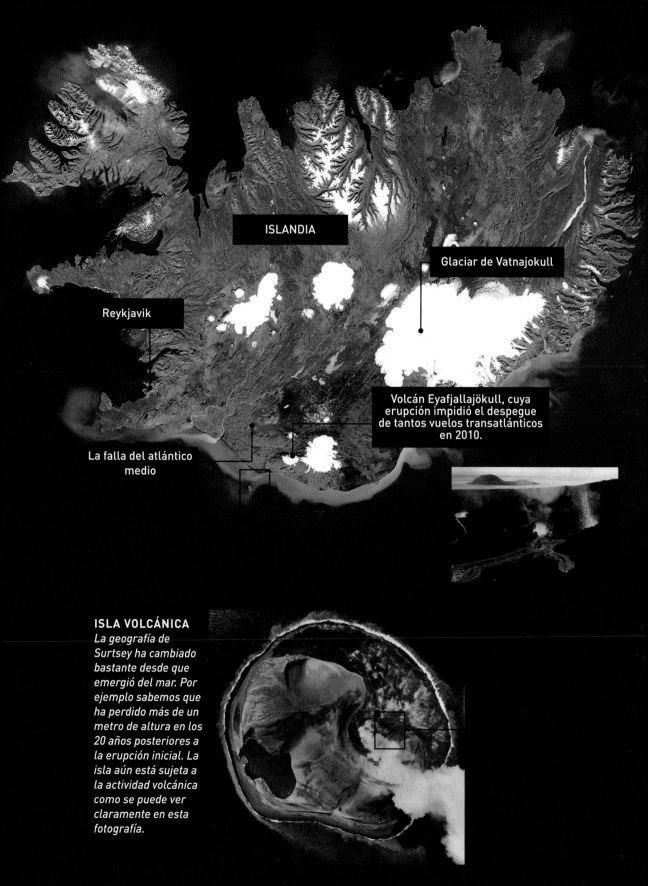

ISLANDIA

Glaciar de Vatnajokull

Reykjavik

Volcán Eyafjallajökull, cuya
erupción impidió el despegue
de tantos vuelos transatlánticos
en 2010.

La falla del atlántico
medio

### ISLA VOLCÁNICA
*La geografía de
Surtsey ha cambiado
bastante desde que
emergió del mar. Por
ejemplo sabemos que
ha perdido más de un
metro de altura en los
20 años posteriores a
la erupción inicial. La
isla aún está sujeta a
la actividad volcánica
como se puede ver
claramente en esta
fotografía.*

mentos de los pájaros que empezaron a reunirse allí hacia 1970. Las primeras especies en residir en la isla fueron el fulmar y el arao común, y ahora la tierra puede acoger formas de vida más complejas, como gusanos. En relación a los mamíferos, unas focas empezaron a criar aquí en 1983.

Para proteger la isla, se prohíbe el acceso a las personas, a menos que sean científicos acreditados y con un permiso de la Surtsey Research Society, que se ocupa de supervisar las actividades que se llevan a cabo en la isla en nombre de la Agencia Islandesa de Medio Ambiente y Alimentación. No está permitido hacer submarinismo ni manipular nada, introducir organismos, tierras, minerales ni depositar residuos. También está prohibido disparar un arma a menos de dos kilómetros de su costa.

La mayoría de las especies halladas en Surtsey hasta la fecha han prosperado por medios naturales. No obstante, se descubrieron unos cultivos no naturales (que se retiraron rápidamente) importados por el hombre en dos ocasiones durante la década de los setenta. El primero fue una tomatera. Se cree que un investigador debió de comer en la isla una ensalada y con las prisas causó una dispersión no regulada de semillas. En 1977 apareció un cultivo de patatas en el terreno, y el dedo acusador apuntó directamente a unos jóvenes que seguramente remaron hasta Surtsey desde las islas Westman durante la primavera.

En 2008 Surtsey fue incluida en la lista de la Unesco como Patrimonio de la Humanidad. En 2004 la fauna y flora documentada de la isla constaba de 69 plantas simples, 71 líquenes, 24 hongos, 14 especies de pájaros y 335 especies de invertebrados. En 2009 se encontró un chorlito dorado anidando; era la primera ave zancuda en hacerlo. Cada año se descubren entre dos y cinco especies nuevas.

Lo único construido por humanos es una cabaña para los científicos, equipada con poco más que unas literas, un panel solar para producir energía y una radio para emergencias. Además también hay una diana con dardos para proporcionar algo de entretenimiento a sus inquilinos.

# La Royal Mint*

**UBICACIÓN:** Llantrisant, al sur de Gales.
**CIUDAD MÁS PRÓXIMA:** Cardiff, Gales.
**MOTIVO DE INCLUSIÓN:** lugar de alta seguridad donde se hace dinero de verdad.

Desde los años sesenta la responsabilidad de acuñar todo el dinero del Reino Unido ha recaído en manos de la Royal Mint en Llantrisant, al sur de Gales. Tiene capacidad para producir más de cinco mil millones de monedas al año y es la mayor exportadora de moneda del mundo, ya que manufactura para unos sesenta países. Con todo ese dinero circulando por ahí, no es sorprendente que no les gusten las visitas.

La Royal Mint se fundó en el año 886 y en el siglo XVI era el único fabricante de monedas del reino. Por aquel entonces su único hogar había sido la Torre de Londres. Uno de sus altos cargos más famosos fue sir Isaac Newton, de 1699 a 1727, quien combatió la falsificación de moneda que abundaba en la época.

En 1809 la Royal Mint se trasladó al East Smithfield de Londres para poder albergar las nuevas máquinas que se estaban introduciendo. Aun así, hacia 1960 las instalaciones se estaban quedando pequeñas otra vez. Debido a que el sistema monetario decimal debía entrar en vigor en 1971, se decidió que se necesitarían unas instalaciones nuevas para la producción en masa de las monedas y billetes que debían comenzar a circular. Se descartaron algunas zonas en el noroeste de Inglaterra y cerca de Glasgow, en Escocia, en favor de los verdes prados de Llantrisant, encajados en el valle de Rhondda. Algunos malintencionados a quienes no gustó el lugar escogido lo describieron como *the hole with a mint* (el pueblo de mala muerte donde acuñan monedas), haciendo un juego de palabras con el eslogan del anuncio de los caramelos ingleses de menta Polo *the mint with a hole* (el caramelo de menta con agujero).

La reina Isabel II inauguró la sede de Llantrisant en 1968. En 1975 se acuñó la última moneda en Londres y desde 1980 todas las operaciones de la fábrica se realizan en Gales. Llantrisant también alberga un museo con más de 70 mil monedas; aunque no está abierto al público, participa en exposiciones itinerantes.

El recinto ocupa unas 12 hectáreas, tiene más de 750 empleados y construirlo costó 8,5 millones de libras. Los edificios están recubiertos de paneles de cemento ligero sobre un podio de ladrillos. El lugar se halla rodeado por una valla y vigilado por la policía. Si de verdad quieres entrar, unas monedas a modo de soborno puede que no surtan el efecto esperado en un lugar donde si algo hay son monedas.

*La Royal Mint es el equivalente británico a la Fábrica Nacional de Moneda y Timbre. La palabra *mint* significa tanto "menta" o "caramelo de menta" como "acuñar".

# Central telefónica subterránea Guardian

**UBICACIÓN:** bajo las calles de Manchester, Lancashire, Inglaterra.
**CIUDAD MÁS PRÓXIMA:** Manchester.
**MOTIVO DE INCLUSIÓN:** acceso restringido a esta red de comunicaciones secreta bajo las calles de Manchester.

Este complejo de túneles fue construido en los años cincuenta durante la Guerra Fría y se diseñó para proteger el sistema de comunicaciones en caso de ataque nuclear, a imagen y semejanza de instalaciones similares que funcionaban en otras grandes ciudades británicas, como Londres y Birmingham. Hoy los túneles acogen una extensa red de cables telefónicos, aunque los rumores acerca de su uso no han cesado.

Se cree que los túneles en los que se encontraba la centralita medían unos tres kilómetros e iban desde el centro de Manchester hasta Ardwick y Salford. Fue construida en 1954 por operarios polacos, en su mayoría. Se decía que estaba diseñada para resistir una explosión atómica similar a la de Hiroshima, y por aquel entonces tenía fama de estar siempre operativa, de contar con suministro propio de agua, comida y generadores de energía, capaces de mantenerla en funcionamiento de forma autosuficiente varias semanas.

Al parecer los túneles tienen unos dos metros de diámetro y están excavados a 35 metros de profundidad. La entrada principal se encuentra en George Street, bajo una losa de cemento enorme diseñada para resistir explosiones. El proyecto costó alrededor de cuatro millones de libras —financiado en parte por otros miembros de la OTAN— e incluía una sala de juegos para el personal con un billar y hasta un piano. La existencia de la centralita salió a la luz en 1968, y en 1970 fue cuando su población troglodita abandonó la instalación en favor de los nuevos sistemas de telecomunicaciones.

En 2004 se desató un incendio a causa de un fallo eléctrico durante la reforma de los túneles, lo que dejó sin línea telefónica a unos 130.000 abonados del noroeste de Inglaterra. Unos pocos teóricos de la conspiración afirmaron que el suceso era una treta del gobierno para bloquear el intercambio de comunicaciones, aunque muchos consideran que estas declaraciones son un poco extravagantes. Un año después, el robo de cierto material que se hallaba en los túneles extendió el pánico a gran escala (cabe señalar que sucedió poco después de los ataques terroristas en la red de transporte de Londres en 2005).

Aunque hoy en día hay muy poco que sugiera que los túneles se usan para otra cosa que no sea la instalación de cables telefónicos, la información oficial sobre los túneles en sí, su extensión y sus accesos, sigue siendo oscura. Esta falta de transparencia ha llevado a sospechar que el complejo podría ser reactivado si fuera necesario. Otros, en cambio, sostienen que no es más que una reliquia de la Guerra Fría, no apta para el uso por sus malas condiciones de higiene y seguridad.

# Centro de Comunicaciones del Gobierno

**UBICACIÓN:** Cheltenham, Gloucestershire, Inglaterra.
**CIUDAD MÁS PRÓXIMA:** Cheltenham.
**MOTIVO DE INCLUSIÓN:** desarrollo de actividades secretas; es la sede de los servicios de inteligencia británicos (GCHQ).

El Centro de Comunicaciones del Gobierno (GCHQ por sus siglas en inglés), que opera bajo el mando del Comité Conjunto de Inteligencia, es el encargado de recabar información para el gobierno del Reino Unido y sus fuerzas armadas mediante un sistema de escuchas e interceptación de comunicaciones en todo el mundo. Tiene su sede en un complejo de máxima seguridad conocido como "el Donut".

Los orígenes del GCHQ datan de 1919, cuando se estableció la Escuela del Gobierno de Códigos y Claves (GCCS por sus siglas en inglés) para descifrar mensajes. Durante la Segunda Guerra Mundial, el GCCS se encontraba en Bletchley Park, cerca de Londres, dedicado a la crucial y altamente secreta misión de descifrar la máquina Enigma y el código Lorenz de los alemanes, y desarrollando, paralelamente, los primeros ordenadores automáticos. Los detalles relativos a este trabajo fueron de dominio público solo décadas más tarde. En 1946 se le cambió el nombre por el de GCHQ y se trasladó a Eastcote, en Londres, hasta 1951, cuando se dividió entre dos lugares diferentes (Oakley y Benhall), en Cheltenham y Gloucestershire.

En los noventa el GHCQ tuvo que hacer frente a dos grandes desafíos. Por un lado, el fin de la Guerra Fría hizo que se cuestionara su existencia. Por otro, Internet significó nuevos retos tecnológicos. Sin embargo, la guerra contra el terrorismo iniciada el 11 de septiembre de 2001 le asignó un nuevo objetivo, y el personal del centro dedica ahora la misma energía que antes ponía en las llamadas telefónicas y en la interceptación de correo postal a espiar el contenido de mensajes electrónicos, foros o páginas web.

Para sobrevivir en la nueva era, el GCHQ se trasladó en 2003 a un edificio diseñado ex profeso en Benhall. De estructura circular y reforzado en acero —la construcción costó 337 millones de libras—, pronto se ganó el cariñoso sobrenombre de "el Donut". Sin embargo, ese apodo hace que parezca un lugar mucho más acogedor de lo que en realidad es.

En el interior, unos 5.500 empleados se afanan en identificar y hacer el seguimiento de posibles amenazas a la seguridad nacional. Los detalles de este trabajo son confidenciales y al personal no se le permite divulgar ni sus apellidos. Las visitas no son bien recibidas —el perímetro de la valla que rodea las instalaciones está bajo constante vigilancia— y las llamadas externas no se pasan a no ser que la persona que llama se identifique o provenga de un número de extensión a la centralita. En resumen, ellos te vigilan mucho mejor a ti que tú a ellos.

**UN PUESTO DE ESCUCHAS** *La estación de satélites de tierra del GCHQ de Bude, en la costa norte de Cornualles al suroeste de Inglaterra está plagada de radares y cúpulas. Esta base se encuentra en el que fue el campo de aviación RAF Cleave durante la II Guerra Mundial y ahora se dice que forma parte de la trama de inteligencia de Echelon.*

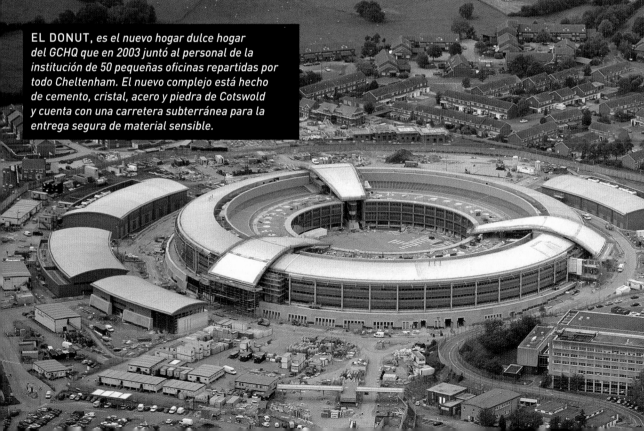

**EL DONUT,** *es el nuevo hogar dulce hogar del GCHQ que en 2003 juntó al personal de la institución de 50 pequeñas oficinas repartidas por todo Cheltenham. El nuevo complejo está hecho de cemento, cristal, acero y piedra de Cotswold y cuenta con una carretera subterránea para la entrega segura de material sensible.*

# Laboratorio de Tecnología y Ciencia de la Defensa en Porton Down

**UBICACIÓN:** Porton Down, Wiltshire, Inglaterra.
**CIUDAD MÁS PRÓXIMA:** Salisbury.
**MOTIVO DE INCLUSIÓN:** actividades clasificadas; es el polémico centro gubernamental de investigación biológica y química.

Porton Down es uno de los centros de investigación más secretos del Reino Unido y ha sido el centro neurálgico de la investigación para la guerra biológica y química durante por lo menos un siglo. En varias ocasiones se ha acusado a esta institución de llevar a cabo experimentos no autorizados con militares, lo cual ha desembocado en enfermedades crónicas entre los veteranos, e incluso muertes.

En la Primera Guerra Mundial se usó por primera vez el gas de forma generalizada como arma ofensiva. El trabajo con armas químicas en Reino Unido comenzó en marzo de 1916 en unas cuantas barracas repartidas por las colinas cerca de Porton, un tranquilo pueblo de Wiltshire. Al principio se llamaba Terreno Experimental del Departamento de Guerra, pero el centro ha sufrido muchos cambios de nombre a lo largo de su historia, y desde 2001 se llama Laboratorio de Tecnología y Ciencia de la Defensa (Dstl, por sus siglas en inglés) y depende del Ministerio de Defensa.

Desde sus inicios, Porton Down ha dependido de la ayuda de voluntarios de las fuerzas armadas para sus investigaciones. Al principio los experimentos que se llevaban a cabo estaban relacionados con el cloro, el fosgeno y el gas mostaza. Aunque entonces una gran parte del trabajo se dedicaba a desarrollar armas ofensivas, desde los años cincuenta el laboratorio asegura haberse especializado en la investigación para identificar los peligros de una guerra química y desarrollar estrategias de defensa.

El programa de pruebas con pacientes desarrollado tras la Segunda Guerra Mundial terminó décadas más tarde en denuncias por supuestas prácticas poco éticas. Para explicarlo brevemente, diremos que el laboratorio fue acusado de poner en peligro sistemáticamente a militares británicos exponiéndolos a agentes químicos altamente peligrosos sin su total conocimiento.

Desafortunadamente, el caso que quizá sea más conocido está relacionado con la muerte del técnico de las Fuerzas Aéreas Ronald Maddison el 6 de mayo de 1953. Con solo 20 años, le rociaron la piel con un gas nervioso llamado sarín y falleció a causa del experimento. A Maddison le habían hecho creer que formaba parte de un experimento para curar resfriados (a los voluntarios se les pagaba dos libras esterlinas y se les daba tres días de permiso), y la investigación posterior concluyó que había sido una muerte accidental. El caso no se reabrió hasta 2004, después de una larga lucha por parte de miembros de su familia, y en esta ocasión el veredicto fue de muerte por negligencia.

Línea de tren entre Andover y Salisbury

Instalaciones del Dstl

El parque científico Tetricus

Borde del campo de pruebas de 2.800 hectáreas

Instalaciones de la Agencia de Protección de la Salud

**CABINAS DE CURIOSIDADES**
*Porton Down forma parte de un grupo selecto de instituciones que tienen la mayor gradación de 4 en bioseguridad. Los científicos trabajan con cabinas selladas, con filtro de aire en las que insertan los brazos a través de unos guantes de goma hechos especialmente para evitar el contacto con elementos nocivos.*

**BUENA QUÍMICA** *Tropas luciendo la última moda en trajes de guerra y armas químicas en Porton Down en 1988. Mientras siguen en el aire preguntas sobre lo que ocurrió en las instalaciones, pocos ponen en duda que este lugar haya tenido un papel crucial en la protección de las tropas británicas en la guerra a lo largo de los años.*

Poco a poco empezaron a salir a la luz otros casos de personas que fueron rociadas con sustancias hasta que les salían ampollas o abrasiones, y solo entonces se les aplicaban ungüentos. Otros han contado que los metieron en cámaras de gas. El denominador común siempre es que a los voluntarios no se les explicaba en ningún momento cuáles eran los riesgos a los que se exponían. Muchos de ellos descubrieron posteriormente que en sus expedientes no había

ninguna constancia de su paso por Porton Down.

Otros casos inquietantes se refieren a voluntarios a los que se les administró LSD durante los años cincuenta, lo que les causó problemas mentales crónicos. En la década siguiente, un vehículo salió del recinto y circuló a través de pueblos de alrededor hacia las afueras de Bristol y en su trayecto fue depositando en el aire sulfuro de cinc y cadmio. Formaba parte de un experimento para ver cómo podía extenderse una nube de gérmenes, pero mientras que los científicos llevaban a cabo el experimento provistos de trajes protectores y máscaras de gas, la población civil no gozaba de tales precauciones. Más tarde las autoridades de Porton Down insistirían en que los agentes liberados "no representaban ningún peligro para la salud pública".

Es difícil disipar las sospechas de que Porton Down utilizó de manera regular cobayas humanas contra su voluntad. En el periodo entre 1916 y 2008 más de 25.000 militares fueron sometidos a experimentos en los laboratorios. En 2008 el Ministerio de Defensa pagó tres mil millones de libras para compensar a 369 de ellos, que se unieron contra el Gobierno alegando que se les había sometido a experimentos durante varias décadas y que ello les había causado graves problemas de salud. Entre otras acusaciones, afirmaron que el laboratorio les expuso a agentes tóxicos como el gas mostaza, el gas nervioso y el gas lacrimógeno.

El recinto de Porton Down posee una extensión de unas 2.800 hectáreas y es uno los más seguros entre los que tutela el Ministerio de Defensa. En una era en la que la amenaza del terrorismo biológico o químico es mayor que nunca, resulta muy poco probable que el Dstl abra sus puertas al escrutinio público en un futuro próximo.

# La base de Menwith Hill

**UBICACIÓN:** norte de Yorkshire, Inglaterra.
**CIUDAD MÁS PRÓXIMA:** Leeds.
**MOTIVO DE INCLUSIÓN:** desarrollo de actividades clasificadas en una base de escuchas situada en Inglaterra y gestionada por EE UU.

La base de Menwith Hill pertenece al Ministerio de Defensa británico, pero ha sido cedida al Departamento de Defensa de EE UU, que ahora es el responsable de su funcionamiento. Como parte de la red global de comunicaciones de defensa estadounidense, la misión de Menwith es ofrecer apoyo en asuntos de inteligencia a EE UU, Reino Unido y sus aliados. No obstante, algunos cuestionan el alcance de su poder.

La base se construyó sobre un terreno propiedad de la Oficina de Guerra británica y abrió en 1960 con el nombre de Estación Menwith Hill. La localidad más cercana es Harrogate, un lugar agradable conocido por sus aguas termales y lo más alejado al ambiente de intrigas internacionales que uno pueda imaginar.

En la base, desde un principio, ha trabajado personal militar de los EE UU bajo la supervisión de la Agencia Militar de Seguridad de ese país. En 1966 la Agencia Nacional de Seguridad (NSA por sus siglas en inglés) tomó el control de la administración de la base. En la actualidad funciona principalmente como una estación de la NSA, donde los empleados norteamericanos trabajan junto con los del Ministerio de Defensa británico y el Centro de Comunicaciones del Gobierno (*véase pág. 104*).

**PELOTAS DE GOLF** *Los radomos (una palabra compuesta por radar y domo) de Menwith Hill le dan a la estación un aspecto de campo de golf. Ahora hay más de 30 de estas cúpulas en la base y la tecnología que contienen es supuestamente vital para el buen funcionamiento de la red de inteligencia Echelon.*

Menwith Hill siempre ha usado tecnología de última generación, y en sus primeros tiempos se empleó para controlar las comunicaciones que salían de la URSS. Fue pionera en el uso de la tecnología informática de IBM, y hoy tiene un gran número de cúpulas de radar (actualmente más de 23), imprescindibles para que EE UU y Reino Unido puedan interceptar y vigilar todo tipo de comunicaciones. También tiene presencia permanente en la base la Oficina Nacional de Reconocimiento de EE UU (NRO por sus siglas en inglés), que se estableció en 1961 con sede en Virginia y es responsable de construir y manejar satélites espía.

Existe la creencia, ampliamente aceptada, de que Menwith Hill forma parte de la legendaria red global de espionaje Echelon. Se dice que esta red puede espiar en todo tipo de comunicaciones modernas, desde conversaciones telefónicas hasta un intercambio de correos electrónicos, y que opera bajo el paraguas de un acuerdo entre Inglaterra, EE UU, Australia, Canadá y Nueva Zelanda. En 2001 un informe del Parlamento Europeo sobre esta supuesta red concluyó que Menwith Hill era su base más grande.

El hecho de conseguir información con estos métodos para luchar contra el terrorismo y el crimen organizado puede parecer muy atractivo, pero se teme que la información conseguida se pueda usar con otros fines, como espionaje industrial; a otros les preocupan las implicaciones que pueda tener en relación a las libertades civiles, y varios periodistas han mencionado que ciertas compañías norteamericanas podrían haber conseguido así alguna ventaja comercial en detrimento de las europeas, aunque ninguno de estos casos ha sido demostrado. Sea como fuere, la existencia de Echelon nunca ha sido confirmada oficialmente. El Ministerio de Defensa asegura que todas las operaciones que tienen lugar en la base "se llevan a cabo dentro de los parámetros de la ley, incluyendo el Convenio Europeo de los Derechos Humanos y la Ley de Derechos Humanos de 1998". Eso, no obstante, no tranquiliza a los muchos críticos de Menwith.

La base acaparó mayor atención aún cuando el Gobierno británico confirmó en 2007 unas obras de mejora para poder alertar de ataques de misiles con antelación, como parte de un sistema de defensa de misiles ideado por EE UU. Esto encolerizó a pacifistas y provocó la ira de Moscú, que entre advertencias proclamó que el sistema, diseñado para interceptar misiles enemigos antes de alcanzar el espacio aéreo de EE UU o la OTAN, incumplía los acuerdos de control de armamento. Algunos críticos sostenían que ese escudo de defensa daba pie a una nueva carrera armamentística. El entonces secretario de Defensa británico, Des Browne, aseguró que no había ningún plan inminente para instalar misiles interceptores con base en Reino Unido, pero la oposición se hizo eco del miedo a que eso pusiera a la nación en primera línea de una futura guerra.

La seguridad en Menwith Hill es muy estricta, ya que la base es objeto de muchas especulaciones, así como de la ira del público (durante décadas ha sido un objetivo para las protestas de los pacifistas). Está rodeada por una valla con torres de vigilancia y patrullada por guardias con perros entrenados, lo cual no ayuda a calmar la rabia justificada de aquellos que creen que no es otra cosa que un enclave de EE UU en suelo británico. En el imaginario popular, la base está llena de espías que escuchan nuestras conversaciones privadas y se inmiscuyen en la intimidad de nuestro día a día. Con razón o sin ella, Menwith Hill tiene la reputación de un moderno Gran Hermano, que todo lo oye pero que cuenta muy poco de sí mismo.

# El dormitorio de la Reina

**UBICACIÓN:** Palacio de Buckingham, Londres, Inglaterra.
**CIUDAD MÁS PRÓXIMA:** Londres.
**MOTIVO DE INCLUSIÓN:** lugar de máxima seguridad, es el aposento privado de la Reina.

El Palacio de Buckingham es la residencia oficial de la Reina de Inglaterra y uno de los edificios más famosos de mundo. A pesar de atraer a miles de turistas, la mayor parte del recinto se encuentra bajo una estricta vigilancia y la entrada está prohibida a casi todo el mundo, especialmente el dormitorio de la Reina, que una vez fue el escenario del allanamiento de morada más famoso.

El Palacio de Buckingham se llamaba originalmente de manera muy llana, la Casa Buckingham, y fue construida para ser la residencia del duque de Buckingham en 1705. La zona que escogió había sido antes un jardín de moreras donde el rey Jacobo I intentó la cría de gusanos de seda (sin éxito porque plantó la especie de morera equivocada). Al rey Jorge III le gustó la casa y se la compró a su esposa Carlota para que viviera en ella. Solo se convirtió en "palacio" en la década de 1820, después de que Jorge IV ordenara unas serias reformas al arquitecto John Nash.

Sin embargo Jorge IV nunca viviría en él. La reina Victoria fue la primera monarca en residir en el palacio, cuando se trasladó en julio de 1837. Después de casarse con el príncipe Alberto y formar una familia, se hizo evidente que el palacio necesitaba una ampliación, y este trabajo se dejó en manos del arquitecto Edward Blore y de su constructor, Thomas Cubitt. Su mayor contribución fue el ala este, donde se encuentra el famoso balcón desde el cual la realeza saluda a sus súbditos en ocasiones señaladas. Una de estas ocasiones fue el fin de la Segunda Guerra Mundial, durante la cual bombarderos alemanes alcanzaron el palacio nueve veces.

Hoy tiene 775 estancias, 52 de las cuales son dependencias reales y para invitados. Cuando la Reina y el príncipe Felipe están en palacio (cuya presencia se marca izando el estandarte real), ocupan las habitaciones del ala norte. Por derecho, debería ser la parte del edificio más impenetrable. Siendo un lugar tan conocido, Buckingham Palace ha tentado a muchos a desafiar sus sistemas de seguridad a lo largo de los años, desde parapentistas desnudos a periodistas disfrazados, desde defensores de los derechos paternos vestidos de Batman a imitadores de Osama bin Laden. En 1990 encontraron a un hombre en el recinto que afirmó de forma un poco ambiciosa ser el príncipe Andrés y que estaba allí para ver a "mamá". La intrusión más seria ocurrió el 9 de julio de 1982, cuando la reina se encontró a un absoluto desconocido llamado Michael Fagan en su habitación, con quien conversó durante unos diez minutos.

Constitution Hill

Los jardines de palacio

Estancias privadas incluyendo el dormitorio de la Reina

Antigua Casa Buckingham, reformada en 1826

El patio central

Fachada este, construida en 1847 y reformada en 1913

Patio delantero

Entrada principal

Monumento a la Reina Victoria

**¡ATENCIÓN!** *Un miembro de la guardia real en el puesto de centinela en el Palacio Buckingham. Esta compañía también es responsable de vigilar el Palacio de Saint James en Londres. Su famoso uniforme es conocido en todo el mundo pero a pesar de su aspecto a la antigua, son soldados armados con mucha formación.*

Esa no era la primera vez que Fagan visitaba el palacio, ya que unas semanas antes consiguió escalar la muralla que rodea el perímetro y que está coronada de alambre de espino. En esa ocasión, el 7 de junio, se paseó por el palacio pasando totalmente desapercibido y hasta hizo un receso para tomar un poco de vino con queso y galletitas saladas. Cuando volvió en julio, trepó por una cañería que llevaba a los aposentos de la Reina. Se dijo que la intrusión hizo saltar las alarmas, pero que un empleado del palacio pensó que era un error del sistema. Parece ser

que la agente de policía que tenía que estar de guardia fuera de la habitación de la Reina había salido a pasear a los perros antes de que llegara su relevo.

La Reina se dio cuenta de que había alguien en su habitación al ver las cortinas moverse. Mostrando una calma admirable, empezó a hablar amablemente con él mientras este se paseaba por la estancia y se apoyaba a los pies de su cama. Después de un rato pidió un cigarrillo, pero, naturalmente, la Reina no tenía un paquete a mano, así que pidió que le trajeran uno. Esto le dio la oportunidad de alertar al personal y, diligentemente, llegó el sirviente que retuvo a Fagan hasta que acudió la policía para arrestarle.

Fagan fue acusado de delito civil —en lugar de penal— y pasó varios meses en una institución mental de alta seguridad. Era la primera vez que un intruso llegaba a las habitaciones privadas reales desde el reinado de la reina Victoria (aunque durante la Segunda Guerra Mundial la Reina Madre se encontró con un desertor del ejército en su baño).

El incidente puso la cuestión de la seguridad de la Reina bajo escrutinio, y el nivel de protección que la rodea aumentó aún más. Aparte de los guardias armados repartidos por el palacio —que seguramente ya tengan claras instrucciones sobre cuándo se debe sacar a los perros—, hay patrullas regulares con perros y un destacamento de la Guardia de la Reina permanentemente presente y fácilmente reconocible por sus guerreras rojas y sus sombreros de piel de oso. En 2004 Scotland Yard asumió la responsabilidad de la protección de todas las propiedades reales a través de sus servicios de seguridad. Ese mismo año se instaló una valla eléctrica en el palacio que suelta descargas lo suficientemente fuertes para neutralizar a cualquier intruso hasta ser detenido.

# La sede del MI5 en Thames House

**UBICACIÓN:** Millbank, Londres, Inglaterra.
**CIUDAD MÁS PRÓXIMA:** Londres.
**MOTIVO DE INCLUSIÓN:** desarrollo de actividades confidenciales; es la sede del servicio de inteligencia británico.

Thames House se encuentra en Millbank, junto a la ribera norte del Támesis, en el centro de Londres, y es la imponente sede del MI5, el servicio de inteligencia británico. Es la residencia espiritual de la comunidad británica de espías y, aunque desde fuera podemos disfrutar de su espectacular fachada, lo que pasa en su interior siempre será un secreto para la mayoría de nosotros.

El MI5 es el nombre con el que se conoce el servicio de inteligencia, el responsable de la seguridad de Gran Bretaña mediante actividades de contraespionaje y antiterrorismo. Se estableció en 1909 bajo la supervisión del Ministerio del Interior para contrarrestar la infiltración de poderes extranjeros en organizaciones británicas en un tiempo en el que las naciones europeas estaban compitiendo ferozmente por acumular influencia y poder. El servicio sufrió varias reorganizaciones previas a la Primera Guerra Mundial, que fue cuando se convirtió en la Sección 5 de la Dirección de Inteligencia Militar de la Oficina de Guerra británica. Más tarde, en 1931, fue rebautizada como el Servicio de Seguridad, pero se quedó con el apodo de MI5.

El servicio tuvo un papel de vital importancia en el contraespionaje durante ambas guerras mundiales, en el periodo de entreguerras y durante la Guerra Fría. Sin embargo, entre sus éxitos también se encuentran grandes fracasos, como el caso de "los Cinco de Cambridge", un grupo de espías que pasó información secreta a la Unión Soviética durante años sin ser descubierto. Desde finales de los sesenta el servicio ha estado inmerso en actividades contra el terrorismo a medida que el conflicto en Irlanda del Norte empeoraba. A pesar de la relativa paz lograda en el norte de Irlanda en época reciente, el crecimiento del terrorismo islamista (responsable de los ataques contra la red de transporte de Londres en julio de 2005 que causó 56 víctimas mortales) ha asegurado que en la última década el MI5 está más ocupado que nunca.

Antes los edificios del MI5 se encontraban en Curzon Street y Gower Street, pero en los ochenta se hizo evidente que las instalaciones no eran adecuadas. Mientras tanto, Thames House languidecía en Millbank, ocupando un terreno a lo largo del Támesis que va más o menos desde el puente de Vauxhall a Parliament Square.

Millbank puede agradecer su aspecto moderno al desbordamiento que sufrió el Támesis en 1928. Entre otros daños causados por el desastre, que acabó con 14 vidas, se destruyeron unos 25 metros del muro de contención en Chelsea. En el área donde hoy está Millbank antes había almacenes y viviendas destartaladas.

CENTRO DE LONDRES

Whitehall

Waterloo

**BELLEZA CLÁSICA** *Una vista desde el otro lado del río nos muestra Thames House en toda su gloria. La mayor parte del trabajo de construcción inicial lo llevaron a cabo John Mowlem & Co, siguiendo lo planos de Sir Frank Baines. Anteriormente la compañía había trabajado en otros proyectos destacados como la estación de Liverpool Street y Admiralty Arch.*

El río Támesis

Pimlico

**TORRES ESPÍA** *Situadas al otro lado del río en Vauxhall Cross se encuentra el MI6. A veces llamado Legoland es la cara moderna de los servicios de seguridad mientras que Thames House recuerda una época cuando la arquitectura era menos chillona.*

Vauxhall

**LA CASA DE LOS SECRETOS** *La entrada imponente por Millbank a Thames House muestra la extensa renovación que se llevó a cabo en los años 90 para unir las alas principales del edificio original para preparar la incorporación del MI5.*

Una consecuencia positiva que tuvo el desbordamiento fue la regeneración de la zona, con la construcción de varias oficinas nuevas y bloques de apartamentos.

Thames House fue diseñada por sir Frank Baines y construida entre 1928 y 1929 en la esquina de Millbank con Horseferry Road. El diseño de Baines es neoclásico y está influido por el estilo de sir Edwin Lutyens (1869-1944), arquitecto de proyectos como el cenotafio de Whitehall y gran parte de la ciudad de Nueva Delhi. La fachada de Thames House está hecha de piedra de Portland y se halla decorada con esculturas patrióticas de Britannia y san Jorge, creadas por Charles Sargeant Jagger.

Entre los antiguos ocupantes del edificio se encontraban el gigante de la industria química ICI y la Compañía Internacional de Níquel de Canadá. El antiguo primer ministro David Lloyd George también tuvo una oficina en el edificio. En los años ochenta alojaba a la ICI en uno de sus dos bloques principales, con el Departamento de Energía en el otro. Después de que Thames House se vendiera al Gobierno británico a finales de los ochenta, se decidió instalar aquí el MI5. Entre los exhaustivos cambios que se hicieron, el más significativo fue la construcción de un bloque nuevo que conectaba las dos alas ya existentes, detrás del mítico arco. El MI5 se trasladó durante 1994.

Aunque con menos fama que su compañero, el enorme edificio del MI6 (el Servicio Secreto de Inteligencia que se ocupa del espionaje en el extranjero), situado en Vauxhall, Thames House pasó por varias reestructuraciones para mejorar las medidas de seguridad, con un coste estimado de 227 millones de libras. Se reforzó la estructura para hacerlo resistente a posibles ataques y todas las ventanas tienen doble vidrio de protección antibombas. Unos paneles de cristal detrás de las ventanas de la planta baja hacen imposible apoyar cualquier cosa en los alféizares. El aparcamiento es subterráneo y está protegido por policía armada, junto con los equipos de vigilancia habituales en estos casos; sistemas de seguridad en los accesos y sistemas electrónicos.

Mientras dentro del MI5 se realizan actividades confidenciales, los hay que temen que ese trabajo no siempre sea en beneficio de los intereses nacionales. Por ejemplo, en 2006 salió a la luz que la organización poseía 272.000 expedientes con información sobre ciudadanos británicos. Norman Baker, diputado del Partido Liberal Demócrata, declaró: "No me creo que haya en este país 272.000 personas subversivas o potencialmente subversivas. Esto indica que esos expedientes no se conservan por razones legítimas". En cualquier caso, la ciudadanía británica nunca lo sabrá.

# Q-Whitehall

**UBICACIÓN:** bajo las calles de Whitehall, Londres, Inglaterra.
**CIUDAD MÁS PRÓXIMA:** Londres.
**MOTIVO DE INCLUSIÓN:** existencia no oficial de una red de túneles construida en la Segunda Guerra Mundial.

Londres fue severamente bombardeada durante la Segunda Guerra Mundial, y gracias a varias atracciones turísticas como las Cabinet War Rooms sabemos que la ciudad construyó su *alter ego* subterráneo. Sin embargo, la existencia de una red de túneles desde Parliament Square a Trafalgar Square para proteger a los trabajadores de Whitehall (el corazón del Gobierno británico) sigue siendo un rumor sin confirmar.

A finales de 1939, cuando la guerra daba sus primeros pasos, el servicio de correos británico inició un plan conocido con el número de referencia 2845. El plan consistía en construir una red de túneles a unos 30 metros de profundidad para proteger el sistema de cables que aseguraba el funcionamiento de las comunicaciones telefónicas y telegráficas del Gobierno. Se cree que esos túneles se pueden haber ampliado entre 1,6 y 3,2 kilómetros y que se accede a ellos a través de una serie de ascensores y escaleras. Se han sugerido dos vías de acceso para el personal: por la central de Whitehall situada en Craig's Court, y por la vieja estación de metro de Trafalgar Square.

La primera sección importante del túnel estaba operativa hacia 1941, y unía la Oficina de Guerra, el Ministerio del Aire y el Almirantazgo. Una posterior ampliacion-debió de llegar hasta Cabinet War Rooms (Estancias del Gabinete de Guerra). Con la ciudad en situación tan vulnerable, no cuesta imaginar que estos túneles se adaptaran para poder transportar a grupos grandes de trabajadores del Gobierno en caso de emergencia, como por ejemplo un ataque con gases. De hecho se sabe que en 1955 la red, conocida como Q-Whitehall (cuyo nombre podría proceder del código postal QWHI), se usó para probar cómo afectaría en superficie un ataque con gases en los túneles.

En 1946 se habló con detalle del plan del servicio postal en una publicación de la propia institución llamada *The Post Office Electrical Engineers Journal*, pero, inmerso en el clima de la Guerra Fría, el Gobierno tuvo que tomar medidas drásticas para poner fin a esos artículos. La mayoría de los ciudadanos recordaba aún el eslogan, famoso durante la guerra, "hablar sin cuidado cuesta vidas". Sea como fuere, se sabe que en los años cincuenta se hicieron mejoras significativas (y posiblemente una ampliación) en los túneles del servicio postal, aunque los documentos relacionados con este tema se guardan en el Archivo Nacional esperando a ser desclasificados, lo cual no ocurrirá, al menos, hasta 2026. A tenor de las pruebas, algunos creen que Q-Whitehall se sigue usando hoy día para que los funcionarios accedan de manera cómoda y rápida a los edificios del Gobierno.

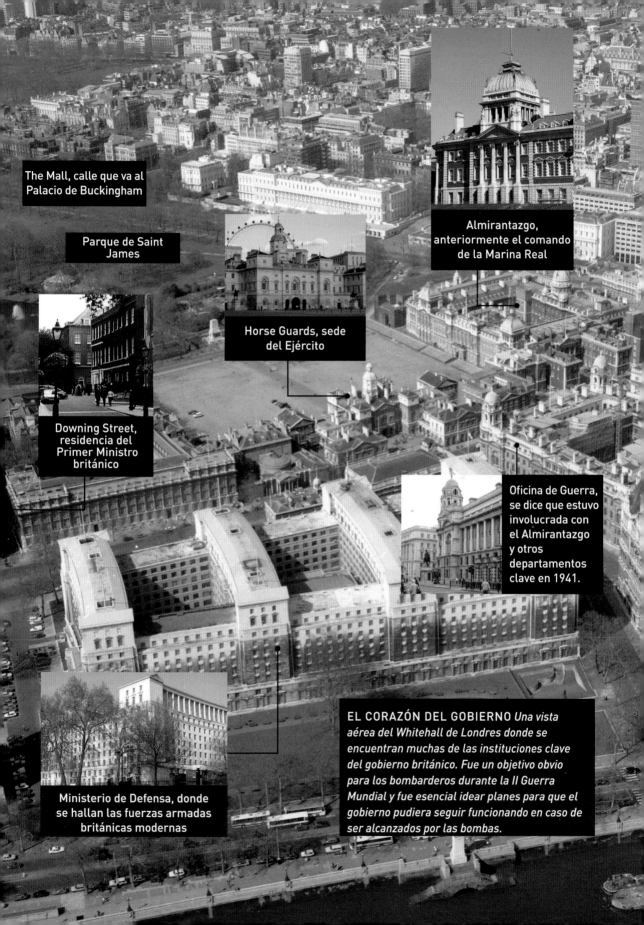

The Mall, calle que va al Palacio de Buckingham

Parque de Saint James

Almirantazgo, anteriormente el comando de la Marina Real

Horse Guards, sede del Ejército

Downing Street, residencia del Primer Ministro británico

Oficina de Guerra, se dice que estuvo involucrada con el Almirantazgo y otros departamentos clave en 1941.

Ministerio de Defensa, donde se hallan las fuerzas armadas británicas modernas

EL CORAZÓN DEL GOBIERNO *Una vista aérea del Whitehall de Londres donde se encuentran muchas de las instituciones clave del gobierno británico. Fue un objetivo obvio para los bombarderos durante la II Guerra Mundial y fue esencial idear planes para que el gobierno pudiera seguir funcionando en caso de ser alcanzados por las bombas.*

## Las cámaras del Banco de Inglaterra

UBICACIÓN: debajo de Threadneedle Street, Londres, Inglaterra.
CIUDAD MÁS PRÓXIMA: Londres.
MOTIVO DE INCLUSIÓN: lugar de alta seguridad; el sitio más seguro de Europa para guardar lingotes de oro.

El Banco de Inglaterra, que es el banco central del Reino Unido, se fundó en 1694 y tiene su sede en Threadneedle Street, en el corazón de la City de Londres, desde 1734. Desde 1797 lleva el apodo de "la anciana de Threadneedle Street". Bajo tierra se encuentran las cámaras en las que se almacenan no solo las reservas de oro del Reino Unido, sino también las riquezas de otros muchos países.

El oro es un metal peculiar. Aunque no se puede negar que es bonito y muy estable como elemento, hay que extraerlo de la tierra y está lejos de ser el metal más singular o útil del mundo.

Aun así, desde el principio de la civilización siempre ha sido adorado como símbolo de amor, belleza y riqueza, pero, más importante aún, se ha convertido en la base de la mayoría de los sistemas económicos del mundo. Podríamos haber escogido el carbón, el café, salmones o cualquier otra cosa imaginable, pero es el oro el valor con el cual se miden prácticamente todas las divisas.

Gran Bretaña adoptó el patrón oro en 1844, mediante el cual el valor de la libra esterlina quedó unido a un peso fijo de este metal. Incluso después de que abandonara el patrón en 1931, el oro ha seguido siendo la apuesta más segura, y a medida que la crisis económica atenaza el mundo desde hace unos años, se ha convertido en una inversión incluso más atractiva. A fecha de hoy, el Gobierno británico tiene unas reservas de oro de unas 312 toneladas en el Banco de Inglaterra,

lo que equivale a 23.000 lingotes de oro de 24 quilates. Hay también oro por valor de billones de libras esterlinas de otros países que no tienen en su territorio un lugar adecuado donde guardarlo, ya sea por espacio o por seguridad.

Cuando la institución se trasladó en 1734, sus nuevas instalaciones fueron las primeras del mundo en ser construidas específicamente para albergar un banco. A finales del siglo XVIII y a principios del XIX sir John Soane hizo varias ampliaciones al edificio, incluido un muro sin ventanas.

No obstante, los edificios de Soane fueron demolidos no sin polémica entre la Primera y Segunda Guerra Mundial, y sir Herbert Baker diseñó unas nuevas instalaciones con varios pisos de altura y tres pisos bajo tierra, previsoramente. El edificio moderno cuenta con un muro de protección, no tiene ventanas en la planta baja y no conecta con ningún otro edificio.

Las cámaras acorazadas son enormes y cubren un área lo suficientemente grande como para acomodar cuatro veces el campo del estadio de Wembley. Al estar

**TAN SEGURO COMO EL BANCO DE INGLATERRA**
*Vista aérea del complejo del Banco de Inglaterra diseñado por Sir Herbert Baker. El banco se encuentra en una manzana formada por las calles Threadneedle Street, Princes Street, Bartholomew Lane y Lothbury. El edificio de las columnas que se ve arriba a la derecha es el Royal Exchange, la antigua Bolsa de Londres.*

la mayor parte de Londres, incluido el lugar donde se halla el banco, construida sobre arcilla, las cámaras no pueden soportar el peso de los lingotes colocados desde el suelo hasta el techo, con lo que siempre hay espacio libre sin utilizar en cada cámara. De hecho, rara vez se almacena el oro en pilas de más de cuatro lingotes, para evitar dañarlos. Las paredes son a prueba de bombas, y por esta razón los empleados del banco usaron las cámaras como refugio antiaéreo durante la guerra.

Sin embargo, se cuenta que la seguridad del banco no siempre ha sido tan eficaz como debería haber sido. En 1836 se convocó a la los miembros de la junta directiva del banco a medianoche, y al llegar se encontraron a un humilde empleado de las alcantarillas que les dijo que sin querer había encontrado un camino hasta las sagradas cámaras. Los banqueros, agradecidos por su honradez, le hicieron entrega de la espléndida suma de 800 libras esterlinas.

Hoy en día se accede a las cámaras a través de unas enormes puertas que se abren con unas llaves de casi un metro de largo (desde luego no se trata del tipo de objeto que uno pudiera guardarse distraídamente en el bolsillo). Mientras la llave se inserta en la cerradura, la persona tiene que proporcionar una contraseña a través de un micrófono.

La identidad del personal que trabaja en las cámaras es alto secreto, para evitar que sus familiares puedan ser secuestrados y ellos chantajeados para conseguir acceder a ellas. (Por cierto, un empleado está encargado especialmente de quitar el polvo a los lingotes de vez en cuando). Es tal la seguridad del banco que se ha convertido en sinónimo de la misma, hasta el punto de que cuando un inglés quiere poner énfasis en la seguridad de algo, afirma que es "tan seguro como el Banco de Inglaterra".

Mientras todo ese oro está a buen recaudo en las cámaras, a los visitantes del museo del banco se les da la oportunidad de sostener uno de los lingotes. Pero cualquiera que desee poner sus manos en alguna otra cosa que contengan las cámaras debe saber que las probabilidades de éxito son escasas, y que más le valdría conformarse con ver la película de John Guillermin de 1960 *El robo al Banco de Inglaterra.*

# El búnker Píndaro

**UBICACIÓN:** Whitehall, Londres, Inglaterra.
**CIUDAD MÁS PRÓXIMA:** Londres.
**MOTIVO DE INCLUSIÓN:** sin reconocimiento oficial; es un búnker subterráneo secreto y el puesto de mando alternativo del Gobierno.

Píndaro es un "lugar protegido para el manejo de situaciones de crisis", diseñado para proporcionar un refugio seguro al Gobierno en caso de emergencia. Aunque no ha sido reconocido oficialmente y son escasos los detalles que se conocen, unos pocos datos salieron a la luz en 1994 por una conversación en el Parlamento entre Jeremy Hanley, entonces ministro de Defensa, y Harry Cohen, diputado por Leyton.

Píndaro, que se encuentra bajo el edificio principal del Ministerio de Defensa en Whitehall, empezó a construirse en 1987, ocho años después de proyectarse. Al parecer el búnker incorpora elementos de un refugio anterior que se usó durante la Segunda Guerra Mundial. Está diseñado para ser utilizado en caso de grave ataque militar o revueltas populares. Entró en funcionamiento en 1992 y costó más de 126 millones de libras. Se mantiene en alerta permanente y dispone de empleados las 24 horas cuyo número puede ampliarse en momentos de crisis.

Entre los detalles que se rumorean del búnker parece ser que tiene unas puertas a prueba de explosiones, espacio de sobra para alojamiento y manutención, y un estudio de televisión. Se cree que también hay una sala de control equipada con la tecnología más moderna y que está totalmente protegido por inhibidores de señales electromagnéticas. Es tranquilizador saber que también hay "suficientes aseos, incluso si el búnker alcanza su mayor capacidad... útiles siempre que haya electricidad para bombear los residuos".

Cada año se lleva a cabo aquí un gran ensayo general, aparte de otras pruebas menores, recreando situaciones de crisis reales. En caso de que algún edificio se derrumbara encima del búnker, hay varias rutas de evacuación, aunque el búnker no está oficialmente conectado con la red de transportes. El nombre de Píndaro se le dio en honor al poeta de la antigua Grecia Píndaro de Tebas, quien murió hacia el 443 a.C. Cuando Tebas fue saqueada por Alejandro Magno en el siglo III, el gran guerrero ordenó que la casa del poeta fuera la única que se salvara del ataque.

En 2006 y 2007 al artista David Moore se le concedió permiso para acceder a una instalación militar subterránea de seguridad con el fin de realizar un proyecto de fotografía llamado "Las últimas cosas". Aunque él nunca reveló la localización, es un hecho aceptado que estaba documentando Píndaro, y sus imágenes salieron a la luz pública. Según aparece en la página web de Moore, un ministro de Defensa comentó con ironía: "No comprendo cómo has conseguido llegar tan lejos".

# La Casa de las Joyas de la Torre de Londres

**UBICACIÓN:** Tower Hill, Londres, Inglaterra.
**CIUDAD MÁS PRÓXIMA:** Londres.
**MOTIVO DE INCLUSIÓN:** lugar de alta seguridad; la moderna y altamente segura casa donde se guardan las Joyas de la Corona.

Se calcula que el valor de las Joyas de la Corona ronda los 13 billones de libras, por lo que es uno de los principales objetivos para los criminales. Durante siglos han estado guardadas bajo estrecha vigilancia en la Torre de Londres, y en 1994 fueron trasladadas a un nuevo lugar dentro del perímetro del castillo: una moderna instalación diseñada para protegerlas mientras las contemplan miles de turistas cada día.

Desde la corona del Rey, adornada con más de 3.000 joyas, al cetro real, que contiene el diamante *Cullinan,* llamado también "Gran Estrella de África", una piedra de 530 quilates tallada en el diamante más grande jamás hallado, la colección de las Joyas de la Corona británica no tiene parangón. Todas las piezas se guardan en la Torre de Londres desde 1303, pero antes estaban en la abadía de Westminster, hasta que alguien intentó robarlas.

Lo más cerca que ha llegado a estar alguien de hacerse con las joyas fue en 1671 con el famoso asalto del coronel Blood. En aquel entonces las joyas estaban en la torre Martin, protegidas por Talbot Edwards, que permitía algunas visitas por una módica contribución. En unas semanas, Blood y una cómplice se hicieron amigos de Edwards y su mujer.

A principios de mayo de 1671, Blood había convencido a este guardián ancestral de la Casa de las Joyas para que le dejara ver la colección con algunos amigos. De este modo Blood organizó la emboscada en la que mientras unos daban una paliza a Edwards los otros cogían todo lo que

podían. Aunque les pillaron antes de escapar, Blood consiguió hacerse con un indulto real, algunos dicen que gracias a su increíble valentía.

Las posibilidades de que un truco así funcionara hoy son escasas. En 1967 las Joyas de la Corona fueron trasladadas a Waterloo Barracks, un cuartel neogótico del castillo. A principios de los noventa se hizo evidente que el sótano en el que se encontraban las joyas no tenía suficiente capacidad para acoger las multitudes de turistas que querían verlas. Entonces se construyó una nueva casa de las joyas dentro del cuartel, con capacidad para que entraran 2.500 personas por hora.

La nueva instalación abrió en 1994 y dispone de sistemas de seguridad que costaron más de tres millones de libras. Las joyas se exponen sobre cojines de terciopelo francés, protegidas por cristales reforzados de unos cinco centímetros y vigiladas 24 horas al día desde una sala de control cercana, mientras que los Yeoman Warders (o Beefeaters) están preparados para intervenir en caso necesario. Se puede mirar, pero ni se te ocurra tocar.

# La cripta de la Capilla de Rosslyn

**49**

**UBICACIÓN:** Roslin, Midlothian, Escocia.
**CIUDAD MÁS PRÓXIMA:** Edimburgo.
**MOTIVO DE INCLUSIÓN:** lugar de un misterio histórico; cripta sellada bajo una iglesia medieval que es foco de teorías conspiratorias.

Hace tiempo que se dice que la Capilla de Rosslyn está relacionada con los templarios y los masones, y tras aparecer en la novela de Dan Brown *El código Da Vinci* en 2003, los rumores se han multiplicado. Aunque muchas de las teorías han sido desacreditadas de forma convincente, la atención de muchos teóricos de la conspiración sigue puesta en la cámara subterránea sellada durante siglos.

Rosslyn Chapel es el nombre con el que se conoce la Capilla Colegiata del Apóstol San Mateo, y se encuentra en el espectacular entorno de Roslin Glen, en el valle escocés de Esk. Su nombre es de origen gaélico y significa "roca" y "espuma de agua", y no está, como se ha dicho, etimológicamente ligado a la "Línea Rosa", según cierto *best seller* de ficción.

Rosslyn fue fundada en 1446 como capilla católica por William St Clair, descendiente de normandos y primer conde de Caithness, y no se terminó hasta la década de 1480. Era la tercera capilla en la zona; la primera se hallaba cerca del castillo de Rosslyn y la segunda ya hacía tiempo que había sido destruida. Después de que llegara la Reforma a Escocia en la segunda mitad del siglo XVI, la iglesia se cerró al público hasta los años sesenta de esa centuria. Al parecer, en 1650 se usó el recinto como establo para las tropas de Oliver Cromwell. En 1861 se inició un proceso de restitución y Rosslyn pasó finalmente a manos de la Iglesia Episcopal Escocesa.

Lo que hace que Rosslyn sea tan especial es el trabajo de cantería que exhibe, con

una mezcla de temas teológicos y otros más imaginativos. De estos, el que quizá llame más la atención sea el "pilar del aprendiz", supuestamente esculpido por un simple aprendiz que murió apaleado por el maestro en un ataque de celos al comprobar su talento. En la capilla también hay esculpidos unos 120 hombrecillos verdes con barba y 213 pequeñas cajas repartidas por el techo y grabadas con unos misteriosos símbolos. Algunos musicólogos creen que se trata de un sistema de solfeo secreto. Lo que sí queda claro es que a los arquitectos y canteros se les dio total libertad para expresar su creatividad.

El rumor más persistente en relación a la capilla es el de que sir William St Clair era un importante masón y para colmo caballero templario, y que la iglesia guarda tesoros y documentos importantes de uno o ambos grupos. Los caballeros templarios eran una élite militar religiosa famosa por sus campañas durante las cruzadas. A lo largo de los años acumularon una riqueza inmensa y se ganaron la reputación de ser los guardianes del Santo Grial. El problema es que los hechos

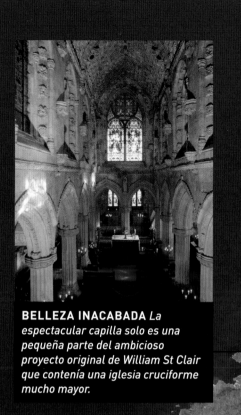

**BELLEZA INACABADA** *La espectacular capilla solo es una pequeña parte del ambicioso proyecto original de William St Clair que contenía una iglesia cruciforme mucho mayor.*

ESCOCIA

Edimburgo

IRLANDA

GALES

INGLATERRA

FRANCIA

### EL HOMBRECILLO VERDE

*Hay más de 100 caras extrañas repartidas por toda la capilla, rodeadas de plantas esculpidas que a menudo emergen de sus bocas. Parece ser que estos "hombrecillos verdes" son símbolos de fertilidad paganos de la antigüedad y puede que hayan sido colocados de modo que representen el paso del año desde la punta este a la punta oeste del edificio.*

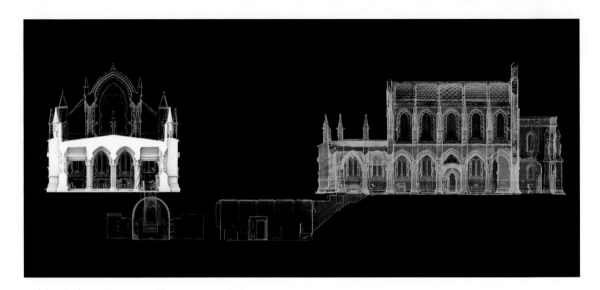

**OTRA DIMENSIÓN** *Esta recreación informática muestra la estructura de la capilla de Rosslyn en 3D. Investigadores han usado lectores láser en un intento de descubrir qué tesoros yacen debajo del suelo de la iglesia. Hasta ahora no han encontrado ni rastro del Santo Grial o tumbas de caballeros templarios pero la búsqueda continúa.*

demuestran que Rosslyn no se construyó hasta mediados del siglo XV, unos 130 años después de que los caballeros templarios desaparecieran por decreto papal y 200 años antes de que se tenga constancia de los masones.

No obstante, el mito sobre Rosslyn que más ha llamado la atención en estos últimos tiempos seguramente sea que la capilla guarda el Santo Grial, una teoría planteada en *El código Da Vinci*. La mayoría de historiadores creen que no hay pruebas suficientes para apoyar esta afirmación (en especial las teorías más alocadas sobre lo que es en realidad el Grial). Dado que muchos expertos ahora niegan la relación entre la capilla y los caballeros templarios, lo mejor será calificar esta historia de ficción.

Aun así los teóricos de la conspiración más vehementes insisten en que las pruebas que demuestran hasta sus teorías más rocambolescas se hallan enterradas por la familia St Clair en las bóvedas secretas que no han sido examinadas durante siglos (por supuesto la "cripta secreta" de Rosslyn juega un papel importantísimo en el desenlace de *El código Da Vinci*). Esas bóvedas subterráneas existen debajo de la iglesia y unas pruebas sísmicas no invasivas que se realizaron en los años ochenta confirmaban la existencia de objetos metálicos en ellas. Recientemente se tuvo que abandonar una excavación porque el equipo se topó con un muro infranqueable.

Que los propietarios de la capilla se nieguen a abrir la cripta por miedo a dañar los cimientos medievales no hace más que avivar el fuego de los que están convencidos de que esconden algo. Seguramente la cripta solo contenga los cuerpos de varias generaciones de la familia St Clair, muchos de los cuales eran enterrados con sus armaduras hasta que esta práctica se abandonó a principios del siglo XVIII. Puede que esto sea un poco macabro, pero ello no demuestra que haya detrás una conspiración histórica. Hasta que llegue el día en el que el consorcio que gestiona la capilla decida abrir la cripta para inspección pública, el mercado de las conspiraciones sobre Rosslyn probablemente seguirá al alza.

# 50

# La colección de arte de los Wildenstein

UBICACIÓN: repartida por todo el mundo; gestionada desde París.

CIUDAD MÁS PRÓXIMA: París.

MOTIVO DE INCLUSIÓN: localización incierta; conocida por ser la colección privada de arte más valiosa del mundo.

Muchos coleccionistas de arte están siempre dispuestos a presumir de sus adquisiciones, pero este no es el caso de la familia Wildenstein. Estos multimillonarios franceses guardan celosamente todos los detalles relacionados con su colección —que han ido reuniendo durante más de un siglo—, a pesar de ser la familia más famosa en el mundo del arte.

La relación con el arte de esta dinastía la inició Nathan Wildenstein en la década de 1870. Era un comerciante de telas que se educó a sí mismo en la pintura del siglo XVIII y supo sacar partido de un mercado del arte adormecido para hacer una fortuna. Para cuando finalizó la década de los años veinte ya había extendido su imperio de galerías desde París hasta Nueva York, Londres y Buenos Aires. En 1940, después de la muerte de Nathan, su hijo Georges trasladó su centro de operaciones a Nueva York.

Hace tiempo que la familia está considerada la más importante proveedora de obras de arte entre las galerías y museos más destacados del mundo, pero hay muy pocos detalles sobre el conjunto (y ubicación) de su colección. Se dice que podría estar repartida entre Nueva York, París, Londres, Buenos Aires y Tokio, y que podría constar de unas 10.000 obras.

Los cálculos previos al divorcio entre Alec Wildenstein (nieto de Georges) y su esposa Jocelyn (más conocida por sus horripilantes intentos de transformarse en felino a través de la cirugía plástica) estimaban el valor de la colección en 10.000 millones de dólares. Se rumorea que entre las piezas hay obras de Giotto di Bondone, Vermeer, Caravaggio, Rembrandt, Monet y Van Gogh.

En los últimos años, durante las batallas legales entre miembros de la familia, han salido a la luz algunos detalles más sobre la colección, y en 2011 una redada en el Instituto Wildenstein de París descubrió obras que constaban como robadas o desaparecidas. Como resultado, los Wildenstein estuvieron expuestos a un nuevo escrutinio, pero es improbable que el público llegue a ver su increíble colección en un futuro próximo.

# 51 La Basse Cour

UBICACIÓN: Flandes occidental, Bélgica.
CIUDAD MÁS PRÓXIMA: Gante.
MOTIVO DE INCLUSIÓN: acceso restringido; el lugar donde yace la mina sin detonar más grande de la Primera Guerra Mundial.

La Basse Cour (que traducido significa "el corral") es una granja privada de 60 hectáreas cerca de la ciudad de Ypres. Al encontrarse en una pequeña cordillera se convirtió en la primera línea de choque de la refriega del frente occidental durante la Primera Guerra Mundial. Hoy, la granja yace encima de una mina de 22.500 kilogramos que aún está por detonar.

La cordillera de Messines cayó en manos de los alemanes durante los primeros meses de la Primera Guerra Mundial y hasta 1917. Era uno de los mayores objetivos de las fuerzas británicas desplazadas en la zona, y a medida que se iba haciendo evidente que la guerra de trincheras estaba casi en punto muerto, se trazó un nuevo plan de acción.

En enero de 1916 las tropas inglesas empezaron a excavar túneles subterráneos que iban desde su frente de batalla en el Saliente de Ypres hacia los campamentos alemanes en Messines. La idea consistía en plantar una serie de minas que se pudieran detonar justo antes de una ofensiva alemana. El plan tuvo que aguardar hasta 1917, cuando 25 minas y 450.000 kilos de explosivos fueron colocados a lo largo de los 11 kilómetros del frente, tras un periodo heroico de excavación subterránea.

Bajo el mando de sir Herbert Plumer, las fuerzas inglesas empezaron a bombardear el frente alemán a finales de mayo de 1917. El 7 de junio Plumer ordenó que se detonaran las minas, lo que provocó una explosión que causó entre 6.000 y 10.000 bajas enemigas y que, se decía, llegó a oírse hasta en Londres. Los ingleses conquistaron la cordillera de Messines en una semana.

Sin embargo, seis de las minas sobrevivieron intactas a esta operación. Cinco de ellas se dejaron sin detonar por razones estratégicas, mientras que la sexta se perdió durante un contraataque alemán y nunca se recuperó. Se encontraba bajo una granja que entonces se llamada Le Petite Douve y que ya en el desenlace del conflicto la familia Mahieu (dueña de la granja) rebautizó como La Basse Cour.

La mina sigue aún allí. Mientras que en 1955 otra de las minas de Messines explotó de manera espontánea durante una tormenta eléctrica, la bomba bajo La Basse Cour sigue enterrada a unos 24 metros. En 1990 unos investigadores británicos establecieron su posición exacta mediante mapas, pero solo alguien muy incauto osaría remover la tierra para husmear sobre un terreno tan peligroso.

**UN MUNDO SUBTERRÁNEO**
*Expertos en túneles crearon trincheras subterráneas a lo largo del frente occidental, como las que se conservan en las canteras de Wellington debajo de Arras, en el NO de Francia. Los túneles para minas fueron los más ambiciosos.*

HOLANDA

Saliente de Ypres

BÉLGICA

Campo de batalla de Somme

FRANCIA

Línea del frente occidental en 1916

**LA EXPLOSIÓN** *Una fotografía capta el momento de la explosión de la mina bajo el fuerte de la cordillera Hawthorn. Al principio de la batalla del Somme se colocaron aquí 18 toneladas de explosivos.*

**UN IMPACTO QUE PERDURA** *La mina de 24 toneladas de Lochnagar que se detonó al principio de la batalla del Somme creó un cráter de unos 91 metros de anchura por 21 metros de profundidad y se ha preservado para conmemorar la batalla.*

# 52 La sede del Grupo Bilderberg

**UBICACIÓN:** Leiden, Holanda.
**CIUDAD MÁS PRÓXIMA:** Leiden, Holanda.
**MOTIVO DE INCLUSIÓN:** la sede del Grupo Bilderberg alberga una reunión anual privada entre personajes de relevancia mundial.

El Grupo Bilderberg toma su nombre del hotel cercano a Arnhem, en Holanda, donde tuvo lugar la primera reunión de estas características, en 1954. Los encuentros se celebran a puerta cerrada y en ellos las personalidades más poderosas de América y Europa debaten asuntos de relevancia mundial. Para los escépticos, sin embargo, Bilderberg es una camarilla que conspira para establecer un nuevo orden mundial.

El grupo fue creado por el príncipe Bernardo de Holanda, el gurú de la banca David Rockefeller, Joseph Retinger (un diplomático polaco) y el político británico Dennis Healey. Su propósito era reunir a los personajes más influyentes de ambos lados del Atlántico para reforzar la filosofía del libre mercado entre las naciones democráticas. Al ser entrevistado unos años después, Healey lo admitía claramente: "Decir que estamos intentando crear un único gobierno mundial es exagerado, pero no del todo injusto. Quienes pertenecemos al Bilderberg sentimos que no podemos estar siempre luchando unos contra otros. Así pues, creemos que formar una comunidad mundial sería una buena idea".

A lo largo de los años han formado parte del grupo un número nada despreciable de personas que comenzaban a despuntar y que luego se han convertido en líderes mundiales. Esto ha llevado a creer que el grupo tiene el poder de moldear carreras profesionales para sus propios fines. Pero es la insistencia en mantener su privacidad lo que enfurece a los críticos. Estos argumentan que, aun queriendo ser más transparente, la reunión sigue siendo un tanto misteriosa. Por ejemplo, la lista pública de invitados nunca está completa, y a pesar de tener una página web no se incluye la dirección de la sede (la cual parece encontrarse en Leiden).

Aún más llamativo es el hecho de que las reuniones están protegidas por fuerzas de seguridad privadas y públicas. Los manifestantes y periodistas que descubren su ubicación (siempre en hoteles de lujo) acostumbran a recibir amenazas por parte de matones a sueldo, y algunos aseguran haber sido víctimas de un trato más brutal y vejatorio.

Los defensores de Bilderberg dicen que las medidas de seguridad son esenciales cuando se juntan tantas personas importantes. Sus detractores alegan que es un tanto sospechoso que quienes se reúnen para debatir el futuro del planeta lo hagan sin querer exponerse al escrutinio de los ciudadanos. Desafortunadamente, es poco probable que se pueda encontrar su sede para ir y plantearles directamente estas cuestiones.

# El Gran Colisionador de Hadrones

**UBICACIÓN:** bajo la frontera franco-suiza.
**CIUDAD MÁS PRÓXIMA:** Ginebra, Suiza.
**MOTIVO DE INCLUSIÓN:** el mayor acelerador de partículas del mundo pretende descubrir los secretos de la creación del universo.

El Gran Colisionador de Hadrones (LHC por sus siglas en inglés) es un instrumento científico gigantesco que hace chocar protones (partículas subatómicas) a velocidades próximas a la de la luz para así recrear las condiciones del instante posterior al Big Bang (la trillonésima parte de un segundo). A los escépticos les preocupa que, intentando entender el origen del universo, lleguemos a destruirlo con estos experimentos.

El LHC está gestionado por el Laboratorio Europeo de Física de Partículas (CERN por sus siglas en inglés), el cual autorizó la financiación del LHC en 1994. Empezó a funcionar en 2008 tras haber costado alrededor de 10.000 millones de dólares y consiste en un túnel en circunferencia de 27 kilómetros de largo enterrado a unos 100 metros de profundidad bajo la frontera franco-suiza, en la zona entre el macizo del Jura y los Alpes.

La idea que subyace tras el LHC es la de ampliar el conocimiento científico más allá de lo establecido por el llamado *modelo estándar*, una teoría cuya explicación de cómo funcionan las partículas subatómicas ha sido aceptada globalmente durante décadas. A pesar de ser una teoría acertada, hace tiempo que se sabe que el modelo estándar deja muchas cuestiones fundamentales en el aire. El LHC busca la respuesta a algunas de estas preguntas mediante la colisión de dos haces de hadrones —que están formados por protones e iones de plomo— que son lanzados en direcciones opuestas por el túnel circular del acelerador; los hadrones se cargan

**UNA CIENCIA EXTRAÑA**
*Vista del Compact Muon Solenoid (Solenoide Compacto de Muones, CMS por sus siglas en inglés), un detector gigantesco diseñado para observar una serie de partículas y fenómenos resultantes de las colisiones de gran energía del LHC. Con él, los científicos esperan poder aportar datos clave para explicar la estructura fundamental del universo.*

de energía a medida que aumentan de velocidad con cada vuelta. El poderoso campo magnético que se necesita para impulsar estas partículas energéticas se consigue mediante 1.750 imanes super-conductores. Estos se mantienen a una temperatura de -271 ºC gracias a miles de litros de helio líquido suministrados por una serie de plantas de refrigeración situadas en la superficie.

Después de algunos tropiezos iniciales, el LHC empezó a trabajar en serio en sus experimentos en 2010. A pleno rendimiento, el acelerador lanza trillones de protones alrededor del túnel a una velocidad equivalente al 99,9999991 por ciento de la velocidad de la luz, lo que permite conseguir 600 millones de colisiones por segundo. Los resultados de estas colisiones se captan y se registran

con unos enormes detectores situados en diferentes tramos del acelerador. Cada detector pesa varias toneladas y construirlos y encajarlos en el LHC fue todo un desafío de la ingeniería. A modo de ejemplo, el detector Atlas, el más grande de todos, pesa unas 7.000 toneladas. Se necesitaron dos años para ubicar este detector en una caverna excavada especialmente para él a una profundidad equivalente a un edificio de 12 plantas.

En este proyecto colaboran unos 10.000 científicos de unos 40 países, y con la atención mediática que ha recibido no se puede decir que el CERN haya llevado a cabo la construcción del LHC en secreto. Uno de los principales objetivos del gran colisonador es probar la existencia del llamado bosón de Higgs, una partícula

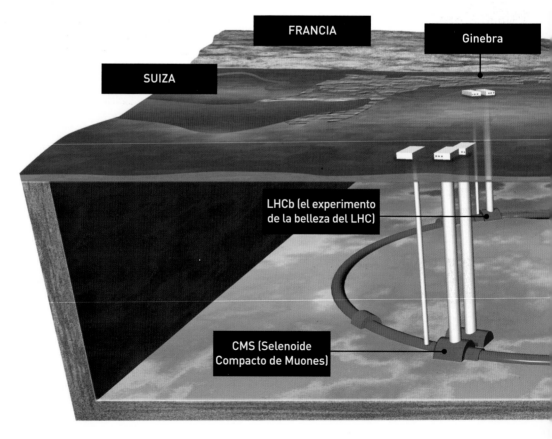

FRANCIA

Ginebra

SUIZA

LHCb (el experimento de la belleza del LHC)

CMS (Selenoide Compacto de Muones)

teórica que, se cree, aporta masa a otras partículas subatómicas. A finales de 2011, el equipo del LHC insinuó que podría haber avistado el bosón de Higgs, lo cual entusiasmó a físicos y periodistas científicos de todo el mundo.

Para algunos observadores, el LHC implica riesgos desconocidos y aterradores. Tan pronto como el proyecto empezó a hacerse realidad, empezaron a circular todo tipo de teorías apocalípticas. Algunos profetas del Juicio Final aseguraban, por ejemplo, que el colisionador crearía agujeros negros que podrían engullir la Tierra. Sin embargo, la mayoría de expertos está de acuerdo en que, aun cuando se formara un agujero negro, no supondría ningún peligro porque sería a escala microscópica y se evaporaría casi de inmediato.

Otra teoría advierte de que podrían crearse *strangelets* o fragmentos de materia extraña que podrían desencadenar un proceso de fusión que transformaría todo el planeta en materia extraña. También hay quien cree que se formarán burbujas de vacío que estabilizarán aspectos del universo que son intrínsecamente inestables y eso hará de la Tierra en un lugar inhabitable.

Evidentemente, la seguridad del LHC ha sido verificada por numerosos organismos científicos independientes, y si está leyendo esto es probable que el fin del mundo todavía no haya acontecido. Pero los escépticos insisten en que un experimento siempre implica algún resultado incierto. Entonces, ¿por qué llevar a cabo unas pruebas que entrañan un riesgo potencial tan elevado?

### UN GRAN ANILLO

*Los túneles y salas de ensayo del LHC están enterrados a profundidades de entre 50 y 175 metros por debajo de la frontera franco-suiza. Las partículas, antes de ser inyectadas al LHC son proyectadas a gran velocidad por los aceleradores LINAC y SPS.*

**Edificio principal del CERN en la superficie**

**LINAC Acelerador Lineal que genera partículas energéticas iniciales**

**ALICE (un gran colisionador de iones experimental)**

**ATLAS (el Aparato Toroidal del LHC)**

**SPS (Supersincrotrón de Protones) acelera las partículas antes de ser inyectadas**

# 54 Swiss Fort Knox

**UBICACIÓN:** cantón de Berna, Suiza.

**CIUDAD MÁS PRÓXIMA:** Berna, Suiza.

**MOTIVO DE INCLUSIÓN:** es un lugar de alta seguridad, un búnker secreto que almacena documentos e información confidencial.

De hecho, existen dos Fort Knox suizos (Swiss Fort Knox es la marca registrada). Ambos son búnkeres de alta seguridad construidos en las profundidades de los Alpes suizos, cerca de las pistas de esquí de Gstaad. Los administra la compañía MOUNT10, especializada en almacenar información física y digital de forma segura. Swiss Fort Knox I se inauguró en 1996, y su segunda versión, Mark II, siete años después.

La compañía alquila los búnkeres al ejército suizo, que supervisa una red de unos 26.000 fuertes y búnkeres repartidos por los Alpes. Estas defensas fueron de vital importancia para proteger la neutralidad de Suiza durante la Segunda Guerra Mundial y la Guerra Fría, pero en los últimos años se habían convertido en una sangría para el erario público, hasta que llegó MOUNT10 y les dio un nuevo uso.

Los búnkeres están vigilados 24 horas al día por un circuito cerrado de cámaras y sensores de movimiento. El acceso es limitado y los visitantes son controlados mediante un reconocimiento de retina y deben ir siempre acompañados por el personal de seguridad. Se accede al recinto por unas puertas a prueba de balas y luego por otras que pesan 3,5 toneladas y están camufladas en la montaña.

La compañía afirma que los búnkeres son "resistentes a cualquier amenaza civil o militar" y ofrecen la mayor protección contra un ataque químico, biológico o nuclear, a la vez que protegen los servidores informáticos de los efectos potencialmente devastadores de las ondas electromagnéticas. Además, las instalaciones emplean las aguas glaciares subterráneas para controlar la temperatura de los almacenes.

Entre la información más importante que se almacena aquí se encuentra el llamado "genoma digital", una serie de datos recopilados por un grupo de académicos para garantizar que las futuras generaciones puedan leer la información contenida en formatos que algún día serán obsoletos (como los lápices de memoria USB o los disquetes). El "genoma digital" ha sido descrito como la versión del siglo XXI de la piedra Rosetta, cuyo descubrimiento permitió leer los jeroglíficos del antiguo Egipto.

En la película *El tercer hombre*, el protagonista, Harry Lime, afirmaba que la mayor contribución de Suiza al mundo después de 500 años de democracia y paz había sido el reloj de cuco. A eso se podría añadir ahora el deber de proteger la clave para que las generaciones del futuro puedan entender mejor nuestro presente.

**EN LA GRUTA DEL REY DE LA MONTAÑA**

*El complejo de Swiss Fort Knox situado en Saanen es impenetrable y contiene información muy valiosa y artefactos contra todo tipo de desastres, incluyendo una guerra nuclear.*

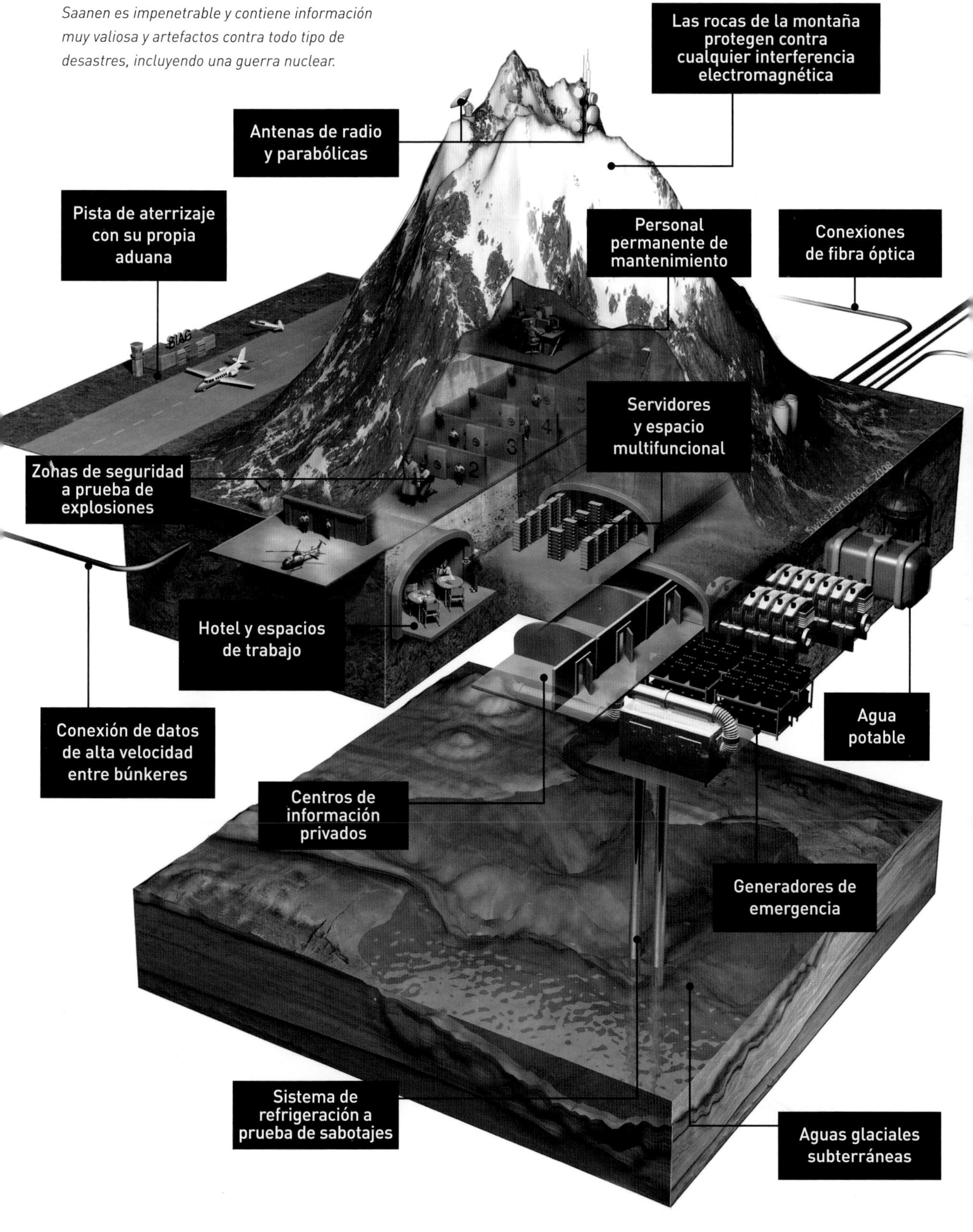

Las rocas de la montaña protegen contra cualquier interferencia electromagnética

Antenas de radio y parabólicas

Personal permanente de mantenimiento

Conexiones de fibra óptica

Pista de aterrizaje con su propia aduana

Servidores y espacio multifuncional

Zonas de seguridad a prueba de explosiones

Hotel y espacios de trabajo

Agua potable

Conexión de datos de alta velocidad entre búnkeres

Centros de información privados

Generadores de emergencia

Sistema de refrigeración a prueba de sabotajes

Aguas glaciales subterráneas

Swiss Fort Knox © 2008

# Los túneles de Baviera

**UBICACIÓN:** Baviera, Alemania.
**CIUDAD MÁS PRÓXIMA:** Múnich, Alemania.
**MOTIVO DE INCLUSIÓN:** es un antiguo complejo de túneles cuyo propósito sigue siendo un misterio.

El sur de Alemania alberga un laberinto formado por alrededor de 700 pasajes y cámaras subterráneas conocidos como *erdställe*. Se cree que su origen se sitúa entre los siglos X y XIII, y se han encontrado algunas de sus entradas en los lugares más insospechados: dentro de iglesias, cementerios, casas particulares y también en el bosque. La pregunta de quién los construyó y con qué propósito sigue sin respuesta.

En otros puntos de Europa también existen redes subterráneas con las mismas características, como en Hungría, Irlanda, España y, en particular, Austria. Un sacerdote llamado Lambert Karner fue el primero en explorar los túneles bávaros a finales del siglo XIX y a principios del XX.

Los túneles poseen diversos tamaños, algunos son tan pequeños que solo se puede entrar a gatas, mientras que otros son relativamente espaciosos y pueden llegar a extenderse más allá de los 100 metros. En Alemania se los conoce como las "guaridas de los duendes" (*schrazelloch* en alemán), ya que durante mucho tiempo se creyó que su origen era sobrenatural.

Se especula con que su construcción tuviera un propósito religioso, quizá los excavaron los druidas, o quizá servían como lugares de sanación. Otras teorías apuntan a que fueron usados como rutas de escape para evitar a los bandoleros, o como mazmorras o escondrijos para ocultar tesoros. También pudieron ser refugios de invierno en los que se guarecían tribus nómadas o monjes.

Curiosamente, no hay ninguna evidencia escrita que haga referencia a la construcción de tales redes subterráneas. Algunas cavernas contienen rastros de puertas y materiales de construcción rudimentarios, y hasta se han encontrado arados y piedras de molino. Sin embargo, son muy pocas las cámaras suficientemente grandes como para albergar a personas durante algún tiempo. Tampoco hay evidencias de su presencia en forma de restos de comida, heces (humanas o animales) o fuentes de luz o calor.

Así pues, el misterio prevalece. Es probable que en algún momento de su historia los túneles se usaran como almacenes, pero todas las pistas apuntan a que este mundo subterráneo no fue diseñado para acoger vida humana durante largos periodos. Un grupo de académicos ha formado un grupo de trabajo para investigar los *erdställe* y quizá desvelar algún día el misterio de sus orígenes. Mientras tanto, no nos queda más que preguntarnos si, después de todo, nuestros antepasados conocían la verdad del asunto cuando hablaban de las guaridas de los duendes.

**UN MISTERIO MUY EXTENDIDO** *Este mapa muestra la distribución de los túneles o Erdställe en el sur de Alemania y las regiones vecinas. Los túneles aparecen sobretodo en la frontera con la República Checa y Austria.*

Praga

REPÚBLICA CHECA

Núremberg

Baviera

Stuttgart

Danubio

ALEMANIA

Múnich

Viena

AUSTRIA

SUIZA

Zúrich

**ENTRADAS SECRETAS** *A los* Erdställe *normalmente se accede a través de criptas de iglesias y otros espacios subterráneos. Los habitantes de la región usan habitualmente estos sótanos como refugios o almacenes.*

# El Salón de Ámbar

**UBICACIÓN:** al parecer, en una cámara subterránea en la frontera germano-checa.
**CIUDAD MÁS PRÓXIMA:** Chemnitz, Alemania.
**MOTIVO DE INCLUSIÓN:** fue un rico salón tomado por los nazis y que luego desapareció.

El Salón de Ámbar, en ocasiones descrito como "la octava maravilla del mundo", se decoró usando ocho toneladas de ámbar y pan de oro. Lo que había sido un regalo de Prusia a Rusia como símbolo de paz fue robado por los nazis a la URSS durante la Segunda Guerra Mundial. El contenido del salón se perdió durante el caos que acompañó a la derrota de Alemania en 1945, y así comenzó una búsqueda que aún persiste.

La reina Sofía Carlota de Hanover era una mujer de gustos inequívocamente caros y convenció a su marido, Federico I de Prusia, de que encargara la creación del Salón de Ámbar para el palacio de Charlottenburg en Berlín. El salón se construyó entre 1701 y 1709 siguiendo el diseño barroco de Andreas Schlüter y bajo la supervisión del danés Gottfried Wolfram.

Sin embargo, Sofía Carlota murió cuatro años antes de que estuviera terminado. El rey Federico murió en 1713 y le sucedió en el trono su hijo Federico Guillermo I. Este tenía un gran interés en consolidar las buenas relaciones con Pedro el Grande de Rusia y le ofreció el salón como regalo en 1716. Su contenido se embaló en 18 grandes cajas de madera y se envió a San Petersburgo, donde fue instalado en el palacio de Invierno. En 1755, la zarina Isabel lo trasladó una vez más, esta vez al palacio de Catalina en Tsarskoye Selo (en la actualidad forma parte de Pushkin, un suburbio de San Petersburgo).

Un arquitecto italiano, Bartolomeo Francesco Rastrelli, supervisó y rediseñó este espacio, y para ello aún importó más ámbar desde Berlín. Tras varias renovaciones, el salón ocupaba unos 55 metros cuadrados. Su valor se estima en unos 120 millones de euros al cambio actual.

El salón permaneció en Tsarskoye Selo hasta 1941, cuando Hitler lanzó la Operación Barbarroja y envió a tres millones de soldados alemanes a invadir la URSS. Entre los muchos crímenes cometidos en esa época, el saqueo de obras de arte era muy común. Los funcionarios del palacio de Catalina se apresuraron a desmontar el Salón de Ámbar para ponerlo a salvo, pero al empezar el trabajo descubrieron que el antiguo ámbar se deshacía. Decidieron entonces forrar la sala con papel pintado, con la esperanza de que los alemanes no se dieran cuenta de lo que había detrás, pero el plan fracasó estrepitosamente.

Las tropas alemanas llegaron al palacio y en menos de 36 horas desmontaron la sala y embalaron los paneles en 27 cajas que enviaron a Königsberg (la actual Kaliningrado), en la costa báltica. Allí, se volvió a montar el salón en el museo del castillo de la ciudad. Después de 1943, cuando el curso de la guerra comenzó a

*El palacio de invierno de San Petersburgo se convirtió en la residencia oficial de los regentes de Rusia en 1732. El trayecto que hizo el Salón de Ámbar desde Berlín en 1716 duró seis semanas y se cree que los paneles llevan años sin montarse en alguna ala del palacio.*

ser desfavorable para Alemania, el director del museo tuvo que desmontar de nuevo la sala y trasladarla a un lugar seguro. En 1944 las fuerzas británicas bombardearon Königsberg y gran parte de la ciudad ardió, incluido el museo. Se desconoce qué ocurrió con el Salón de Ámbar.

En los años siguientes surgieron varias teorías. Algunos creen que desapareció durante los incendios o que fue destruido por el impacto de una bomba. Otros dicen que lo quemaron los soldados rusos cuando tomaron la ciudad en 1945, mientras que otra teoría sostiene que la sala se desmontó y su contenido se metió en un barco alemán que fue posteriormente torpedeado y hundido. Hasta se ha llegado a insinuar, aunque con muy poca credibilidad, que después del suicidio de Hitler, su cuerpo no fue incinerado, sino que fue enterrado en el legendario salón.

No obstante, las pistas parecen apuntar a la ciudad de Deutschneudorf, próxima a la frontera de Sajonia con la República Checa. En 1997, un único panel de la sala original fue hallado por la policía alemana durante una redada. Pertenecía a la familia de un soldado que al parecer estuvo presente cuando el salón fue desmantelado durante la guerra. En 2008 un equipo de excavación afirmó haber encontrado una cámara a 20 metros bajo tierra cerca de Deutschneudorf, y que después de haber realizado mediciones electromagnéticas, estaba convencido de que contenía unas dos toneladas del oro de los nazis. El alcalde de Deutschneudorf, Heinz-Peter Haustein, dijo que en la zona hay una vasta red de cámaras subterráneas de aquella época y que estaba seguro "al 90 por ciento" de que los paneles del Salón de Ámbar están enterrados en algún lugar de este complejo. Efectivamente, la zona está plagada de antiguas minas de plata, estaño y cobre, de modo que no faltan escondites. No obstante, a día de hoy el paradero del Salón de Ámbar sigue siendo un misterio.

Mientras tanto, se puede ver una fiel reproducción del salón en el palacio de Catalina, en Tsarskoye Selo. Se inauguró en 2003 después de 24 años de trabajo. La mayor parte de los 11 millones de dólares que costó el proyecto fueron donados por empresas alemanas. Quizá algún día sea posible comparar la reproducción con el original.

# El búnker del Führer

**UBICACIÓN:** bajo el centro de Berlín, Alemania.
**CIUDAD MÁS PRÓXIMA:** Berlín, Alemania.
**MOTIVO DE INCLUSIÓN:** fue el escondite subterráneo de Hitler en los últimos días de la guerra. Su localización es incierta.

Adolf Hitler pasó sus últimos días de vida en un búnker subterráneo debajo de los edificios que él esperaba que se convirtieran en el centro de mando de su Reich de los mil años. En lugar de eso, el *führerbunker* fue testigo de algunas de las escenas más escabrosas en la historia de un régimen odioso. Tras la guerra, los restos del *führerbunker* seguían debajo de Berlín, inaccesibles y olvidados.

El *führerbunker* estaba ubicado bajo la vieja cancillería del Reich —situada en el número 77 de Wilhelmstraße, cerca de la nueva cancillería del Reich que Hitler mandó construir a su arquitecto preferido, Albert Speer, en Voßstraße, una de las calles que salían de Wilhelmstraße—. Una de las entradas al búnker se encontraba en los jardines de la cancillería. El complejo subterráneo fue construido en dos fases distintas, la primera empezó en 1936 y la segunda en 1943. La idea inicial era crear un refugio antiaéreo estándar, pero a medida que iba cambiando el curso de la guerra, Hitler lo vio como un posible centro de mando alternativo.

En relación al diseño, el complejo estaba dividido en dos niveles conectados por una escalera. Cada sección tenía una puerta de acero y un mamparo para que los dos niveles quedaran aislados el uno del otro si fuera necesario. Las estancias de Hitler se encontraban en el nivel inferior, a una profundidad de 15 metros.

El búnker se ocultaba detrás de un muro de hormigón armado y estaba dividido en 18 habitaciones a lo largo de un pasillo central. Hitler y su amante —y finalmente, esposa— Eva Braun compartían una suite de seis habitaciones decorada con muebles traídos de la cancillería. También había una sala de mapas, una de comunicaciones, varias salas de vigilancia, un espacio para Martin Bormann —el secretario privado de Hitler—, la familia de Joseph Goebbels —el ministro de Propaganda— y un grupo de seguidores que pasaron allí los últimos días de la guerra.

La batalla por Berlín empezó a mediados del mes abril de 1945 y por entonces Hitler ya se había trasladado al búnker. Asaltado por la paranoia, se aferró a la esperanza de que la ciudad se salvara, pero ya no había escapatoria. Hitler salió a la superficie por última vez el 20 de abril para condecorar con la Cruz de Hierro a miembros de la juventudes hitlerianas. Nueve días después, se casó con Eva Braun en la sala de mapas antes de dictar su testamento y últimas voluntades. Al día siguiente, los recién casados se suicidaron en el búnker y fueron quemados en el hoyo que había dejado la explosión de un obús, delante de una de las

## EL FIN DE UN TIRANO
*Vista de los jardines de la Cancillería del Tercer Reich donde a la derecha se ve la entrada al búnker del Führer. Fue aquí, en un agujero, donde Hitler y su nueva esposa Eva Braun fueron quemados después de suicidarse en 1945.*

**NADA QUE VER** *La zona con los restos del búnker del Führer en Berlín ahora está cubierta por un simple aparcamiento de coches. Hay poco que indique el papel tan significativo que tuvo este lugar en la historia del siglo XX.*

Río Spree

Centro de Berlín

Wannsee

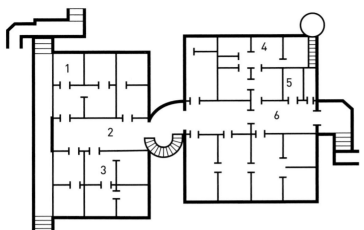

salidas de emergencia. A continuación, Goebbels y su mujer, Magda, asesinaron a sus hijos y luego se suicidaron.

Por entonces, la ciudad ya había sido ocupada por las tropas soviéticas, deseosas de vengarse de sus peores enemigos. El búnker fue encontrado el 2 de mayo y se descubrió una docena de cuerpos en su interior. Aunque posteriormente los edificios de la cancillería (antiguo y nuevo) fueron arrasados, el *führerbunker* permaneció en su mayor parte intacto, a excepción de unas zonas inundadas.

Los gobiernos alemanes posteriores a la guerra quisieron asegurarse de que el búnker no se convertía en una zona de peregrinaje para neonazis. En 1947, los soviéticos intentaron hacerlo volar por los aires, pero solo consiguieron dañar las paredes de separación. La mayor parte del búnker quedó a cargo del Gobierno de Alemania del Este, que, bajo la influencia de Moscú, se ocupó de borrar el lugar de la memoria histórica. Tras un nuevo intento, en 1959, de demoler lo que quedaba del búnker, la zona pronto fue abandonada y olvidada.

En los años ochenta se empezó a construir en la zona y eso llevó a la destrucción de la bóveda de cemento del *führerbunker*, un trabajo eficaz y sin publicidad. Durante los preparativos para el con-

cierto de la celebración de la reunificación de Alemania en 1990, con Roger Waters y Pink Floyd, se descubrió una parte más del búnker. Las autoridades de la ciudad la precintaron con rapidez. Posteriormente, los planes de urbanismo —entre otros, la construcción de edificios para las autoridades regionales— ocultaron aún más lo que quedaba del búnker. Ni siquiera el Info Box, una de las principales atracciones turísticas de Berlín durante los años noventa, mencionaba su ubicación, aunque se encontraba cerca.

A medida que pasa el tiempo gana fuerza el argumento de que reconocer lo que queda del búnker no es glorificar a quien lo construyó. Otros lugares importantes durante la guerra, como Auschwitz-Birkenau o el Museo de la Topografía del Terror, donde estuvieron las oficinas centrales de las SS y la Gestapo, han resultado ser útiles para enseñar a las nuevas generaciones los horrores de aquel tiempo. No se sabe qué queda del *führerbunker,* pero seguramente se conservan todavía algunas secciones que se puedan abrir para analizar la historia, en el caso de que se decida algún día que ya ha pasado suficiente tiempo. Mientras tanto el lugar está señalado con un panel de información, colocado en 2006 en medio de un gris aparcamiento de coches, a unos 200 metros del monumento al Holocausto.

# El Archivo Secreto del Vaticano

**UBICACIÓN:** Ciudad del Vaticano, Italia.
**CIUDAD MÁS PRÓXIMA:** la Ciudad del Vaticano está dentro de Roma, Italia.
**MOTIVO DE INCLUSIÓN:** son archivos históricos de la Iglesia católica. El acceso es restringido.

Esta es la única entrada de todo el libro en la que aparece la palabra "secreto" en el nombre. El Archivo Secreto del Vaticano guarda los documentos más importantes relacionados con la historia de los papas y de la Iglesia católica. Aunque está abierto a investigadores, gran parte de sus documentos sigue siendo inaccesible, y sus detractores aseguran que contiene pruebas de los episodios más negros de su historia.

En realidad, la palabra *secretum* es el nombre en latín del archivo (Archivum Secretum Vaticanum) y se refiere más a la privacidad que al secretismo. Eso quiere decir que el archivo es propiedad privada del papado. En la actualidad, cuenta con más de 85 kilómetros de estanterías que contienen documentos que abarcan desde el siglo VIII hasta hoy.

En 1611, el papa Pablo V ordenó la construcción de lo que iba a ser el Archivo Secreto y que se encuentra en los Museos Vaticanos. El Archivo se inauguró el 31 de enero de 1612 y el primero en custodiarlo fue Baldassarre Ansidei. En 1810, Napoleón trasladó gran parte de su contenido a París, pero lo devolvió en 1817 cuando perdió el poder. En 1881, el papa León XIII abrió el Archivo a la investigación académica. Desde entonces, en cada pontificado se han desclasificado nuevos documentos hasta el presente, en el que la información accesible más reciente se remonta al final del papado de Pío XI, en 1939.

En 1980, Juan Pablo II inauguró una extensión del Archivo, un búnker subterráneo de dos pisos situado debajo del Corti-le della Pigna (Patio de la Piña), en los Museos Vaticanos. El búnker dispone de 31.000 metros cúbicos de espacio para almacenar documentos, con temperatura controlada, una estructura de cemento armado resistente al fuego y los más modernos sistemas de seguridad. Ahora acoge algunos de los documentos más valiosos de la Iglesia.

Entre los tesoros del Archivo se encuentran documentos relacionados con el periodo sangriento de la Inquisición. También, la solicitud de Enrique VIII para divorciarse de Catalina de Aragón y cuya negativa llevó a la fundación de la Iglesia anglicana, fuera de la jurisdicción de la Iglesia católica. Parece ser que el papa Clemente VII recibió hasta 80 peticiones al respecto, todas atadas con un lazo rojo, y algunos creen que de ahí viene la expresión inglesa *red tape* (cinta roja) para referirse a una burocracia excesiva.

También se pueden ver los documentos del proceso a Galileo Galilei de 1633, juzgado por herejía (el papado no estaba muy satisfecho con su empeño en afirmar que la Tierra no era el centro del

**SILENCIO POR FAVOR**
*Sala de lectura del Archivo Secreto del Vaticano. En primer plano hay una carta del gran artista renacentista Miguel Ángel. A pesar de haber creado la impresionante Capilla Sixtina tuvo una serie de conflictos incómodos con las autoridades del Vaticano.*

**UNA PLAZA** *Esta imagen por satélite de la Ciudad del Vaticano muestra claramente la plaza de San Pedro y la basílica de San Pedro que es la iglesia más importante en la fe católica romana. Con un área de 44 hectáreas y una población de poco más de 800 habitantes, el Vaticano es el estado independiente más pequeño del mundo.*

universo) y una carta de Miguel Ángel quejándose del retraso del Vaticano en el pago por sus trabajos de pintura y decoración.

Sin embargo, desde fuera de la Iglesia se acusa al Archivo de ser demasiado reticente en compartir su historia. Por ejemplo, para conocer la postura de la Iglesia durante la Segunda Guerra Mundial. En 2005 la Coalition for Jewish Concerns (Coalición por los Intereses de los Judíos) amenazó con demandar al Vaticano si no hacía pública la documentación que identificaba a los niños judíos que fueron bautizados para salvarlos de la persecución nazi.

Por su parte, la Iglesia hace hincapié en que es una práctica habitual en los archivos de todo el mundo mantener la confidencialidad de cierta información a la espera de que el paso del tiempo evite que sea manipulada políticamente. Además, en 2004 el Vaticano hizo pública la información sobre su relación con Alemania desde 1922 hasta el estallido de la guerra. Juan Pablo II también permitió el acceso a la documentación relacionada con los prisioneros de guerra entre 1939 y 1945.

Acceder a los documentos desclasificados sigue sin ser fácil. Todos los investigadores deben tener una carrera universitaria o equivalente y los miembros de la Iglesia necesitan también una licenciatura o un doctorado. Además, hay que presentar una solicitud acompañada de una carta de recomendación de una institución reconocida o un particular cualificado en el campo de la investigación histórica. Si ya hay alguien investigando lo mismo, aún es más difícil lograr la autorización. Además, está prohibido publicar los índices que hay que consultar para pedir los documentos.

Un colectivo que sí puede pedir acceso rápido a los documentos es el de los solicitantes de canonización (aquellos que presentan a un candidato para que sea canonizado). Se supone que así se garantiza que los santos de la Iglesia no tengan secretos escandalosos, pero incluso los solicitantes deben conseguir un permiso especial de la Secretaría de Estado del Vaticano y tienen prohibido divulgar cualquier información que puedan encontrar en su investigación.

En 2012 se mostraron cientos de documentos del Archivo en una exposición en los Museos Capitolinos de Roma. Era la primera vez que se permitía su salida fuera del Vaticano. Aunque es un paso hacia la transparencia, persiste la sospecha de que el Archivo es como un enorme iceberg en el que la parte que se puede ver es fascinante, pero lo realmente increíble se oculta bajo la superficie.

# 59

# El edificio de Radio Liberty

**UBICACIÓN:** Hagibor, Praga, República Checa.
**CIUDAD MÁS PRÓXIMA:** Praga, República Checa.
**MOTIVO DE INCLUSIÓN:** es un lugar de alta seguridad. Es la sede Radio Free Europe/ Radio Liberty.

Radio Free Europe/Radio Liberty (RFE/RL por sus siglas en inglés) lleva ya siete décadas emitiendo noticias sin censura en regiones en las que estas son un bien escaso, y regularmente recibe ataques de gobiernos y, cada vez más, de organizaciones radicales. Por este motivo ha tenido que construir uno de los edificios más seguros del mundo para establecer su sede.

Radio Free Europe se estableció en 1950, durante la Guerra Fría. El objetivo inicial de la RFE era mantener la transmisión de noticias sin censura para oyentes bajo la influencia soviética, entre los que se contaban los ciudadanos de Bulgaria, Checoslovaquia, Hungría, Polonia y Rumanía. Radio Liberty se creó tres años después para emitir en la URSS. Durante varios años ambas emisoras estuvieron financiadas por la CIA y en 1976 se fusionaron.

Muy pronto la RFE/RL se convirtió en el objetivo principal de los gobiernos situados detrás del telón de acero. En 1978, por ejemplo, Georgi Markov, disidente búlgaro y colaborador de la RFE, fue asesinado en Londres por la policía secreta de Bulgaria usando un paraguas envenenado. Tres años después, en la sede de Múnich de la RFE/RL estalló una bomba colocada por los servicios secretos rumanos.

Después de la caída del comunismo, en los años noventa la RFE/RL dejó de emitir en muchos territorios, pero empezó a hacerlo en nuevas regiones, como los estados de la antigua República Federal de Yugoslavia, Irán, Irak, Afganistán y Pakis-

tán. Hoy retransmite en 28 idiomas diferentes, en 20 países y con una audiencia semanal de 25 millones de personas.

En 1995, debido a las dificultades para seguir financiando las oficinas centrales de Múnich, la RFE/RL se trasladó a Praga, invitada por el presidente de la República Checa, Vaclav Havel. Irónicamente, la emisora acabó ocupando las oficinas que una vez fueron la sede del Partido Comunista.

En 2009, la RFE/RL se trasladó de nuevo, esta vez a unas instalaciones construidas a la medida de sus necesidades en el distrito de Hagibo de la capital checa. Proyectado por Jakub Cigler y Vincent Marani, el edificio tiene cinco pisos y capacidad para 500 trabajadores. Está considerado como uno de los más protegidos del mundo, ya que la emisora sigue siendo un objetivo terrorista. Las medidas de seguridad incluyen puertas y barreras de acero reforzado y registro de los bajos de los vehículos en los puntos de entrada. Se necesitan códigos de acceso hasta para ir de un piso a otro. Parece que la libertad y la independencia tienen un precio.

# La Cámara de Semillas de Svalbard

**60**

**UBICACIÓN:** Spitsbergen, una isla del archipiélago Svalbard, Noruega.
**CIUDAD MÁS PRÓXIMA:** Longyearbyen, Noruega.
**MOTIVO DE INCLUSIÓN:** es un depósito subterráneo que almacena semillas de todo el mundo.

En un mundo que está constantemente al borde del desastre, muchos países han tomado la precaución de poner a buen recaudo muestras de sus semillas (especialmente las de cultivo). Si una especie vegetal se extinguiera, podría *renacer* en el banco de semillas. La Cámara de Svalbard es en esencia "el banco de los banqueros", pues contiene reservas de semillas de otros bancos repartidos por el mundo.

Aunque muchas naciones han optado por instalar bancos de semillas en sus propios territorios, deben hacer frente a la eterna pregunta: ¿qué ocurre si lo que pueda destruir estas especies también se lleva por delante el banco de semillas? Al fin y al cabo, las armas nucleares o los tsunamis actúan de manera bastante indiscriminada. La Cámara Mundial de Semillas se encuentra en Spitsbergen, la isla más grande del archipiélago de Svalbard (a unos 1.300 kilómetros del Polo Norte, y de soberanía noruega) y es a todas luces una enorme póliza de seguros contra una catástrofe global y la pérdida de diversidad.

La cámara consta de tres salas principales y se encuentra a 120 metros de profundidad, bajo una montaña de arenisca. El lugar se eligió a propósito por su remota ubicación (tan solo llegar a Svalbard ya sería bastante difícil para los posibles intrusos). También es importante el hecho de que la región se encuentre entre las más pacíficas y políticamente estables del mundo (sin duda, por el bajo número de habitantes que tiene). Además, la zona se encuen-

tra a 130 metros por encima del nivel del mar, por lo que no se vería afectada en el supuesto de que se fundieran los polos. La actividad tectónica es escasa y el permafrost (el suelo congelado) ofrece las condiciones óptimas para conservar las semillas.

La cámara se inauguró en 2008, su construcción costó unos 10 millones de dólares y se administra según el acuerdo firmado entre el Gobierno de Noruega, el Centro Nórdico de Recursos Genéticos y la Fundación Mundial por la Diversidad de Cultivos. Está financiada por varios gobiernos y organizaciones no gubernamentales internacionales. Como en otros bancos, los bienes depositados son propiedad exclusiva de aquellos que hacen el depósito, y ni los administradores ni el Gobierno noruego tienen ningún derecho sobre ellos. Sin embargo, si por cualquier motivo un país dejara de existir, no queda claro quién sería el dueño de los depósitos de esa nación.

La cámara fue diseñada con un periodo de vida de unos mil años. Para llegar a los depósitos hay que atravesar un túnel de

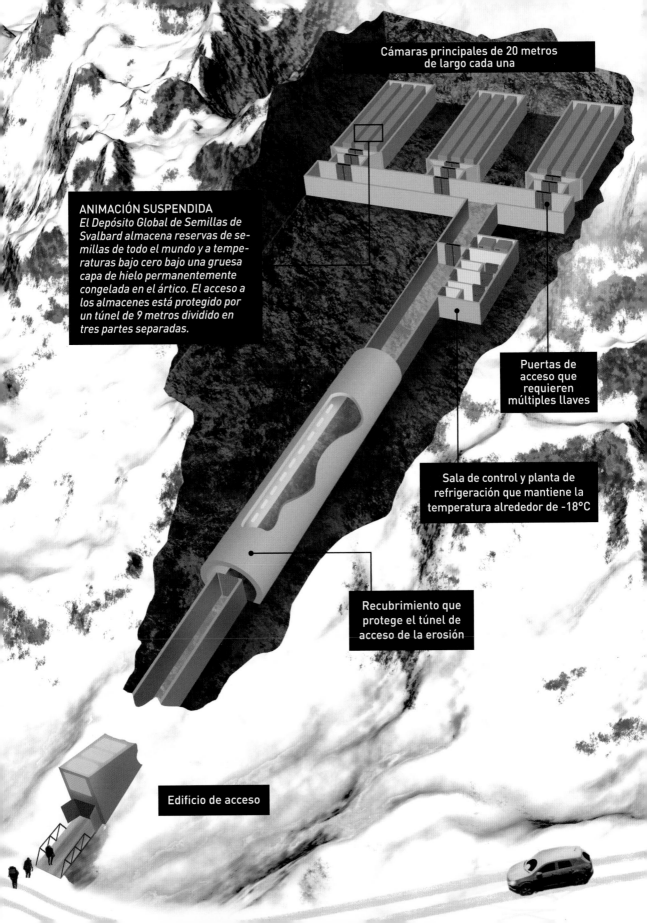

Cámaras principales de 20 metros de largo cada una

ANIMACIÓN SUSPENDIDA
*El Depósito Global de Semillas de Svalbard almacena reservas de semillas de todo el mundo y a temperaturas bajo cero bajo una gruesa capa de hielo permanentemente congelada en el ártico. El acceso a los almacenes está protegido por un túnel de 9 metros dividido en tres partes separadas.*

Puertas de acceso que requieren múltiples llaves

Sala de control y planta de refrigeración que mantiene la temperatura alrededor de -18°C

Recubrimiento que protege el túnel de acceso de la erosión

Edificio de acceso

**LA BUENA SIEMBRA** *Las muestras están selladas en contenedores de plástico y ordenadas en estanterías metálicas dentro de una de las tres salas bajo temperatura controlada. No cuesta nada hacer un depósito y los costes se cubren con donaciones y contribuciones de gobiernos.*

98 metros al que se accede a través de una puerta de acero pulido. El túnel está dividido en tres secciones separadas por puertas cerradas y cada sección es más fría y gélida que la anterior. Una gruesa pared de cemento y una puerta de metal bloquean la entrada a las cámaras. Cada cámara —de unos 20 metros de largo por 10 de ancho y 6 de alto— se mantiene a una temperatura constante de -18 ºC. Quien intente penetrar en el recinto notará en seguida las bajas temperaturas y la falta de oxígeno, condiciones necesarias para retrasar el envejecimiento de las semillas. En las cámaras hay suficiente espacio para almacenar hasta 4,5 millones de muestras de semillas.

Cada depósito de semillas viaja dentro de un sobre acolchado, extragrueso y termosellado que descarta cualquier posibilidad de que su contenido quede expuesto a los elementos. Cuando llegan a la isla, todos los sobres pasan por una máquina de rayos X para descartar que su contenido pueda ser nocivo o peligroso.

Las salas se abren dos veces al año para hacer nuevos depósitos, pero el permiso de entrada es muy restringido. Se dice que las puertas de las bóvedas solo se pueden abrir con una de las cuatro únicas llaves que existen. Se rumorea también que en una visita oficial no se le permitió ni a la familia real noruega pasar a las cámaras principales. Aunque es posible acceder al recinto, se necesitan unas credenciales específicas y hay que pasar unos exhaustivos controles de seguridad. La lista de personas que han estado en las cámaras es muy corta e incluye al secretario general de las Naciones Unidas, Ban Ki-Moon, y al expresidente de los EE UU y ganador del premio Nobel de la Paz, Jimmy Carter. Teniendo en cuenta que la Cámara de Semillas puede algún día salvar al planeta de la extinción, no hay problema en que sea un lugar tan exclusivo.

También cabe destacar que el recinto se halla protegido por otra barrera de seguridad alrededor de Spitsbergen: la que ofrecen los osos polares de la zona. Estos mamíferos se cuentan entre las especies más peligrosas del planeta y están capacitados para desenvolverse en el Ártico mucho mejor que cualquier ser humano.

# El centro de datos Pionen

**UBICACIÓN:** debajo del parque Vita Berg de Estocolmo, Suecia.
**CIUDAD MÁS PRÓXIMA:** Estocolmo, Suecia.
**MOTIVO DE INCLUSIÓN:** un centro de datos famoso por albergar los servidores de WikiLeaks.

El centro de datos Pionen es un espectacular recinto excavado en la roca debajo del parque Vita Berg (el parque de la Montaña Blanca), en el distrito Södermalm de Estocolmo. Este centro informático es uno de los más avanzados del mundo y almacena los servidores de muchas compañías, entre ellas la polémica organización WikiLeaks, desde finales de 2010.

Menos de un año después del lanzamiento de la página web en 2007, WikiLeaks ya podía presumir de poseer casi un millón y cuarto de documentos secretos, a menudo facilitados por confidentes anónimos de todo el mundo.

La organización, dirigida por un australiano enigmático llamado Julian Assange, se convirtió rápidamente en un quebradero de cabeza para gobiernos de todos los continentes. WikiLeaks logró una especial notoriedad cuando hizo público el material relacionado con las guerras en Irak y Afganistán, y consiguió que la conducta de los aliados durante estos conflictos fuera examinada con especial atención.

En 2010 WikiLeaks también publicó una enorme cantidad de comunicaciones diplomáticas confidenciales de EE UU, lo que para Washington fue bastante embarazoso, ya que en esos cables se hacía referencia a figuras públicas destacadas y no precisamente en los mejores términos. Al principio, la información se publicó sin revelar ciertos datos clave para proteger la identidad de algunas perso-nas, pero cuando Assange fue acusado de abusos sexuales en Suecia esa precaución se abandonó. Assange fue duramente criticado por sacrificar la seguridad de las personas citadas en nombre de sus ideales de transparencia. Algunos le acusaron de traidor y WikiLeaks volvió a acaparar la atención de muchos gobiernos de todo el mundo.

La creciente base de datos de WikiLeaks ya se había trasladado varias veces cuando Amazon la expulsó de sus servidores, supuestamente por incumplir los términos y condiciones del servicio. De este modo, en 2010 fue a parar a manos de Banhof, una de las compañías de Internet más antiguas de Suecia (fundada por Oscar Swartz en 1994) y dueña del centro Pionen en la Montaña Blanca.

Las instalaciones se construyeron durante la Segunda Guerra Mundial y más tarde se acondicionaron para poder resistir un ataque nuclear soviético. El complejo está 30 metros por debajo de un lecho rocoso, bajo la ciudad y protegido por unas puertas acorazadas de medio metro de grosor. Solo se puede acceder a él a tra-

## TORMENTA DE IDEAS

Aunque tan solo sea para revisar los beneficios del último trimestre, Pionen ofrece una variedad de instalaciones ultramodernas dignas de un villano de James Bond.

## LA MONTAÑA BLANCA

La sala de servidores Banhof está construida dentro de la colina Vita Bergen del barrio Södermalm de Estocolmo. En invierno el tubo de ventilación del aire acondicionado del edificio envuelve la entrada de una neblina que le da un aire misterioso.

FINLANDIA

NORUEGA

ESTONIA

SUECIA

LETONIA

LITUANIA

DINAMARCA

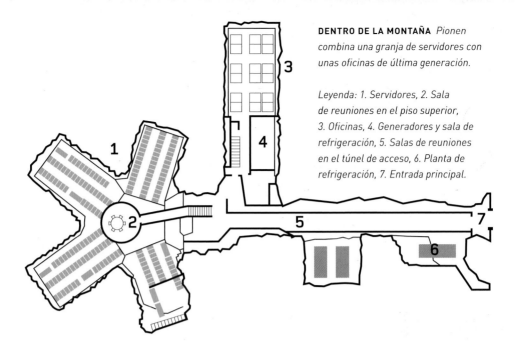

**DENTRO DE LA MONTAÑA** *Pionen combina una granja de servidores con unas oficinas de última generación.*

*Leyenda: 1. Servidores, 2. Sala de reuniones en el piso superior, 3. Oficinas, 4. Generadores y sala de refrigeración, 5. Salas de reuniones en el túnel de acceso, 6. Planta de refrigeración, 7. Entrada principal.*

vés de una única entrada y el búnker está vigilado 24 horas al día por cámaras de seguridad para garantizar que ninguna visita pase desapercibida.

Hacía tiempo que este espacio típico de la Guerra Fría y sin atractivo alguno había dejado de ser operativo, pero entre 2007 y 2008 el despacho de arquitectos Albert France-Lanord lo renovó por completo y lo amplió significativamente (ahora tiene unos 1.200 metros cuadrados) para Banhof. Ahora se lo compara con la guarida de un villano de James Bond y no sin razón. Está lleno de plantas tropicales, cascadas artificiales y luces solares, y el suelo está diseñado para parecer un paisaje espacial. Cuenta con una sala de reuniones futurista, pasillos de cristal y hasta hay dos motores diésel alemanes V12 para submarinos que podrían suministar energía si fuera necesario. En cuestión de nuevas tecnologías, este puede que sea el lugar más atractivo que existe.

Assange y Banhof hacen una buena pareja. A Assange le encantan los gestos teatrales y sin lugar a dudas el diseño espectacular de Pionen encaja con esa parte de su personalidad, aunque más importante es la relación con Suecia, ya

que posee una legislación muy estricta que protege a las fuentes periodísticas. Assange ha confirmado que estrechó su relación con el país (junto con Suiza e Islandia) "especialmente porque esas naciones ofrecen protección legal a las revelaciones hechas en la página web".

Eso quiere decir que los servidores del complejo Pionen en la Montaña Blanca, que sin duda contienen más información para poner en dificultades a los poderosos en todo el planeta, cuentan con una protección legal que se suma a todas las medidas de seguridad que amparan este escenario subterráneo digno de Hollywood.

Por su parte, Banhof ha dejado claro que trata a WikiLeaks con la misma discreción y respeto que muestra con todos los clientes que contratan sus servicios. Según declaró Jon Karlung, director de Banhof (y fan confeso de las películas de James Bond), a la revista *Forbes* en 2010: "Internet debería ser una fuente de información abierta y con libertad de expresión. El papel de un proveedor de servicios de Internet debe ser el de una herramienta neutral de acceso a la información y no un instrumento para recopilar información de los clientes".

# Varosha

**UBICACIÓN:** norte de Chipre.
**CIUDAD MÁS PRÓXIMA:** Famagusta, Chipre.
**MOTIVO DE INCLUSIÓN:** es una ciudad fantasma cercada desde la invasión turca de Chipre en 1974. El acceso está restringido.

En sus mejores tiempos Varosha con sus playas soleadas, era uno de los destinos turísticos más populares del mundo. Estaba plagado de grandes hoteles de lujo y era el lugar preferido por la *jet set* de Hollywood, desde Elizabeth Taylor y Richard Burton hasta Brigitte Bardot. Desafortunadamente, en 1974 intervino la política, y la vida tal y como se había conocido en Varosha se detuvo de repente.

La zona es un barrio de Famagusta (si se le puede llamar barrio) y se encuentra justo al norte de la línea Atila que divide Chipre entre el sur griego y el norte turco. La impresionante avenida John F. Kennedy que atraviesa el centro de Varosha fue una vez el núcleo vital de su industria turística y destino clave del glamur mediterráneo.

En 1974 tuvo lugar un golpe de estado apoyado por Grecia contra Makarios III, el arzobispo de la Iglesia ortodoxa y a su vez Presidente de Chipre desde su independencia en 1960. Su mandato fue controvertido y las fuerzas de las Naciones Unidas tuvieron que intervenir para mantener la paz entre los ciudadanos Turcos y Griegos. El golpe de 1974, orquestado desde Atenas, impulsó la invasión de las fuerzas turcas que provocó la división de la isla entre el sur a manos de Grecia y la República Turca del Norte de Chipre. Esta división se mantiene hasta el día de hoy.

Famagusta cayó a manos de Turquía y la población de Varosha que casi en su totalidad eran griegos chipriotas, huyeron de su paraíso en la playa el 15 de agosto de 1974 por miedo a la batalla que se desataba entre las tropas griegas y turcas a menos de dos kilómetros de distancia.

Hoy Varosha parece una Pompeya moderna que capturó un momento perdido en el tiempo. Hay desayunos a medio comer sobre las mesas y bombillas quemadas después de años de estar encendidas porque nadie cayó en apagarlas en medio del éxodo. Los concesionarios de coches están llenos de modelos que eran el último grito en 1974. De igual manera las *boutiques* están repletas de prendas al estilo más retro de mediados de los setenta.

Los edificios abandonados y descuidados durante casi cuatro décadas poco a poco se deterioran y la naturaleza ha empezado a invadirlo todo. Las raíces de las plantas y árboles sin cuidar van socavando la seguridad de las estructuras de los edificios que una vez fueron señoriales a la vez que el asfalto de las calles se va agrietando con el paso de las estaciones bajo el sol abrasador. Las playas que una vez se llenaron de bañistas buscando el sol ahora albergan una colonia de tortugas marinas.

CHIPRE

NORTE DE CHIPRE

Famagusta

Varosha

SUR DE CHIPRE

HABITACIONES LIBRES *Una hilera de lujosos hoteles y apartamentos miran sin vida hacia el Mediterráneo. Cerca de allí, las sombrillas aún en pie en las playas, parecen seguir esperando la vuelta de los bañistas que hace tiempo desaparecieron.*

**PUEBLO FANTASMA** *En el pueblo cercado de Varosha, los hoteles a medio construir y abandonados durante la invasión, se extienden por el paseo marítimo. Soldados turcos chipriotas patrullan regularmente por la zona disuadiendo a los turistas más aventureros de cruzar las barreras.*

A pesar de que Varosha esté sufriendo una muerte lenta por causa del desahucio sigue siendo un punto importante en la agenda política. En 2004 el Plan Annan fue negociado por las Naciones Unidas para Chipre y aportó un rayo de esperanza. El Plan Annan lleva el nombre del secretario general de las Naciones Unidas, Kofi Annan, que se interesó por la situación de la isla y cuyas propuestas, que ya se habían redactado hasta cinco veces, preparaban el camino para que Varosha fuera devuelta a sus antiguos residentes griegos chipriotas. Sin embargo el Presidente de Chipre Tassos Papadopoulos lanzó una campaña en contra de la devolución que fue debidamente apoyada por la población griega chipriota con tan solo un 24% a favor.

Una de las quejas recogidas en el detallado resumen enviado a Annan sobre las razones para rechazar la devolución era la declaración en contra de eximir a Turquía de toda responsabilidad por la invasión de Chipre y por los asesinatos, violaciones, destrucción de propiedades e iglesias, pillaje, expulsión de sus casas y expropiación de bienes de aproximadamente 200.000 griegos chipriotas. A pesar del paso del tiempo quedaba claro que las heridas causadas en 1974 aún estaban abiertas y Varosha además de ser una valiosa moneda de cambio para ambas partes, sigue siendo uno de los temas políticos más candentes.

De este modo se perpetúa una extraña situación en la que se puede tomar el sol en las playas turcas de Famagusta mientras Varosha sigue deteriorándose justo al lado como testimonio de una conflicto civil irresoluble.

# Los túneles de la Franja de Gaza

**UBICACIÓN:** en la frontera entre Egipto y Palestina.
**CIUDAD MÁS PRÓXIMA:** Rafah, entre Egipto y Palestina.
**MOTIVO DE INCLUSIÓN:** los túneles secretos se usan para exportar de todo a la Franja de Gaza, desde armas hasta medicinas.

Desde finales de los años noventa se han excavado varios túneles bajo la barrera que separa Egipto de la Franja de Gaza, una frontera que ya lleva mucho tiempo sometida al bloqueo de Israel. Los contrabandistas los usan para pasar armas, explosivos o drogas, pero también desempeñan un papel importante en el transporte de alimentos y otros bienes básicos de consumo.

Situada junto a la costa del Mediterráneo, entre Israel y Egipto, la Franja de Gaza, con solo 40 kilómetros de largo y 10 de ancho, acoge a más de 1,5 millones de palestinos, lo que la convierte en uno de los lugares más densamente poblados del planeta. Está en poder de Israel desde la Guerra de los Seis Días, en 1967, momento a partir del cual ha controlado la mayor parte de sus fronteras (y todo lo que entra y sale del territorio). El bloqueo se intensificó en 2007, cuando la Franja quedó bajo el gobierno de Hamás; solo se permite la entrada a ayuda humanitaria básica porque Israel considera que Hamás es una organización terrorista.

La Franja de Gaza comparte su frontera sur con Egipto. Según el tratado de paz de 1979 entre Egipto e Israel, se estableció una zona neutral llamada Ruta Philadelphi y Egipto ha mantenido sus fronteras cerradas, salvo por algunos pasos fronterizos por donde comerciar de manera oficial. Sin embargo, ya en 1997 se hallaron túneles ilícitos excavados debajo de la Ruta Philadelphi que conectaban el territorio egipcio con el asentamiento de Rafah (dividido entre Egipto y Gaza según los acuerdos a los que se llegó en Camp David en 1978), al sur de Gaza.

Los túneles han servido para introducir armas y munición en la Franja de Gaza, y además para que pase gente de un lado a otro. También se ha dicho que se han usado para traficar con narcóticos. Sin embargo, a medida que el bloqueo israelí se endurecía, también se empezaron a usar para transportar comida, ropa, tabaco, alcohol, material de construcción, medicinas esenciales y hasta vehículos a motor.

Se cuentan historias de cuando se empezaron a utilizar los túneles para pasar coches enteros por piezas que luego se volvían a montar, pero la leyenda asegura que en los últimos años se han ampliado los túneles para que los vehículos puedan pasar holgadamente. El contrabando de motocicletas es más común, ya que son fáciles de transportar. Otras historias aseguran que en alguna ocasión se han introducido caballos de carreras y también pequeños rebaños de ganado. Las palomas son también una importación popular ya que es habitual tenerlas como mascotas.

*Un contrabandista palestino
extrae un saco de contenido
desconocido de uno de
los túneles subterráneos
mediante un sistema de
poleas. Para algunos de
los habitantes de Gaza, los
pasajes secretos han sido
un salvavidas mientras que
otros han sufrido a manos
del crimen organizado que
controla muchas de las
rutas de contrabando.*

Los túneles están excavados a una profundidad que va desde los 3 a los 20 metros (la mayoría están a 15 metros), y pueden tener una longitud de hasta 800 metros. Aunque hay túneles de todos los tamaños, la mayoría no son mucho más anchos que la distancia entre los hombros. En el lado de Gaza, las entradas a los túneles normalmente se encuentran en sótanos de casas particulares —a veces, hasta en olivares apartados—, a los que se accede bajando por una escalera de mano que hay en pozos construidos con ladrillos. Acostumbran a ser auténticas empresas privadas que rinden importantes beneficios a los particulares o grupos que los subvencionan. Todo el mundo, desde los dueños hasta los contrabandistas, pasando por los inspectores de Hamás, sacan tajada, es un negocio muy rentable.

El coste de construcción de un túnel normal ronda los 100.000 dólares, y el coste de su gestión es también elevado. Algunos túneles disponen de electricidad y de avanzados sistemas de comunicación y ventilación. Sin embargo, en 2009 se supo que muchos habitantes de Gaza habían perdido los ahorros de toda una vida invirtiendo en túneles por culpa de empresarios sin escrúpulos. Se calcula que el capital que se ha perdido de esta manera suma entre 100 y 500 millones de dólares. Las estimaciones de 2010 apuntan a que existen más de 1.000 túneles que dan empleo a unas 7.000 personas. La vida en los túneles puede ser muy peligrosa y se han dado casos de derrumbes, a menudo con pérdida de vidas.

Se han hecho varios intentos para acabar con este comercio ilícito. La comunidad internacional, incluyendo miembros dirigentes de la OTAN, se ha puesto a trabajar para terminar con esta red subterránea, peligrosa y sin ningún tipo de regulación. Israel ha destruido varios cientos de ellos bombardeándolos y ha desarrollado una tecnología electroóptica específica para su localización, que identifica movimientos de tierras invisibles al ojo humano. En 2009, Egipto empezó a construir una barrera subterránea para bloquear los túneles que ya existen e impedir la construcción de otros. Quizá lo que terminaría con los túneles sería las normalización de las importaciones.

# La sede
# del Mosad

**UBICACIÓN:** Tel Aviv, Israel.
**CIUDAD MÁS PRÓXIMA:**
Tel Aviv, Israel.
**MOTIVO DE INCLUSIÓN:**
la ubicación de la sede
del servicio secreto israelí
es incierta.

El Instituto de Inteligencia y Operaciones Especiales de Israel, más conocido como Mosad, es uno de los servicios secretos más temidos en todo el mundo. Oficialmente su trabajo es "recabar información, analizarla y llevar a cabo operaciones especiales encubiertas más allá de sus fronteras". La sede del Mosad está en Tel Aviv, pero su ubicación exacta no es de dominio público.

El moderno Estado de Israel se fundó en 1948, rodeado de naciones árabes nada amistosas y con el Holocausto aún en la memoria reciente. Para el primer ministro de la nación, David Ben Gurion, era una prioridad crear un servicio de inteligencia que garantizara la seguridad nacional: "Para nuestro Estado, que desde su creación está bajo asedio por parte de sus enemigos, la inteligencia representa nuestra primera línea de defensa".

A finales de 1949 se constituyó el Instituto Central para la Coordinación bajo la dirección de Reuven Shiloah. Poco después, fue rebautizado como Instituto Central de Inteligencia y Seguridad, antes de una última reestructuración que resultó en la creación del Mosad en 1951. Este servicio de inteligencia reponde directamente ante el primer ministro, y el objetivo de sus operaciones es recabar información, llevar a cabo acciones encubiertas y luchar contra el terrorismo. Se estima que hoy el número de empleados oscila entre 1.000 y 2.000.

El nombre de Mosad se hizo famoso a causa de importantes operaciones, como la captura en Argentina en 1960 de Adolph Eichmann, uno de los más importantes artífices del Holocausto de Hitler. Sin embargo, otras operaciones —principalmente las llevadas a cabo por la División de Operaciones Especiales— han provocado conflictos con otros países. Por ejemplo, en 1986, el secuestro en Italia de Mordejái Vanunu *(véase pág. 166)* fue particularmente polémico. También recientemente, en 2010, el Reino Unido expulsó al representante del Mosad en Londres después de que agentes israelíes usaran pasaportes británicos clonados durante una misión para asesinar a un alto comandante militar de Hamás en Dubái.

A pesar de los recientes intentos para que el Instituto sea algo más transparente (actualmente hasta tiene página web), la localización exacta de su sede en Tel Aviv sigue sin ser revelada. Algunos sugieren que puede estar en Herzliya, el barrio diplomático al oeste de la ciudad. La revista alemana *Der Spiegel* lo definió como "un discreto conjunto de casas situado entre unos eucaliptos". Se da por hecho que en esas oficinas no son bienvenidas las visitas inesperadas.

# 65 El centro de investigación nuclear de Néguev

**UBICACIÓN:** desierto de Néguev, sur de Israel.
**CIUDAD MÁS PRÓXIMA:** Dimona, Israel.
**MOTIVO DE INCLUSIÓN:** es el centro neurálgico del programa de armas nucleares de Israel desde los años sesenta.

El Gobierno de Tel Aviv reconoce la existencia de unas instalaciones en el desierto de Néguev, pero guarda silencio sobre su propósito exacto. Se especula que en ellas reside el corazón del programa nuclear de Israel, lo cual ha llevado al Organismo Internacional de la Energía Atómica (OIEA) ha expresar su preocupación por la proliferación de armamento nuclear en Oriente Próximo.

Israel actúa con una política de "ambigüedad nuclear", por lo que la pregunta de si dispone o no de armamento nuclear nunca es oficialmente confirmada o desmentida. En lugar de ello, desde 1965 el país asegura que "no serán los primeros" en introducir armas nucleares en Oriente Próximo, declaraciones que han dejado la puerta abierta a las interpretaciones más disparatadas. Sigue siendo una de las cuatro naciones (junto con India, Corea del Norte y Pakistán) de las que se cree o se sabe que tienen capacidad nuclear y no han firmado el Tratado de No Proliferación Nuclear.

De acuerdo con la comisión de energía atómica de Israel, el trabajo que se lleva a cabo en Néguev es para "ampliar los conocimientos básicos en ciencias nucleares y campos relacionados, y para sentar las bases prácticas y económicas que permitan utilizar la energía nuclear". La construcción del centro de investigación ccomenzó de forma secreta en 1958 con la ayuda de Francia. Hasta 1.500 israelíes fueron contratados para la construcción y se cree que una oficina de coordinación científica se estableció en Israel para pro-

porcionar seguridad e información. El recinto empezó a ser operativo en 1963.

Sin embargo, Occidente se percató de la existencia de Néguev ya a principios de los sesenta gracias a una serie de revelaciones periodísticas, al principio opacas y luego más explícitas. Las noticias obligaron al entonces primer ministro Ben Gurion a declarar que las actividades llevadas a cabo en Néguev tenían "fines pacíficos". Sin embargo, el presidente de la Comisión de Energía Atómica de Israel declaró: "No hay ninguna diferencia entre la energía nuclear usada con fines pacíficos o con fines bélicos".

Varios inspectores de EE UU visitaron Néguev durante la década de los sesenta, pero las autoridades israelíes exigieron ser avisadas con antelación de tales visitas. Aunque estas inspecciones no pudieron destapar ninguna actividad relacionada con la creación de armas (algunos dicen que debido a los impedimentos impuestos por parte de Israel), otras informaciones llevaron a EE UU a concluir que hacia el final de la década Israel podría, efectivamente, estar en posesión de la bomba.

Haifa

Tel Aviv

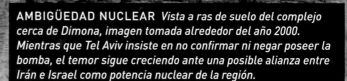

**AMBIGÜEDAD NUCLEAR** *Vista a ras de suelo del complejo cerca de Dimona, imagen tomada alrededor del año 2000. Mientras que Tel Aviv insiste en no confirmar ni negar poseer la bomba, el temor sigue creciendo ante una posible alianza entre Irán e Israel como potencia nuclear de la región.*

El mar Muerto

ISRAEL

JORDANIA

Dimona

**TORMENTA DEL DESIERTO**
*Vista aérea del polémico complejo de Néguev tomada por el satélite estratégico de reconocimiento de los EE UU Corona KH-4 en Noviembre de 1968. Estas imágenes llevaron a Washington a confirmar que Tel Aviv efectivamente poseía una bomba.*

EGIPTO

La confirmación de estas sospechas llegó en 1986, cuando un antiguo ingeniero nuclear de Néguev llamado Mordejái Vanunu huyó de Israel hacia el Reino Unido. Vanunu trabajó en Néguev desde 1977, pero albergaba serias dudas respecto a la política exterior de Israel. Vanunu perdió su trabajo en 1985 y entonces inició una serie de viajes durante los cuales conoció a un periodista que actuó como agente en un acuerdo con el periódico *The Sunday Times*. Vanunu reveló lo que sabía sobre Néguev y lo probó con fotografías tomadas de forma clandestina. Muchos expertos consideraron sus pruebas fehacientes y esto llevó a estimar que el arsenal israelí contaba con más de 100 armas nucleares.

Lo que sucedió después solo puede describirse como un argumento digno de película. El Mosad, el servicio secreto israelí *(véase pág. 162)*, contrató a una agente femenina para hacerse pasar por norteamericana y entablar amistad con Vanunu, quien al parecer se sentía solo lejos de su tierra. La agente convenció a Vanunu para que la acompañara de vacaciones a Roma. Una vez allí, tres agentes del Mosad drogaron a su víctima y se la llevaron a escondidas de vuelta a Israel. Allí se le juzgó por traición y espionaje y se le sentenció a 18 años de prisión. En 2004 Vanunu declaró, sin ningún tipo de pruebas, que Israel había sido cómplice en el asesinato del presidente estadounidense John F. Kennedy como resultado de las exigencias de Washington para obtener información sobre Néguev.

La mayoría de las instalaciones de Néguev son subterráneas, supuestamente a seis pisos bajo tierra. El espacio aéreo del centro está cerrado y aviones de las Fuerzas Aéreas están preparados para atacar en caso de infracción. También se rumorea que hay una serie de lanzamisiles antiaéreos repartidos por toda la zona. A las habituales medidas de seguridad (entre otras, vallas y un elevado número de vigilantes), en la última revisión de seguridad de 2011 se sumaron cámaras de última generación y nuevos equipos de vigilancia.

Las estimaciones sobre la cantidad de plutonio que puede producir siguen siendo el mayor misterio de Néguev. Esto ha llevado a suposiciones de todo tipo, y muy diferentes entre sí, sobre la cantidad de armas que constituye el arsenal nuclear de Israel. A principios de 2012 un medio de comunicación occidental aseguró que Néguev podría ser cerrado como medida preventiva ante un posible ataque aéreo iraní. Un portavoz oficial lo negó.

# Campo 1391

**UBICACIÓN:** norte de Israel.
**CIUDAD MÁS PRÓXIMA:** Tel Aviv, Israel.
**MOTIVO DE INCLUSIÓN:** su existencia no ha sido reconocida oficialmente. Es una polémica cárcel para presos de alto riesgo cuya existencia Israel ocultó.

Nadie supo de la existencia del Campo 1391 hasta 2003. Se encuentra a una hora en coche de Tel Aviv, aunque su posición exacta jamás ha sido confirmada. Ha sido denunciado por incumplir la Convención Contra la Tortura de la ONU y muchos lo describen como el "Guantánamo de Israel". Las peticiones del Comité Contra la Tortura de la ONU para inspeccionar el campamento han sido rechazadas.

La existencia del Campo 1391 salió a la luz por casualidad, en una breve nota a pie de página de una revista académica. El autor del artículo era un historiador llamado Gad Krozier. Mientras revisaba los mapas de complejos policiales fechados en los años treinta y cuarenta, cuando la región era gobernada por Gran Bretaña, Krozier notó ciertas discrepancias respecto a los mapas actuales en un lugar concreto. Tras la publicación del artículo, los censores militares quisieron saber por qué no se les había enviado el texto para una revisión previa. El lugar, aparentemente borrado de los libros de historia israelíes, resultó ser el Campo 1391, administrado por las fuerzas de seguridad israelíes desde los años ochenta.

Prácticamente no existe información oficial sobre la prisión, y la mayoría de detalles que se conocen vienen de testimonios de personas que aseguran haber estado retenidas en ella. Las autoridades israelíes rechazan constantemente peticiones para que revelen su ubicación exacta, pero se rumorea que se trata de un edificio de un solo piso diseñado por sir Charles Tegart en los años treinta y que ahora forma parte de un complejo militar más extenso. Parece ser que el recinto se halla rodeado con una valla doble con torres de vigilancia y que está patrullado regularmente con perros guardianes.

Las celdas se describen como cubículos de 2 x 2 metros cuadrados y sin luz natural. Los presos están confinados en solitario durante largos períodos de tiempo, a veces encapuchados y desnudos. Antiguos presos aseguran que se les obligó a soportar un zumbido constante y a vivir en condiciones insalubres, y que se les sometió a un trato inhumano y degradante.

Otros internos declaran que no se les dio ninguna indicación de dónde se encontraban en realidad o que se les dijo que estaban en el extranjero. Muchos afirman que no les estaba permitido contactar con familiares o abogados, ni siquiera recibir visitas de la Cruz Roja. Las autoridades israelíes aseguran que los encuentros con abogados y la Cruz Roja sí son permitidos fuera del campamento, aunque la ONU lo pone en duda.

# 67 Al Kibar

**UBICACIÓN:** nordeste de Siria.
**CIUDAD MÁS PRÓXIMA:** Dayr az Zawr, Siria.
**MOTIVO DE INCLUSIÓN:** es el lugar en el que presuntamente hubo unas instalaciones nucleares bombardeadas por Israel en 2007.

El 6 de septiembre de 2007 un escuadrón de cazas israelíes sobrevoló Siria y redujo a escombros un importante complejo en Al Kibar, durante una misión llamada Operación Orchard (huerto). Más tarde los israelíes declararon que tal incidente nunca había tenido lugar, mientras que los sirios protestaron por la violación de su espacio aéreo, aunque negaron haber sufrido daño alguno. ¿Qué había en Al Kibar?

Horas después del ataque, una agencia de noticias siria comunicó un incidente en el que unidades de defensa aérea sirias se habían enfrentado a aviones israelíes, "forzándoles a abandonar el territorio después de descargar munición en zonas desérticas, sin causar daños materiales o bajas humanas". En unas declaraciones un portavoz israelí dijo que "el incidente nunca ocurrió", mientras que oficiales estadounidenses hablaban de "informes de segunda mano" que se contradecían entre sí.

Los rumores empezaron a sucederse y se afirmaba que en Al Kibar había en realidad un complejo nuclear construido con la ayuda de Corea del Norte. Parece ser que los científicos sirios de la central estaban a punto de construir una bomba atómica viable. Se cree ahora que el trabajo en el complejo empezó en 2002 y en 2004 los servicios de inteligencia estadounidenses observaron un contacto sospechosamente frecuente entre Al Kibar y Pyongyang (capital de Corea del Norte). Más adelante, EE UU hizo públicas unas imágenes que mostraban lo que parecían ser los componentes de un reactor nuclear, y otras en las que se veían edificios en construcción, aparentemente diseñados para ocultar su interior.

Al Kibar sigue siendo una zona restringida, y así lo corroboran los vecinos de Dayr az Zawr, un pueblo que se encuentra justo donde comienza la enorme extensión del desierto en el que se halla Al Kibar. Quien se aventure por este paisaje inhóspito pronto se topará con barricadas impenetrables y advertencias de que el acceso está prohibido por razones de seguridad.

Presionado por la comunidad internacional, el Gobierno sirio llegó a confirmar que en el lugar se habían desarrollado armas convencionales. En 2008 Damasco cedió y aceptó que expertos del Organismo Internacional de la Energía Atómica (OIEA) inspeccionaran Al Kibar. Lo que encontraron fue un terreno que había sido despejado y pavimentado de nuevo. Aun así, en 2011 la OIEA concluyó que Al Kibar probablemente había sido en el pasado una instalación nuclear, aunque las partes involucradas continúen negando su existencia.

**AGOSTO DE 2007**

Edificio secundario – posible estación de bombeo

Planta de tratamiento de agua

Edificio del reactor principal con un diseño similar al de Yongbyon

Ruta de acceso a la estación de bombeo de refrigerante en el río Eúfrates

Huellas de la maquinaria pesada usada para la construcción

**OCTUBRE DE 2007**

Daños causados por una explosión

Lugar del reactor tras el ataque para eliminar cualquier prueba de una estructura interna previa

# La anomalía de Ararat

**UBICACIÓN:** monte Ararat, Turquía.

**CIUDAD MÁS PRÓXIMA:** Dogubayazıt, Turquía.

**MOTIVO DE INCLUSIÓN:** un objeto de origen desconocido aparece en fotos del monte Ararat y se afirma que es el arca de Noé.

En 1949 un avión de vigilancia de las Fuerzas Aéreas estadounidenses tomó unas fotografías del monte Ararat, en el que, de acuerdo con el libro del Génesis, se posó el arca de Noé cuando el diluvio terminó. Cuando se analizaron las imágenes se podía ver un objeto parcialmente enterrado en el lado noroeste de la ladera oeste del monte. ¿Eran los restos del arca?

El monte Ararat se encuentra en la frontera de Turquía, Irán y lo que en aquella época era la Unión Soviética, y por eso el Gobierno de Estados Unidos tenía tanto interés por el lugar durante los primeros años de la Guerra Fría. Las imágenes de 1949, tomadas durante un vuelo de reconocimiento autorizado por el cuartel general de las Fuerzas Aéreas estadounidenses en Europa, revelan una extraña anomalía a una altura de 4.700 metros en una montaña cuya cima se encuentra a 5.100 metros. Las imágenes fueron inmediatamente clasificadas como confidenciales y se abrió un expediente que incluiría otras muchas instantáneas de tal anomalía, tomadas desde varios aviones y satélites durante las siguientes décadas.

Varias expediciones han intentado localizar los restos del arca en Ararat desde el siglo XIX, por lo menos, y hay insistentes rumores de que varios vuelos de reconocimiento y otras misiones han visto algo anómalo en Ararat. Sin embargo, no fue hasta 1995 cuando se desclasificó parte del metraje filmado en 1949, gracias a la insistencia del profesor Porcher Taylor, de la Universidad de Richmond. Otras imágenes siguen siendo secretas en la actualidad.

Lo que se puede ver en esas imágenes sigue siendo motivo de un acalorado debate. La Agencia de Inteligencia de Defensa de EE UU opina que las imágenes de la anomalía no muestran nada más que "unas fachadas lineales en el hielo glacial bajo más hielo y nieve acumulados con el tiempo". Por otra parte, Dino Brugioni, fundador del Centro Nacional de Interpretación Fotográfica de la CIA, declaró: "Oh, parecía la proa de un barco atrapada en la montaña. Pero no coincidía con las dimensiones de la Biblia. Era demasiado grande". Otros han afirmado que se pueden ver varias vigas de madera tallada.

Por supuesto, las posibilidades de que un barco de madera sobreviva varios miles de años en la cima de una montaña son remotas. Además, nadie ha podido aportar evidencias físicas del lugar donde se encuenta esta anomalía. Pero si solo se trata de un efecto óptico, ¿por qué hay tanto secretismo alrededor de estas imágenes?

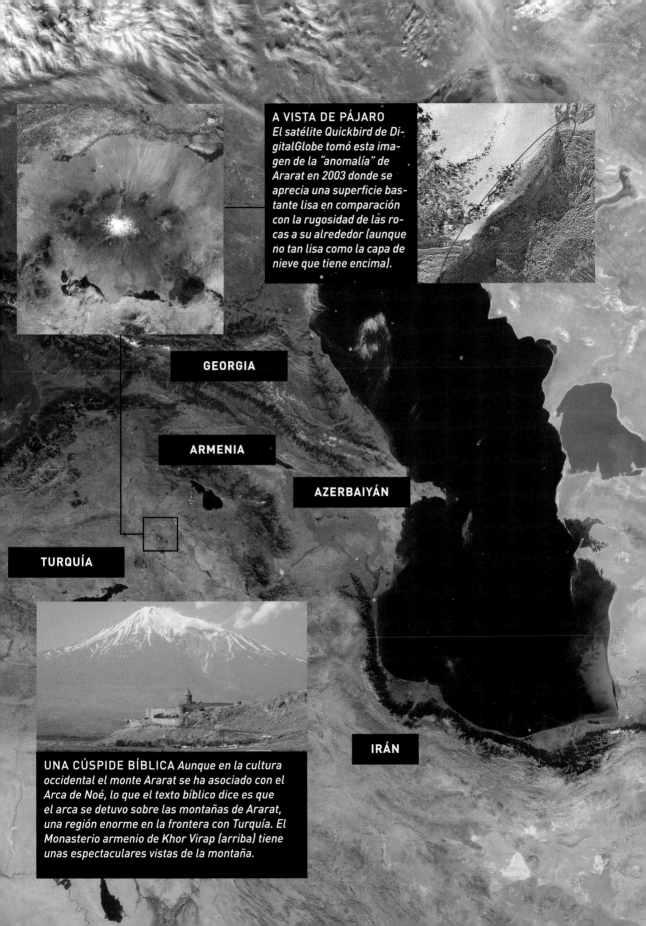

## A VISTA DE PÁJARO

*El satélite Quickbird de DigitalGlobe tomó esta imagen de la "anomalía" de Ararat en 2003 donde se aprecia una superficie bastante lisa en comparación con la rugosidad de las rocas a su alrededor (aunque no tan lisa como la capa de nieve que tiene encima).*

**GEORGIA**

**ARMENIA**

**AZERBAIYÁN**

**TURQUÍA**

**IRÁN**

## UNA CÚSPIDE BÍBLICA

*Aunque en la cultura occidental el monte Ararat se ha asociado con el Arca de Noé, lo que el texto bíblico dice es que el arca se detuvo sobre las montañas de Ararat, una región enorme en la frontera con Turquía. El Monasterio armenio de Khor Virap (arriba) tiene unas espectaculares vistas de la montaña.*

# La zona de exclusión de Chernóbil

**UBICACIÓN:** región de Kiev, Ucrania.
**CIUDAD MÁS PRÓXIMA:** Kiev, Ucrania.
**MOTIVO DE INCLUSIÓN:** acceso restringido (bajo riesgo de muerte o lesión). Es el enclave del peor accidente nuclear conocido.

En 1986, Chernóbil (Ucrania) fue el escenario del desastre nuclear más devastador de la historia. La zona de exclusión que rodea el lugar donde explotó el reactor, también conocida como zona de alienación, abarca unos 30 kilómetros y sigue siendo área restringida, excepto para una pequeña comunidad de investigadores que siguen analizando el impacto de la tragedia.

La construcción de la central nuclear de Chernóbil, situada en la frontera entre Ucrania y Bielorrusia, comenzó en 1970. Entonces Ucrania era un estado de la Unión Soviética y el nombre oficial de la central era Central Eléctrica Nuclear V. I. Lenin. Cerca de allí se construyó una ciudad llamada Prípiat para alojar a los trabajadores de la central y a sus familias. El primer reactor entró en funcionamiento en 1977 y en 1983 ya estaban en marcha tres más. Cuando se desató la tragedia el 26 de abril de 1986 había otros dos reactores en construcción.

En ese momento, los cuatro reactores de Chernóbil producían una décima parte de la electricidad de Ucrania, aunque la central ya tenía un historial de calamidades. En 1982, el reactor número 1 sufrió una fusión parcial, pero el suceso fue ocultado por las autoridades de Moscú. Sin embargo, este incidente palidece al compararlo con lo que pasó en el reactor número 4 el sábado 4 de abril de 1986. Una subida de tensión provocó una serie de explosiones en el reactor que dejaron al descubierto el núcleo de grafito, que acabó ardiendo. Grandes nubes radioac-tivas de humo se extendieron por los cielos de Europa y la peor parte se la llevó Bielorrusia. Hubo escapes masivos de radionucleidos durante los diez días que siguieron al accidente y se estima que 200.000 kilómetros cuadrados de Europa sufrieron algún tipo de contaminación.

La máxima prioridad del Gobierno de Moscú fue contener la crisis. Hasta el día siguiente no fueron evacuados 53.000 habitantes de Prípiat y las noticias del desastre no se hicieron públicas hasta el lunes siguiente con un comunicado por televisión de menos de 30 segundos. Los efectos a largo plazo de lo que pasó en Chernóbil son difíciles de calcular. Las autoridades soviéticas atribuyen solo 31 muertes al desastre, pero otros expertos indican que decenas de miles de personas pueden acabar muriendo a causa de cánceres relacionados con los efectos de la lluvia radiactiva.

El Gobierno soviético invirtió grandes sumas de dinero en descontaminar la zona y evacuar a 350.000 personas de las áreas de peligro. Los campos y bosques que rodeaban Chernóbil quedaron arrasados y

**RESTOS ESPARCIDOS**
*Después de la explosión, más de 1.000 kilómetros de terreno adyacente a Chernóbil quedaron cubiertos de peligrosos elementos químicos pesados. Otros isótopos radioactivos más ligeros se esparcieron por gran parte de Europa afectando la agricultura durante años.*

Río Prípiat

Ciudad de Prípiat

Reactor número 4

Estanque de refrigeración

Torres de alto voltaje

Conductos de agua hacia los reactores

Reactor en construcción en 1986

**SUEÑOS ABANDONADOS**
*Un aula desierta, lúgubre y silenciosa ejerce de testigo de la destrucción que provocó el desastre de Chernóbil. La zona entera fue evacuada con prisas y aquellos que se atrevan a volver al lugar hoy encontrarán un paisaje perturbador atrapado en el tiempo.*

**ÚLTIMO REPOSO** *Poco después del desastre inicial de 1986 se construyó a toda prisa un sarcófago de metal y cemento para cubrir el reactor número 4 encerrando así 250.000 toneladas de material radioactivo. Debido a la preocupación por la seguridad de esta estructura ahora se planea construir una nueva estructura de confinamiento seguro.*

se perdieron 800.000 hectáreas de tierras de cultivo y 700.000 hectáreas de bosque para usos productivos. Se dice que el desastre costó cientos de millones de dólares en los años que siguieron y aceleró el colapso económico de la URSS.

El reactor número 4 fue rápidamente sepultado en un sarcófago de cemento y acero. La comunidad científica expresó sus dudas acerca de la seguridad de la medida a largo plazo y en 2007 se anunció que un nuevo contenedor de estructura de acero estaría construido en 2013, con un coste de 1.400 millones de dólares. Sorprendentemente, Chernóbil continuó en funcionamiento durante algunos

años después del desastre. En 1991 se declaró otro incendio pero esta vez ocurrió en el reactor número 2, y no fue hasta el año 2000 cuando el ya independiente Gobierno de Ucrania cerró la central definitivamente. No obstante, el desmantelamiento aún se prolongará durante varios años.

A los habitantes de Prípiat se les forzó a abandonar sus vidas sin aviso previo. En una tarde, soldados armados obligaron a la mayoría de ellos a subir a un autobús. Muchos se marcharon pensando que un día volverían, pero nunca lo hicieron y Prípiat sigue abandonada. Una noria oxidada que una vez sirvió de entretenimiento a los visitantes de la ciudad es ahora un impactante símbolo de la tragedia. Muchos de sus habitantes se han quejado posteriormente de problemas de salud, tanto físicos como psicológicos. En efecto, el Foro de Chernóbil —una iniciativa del Organismo Internacional de la Energía Atómica— informó de que "el impacto de Chernóbil en la salud mental es el mayor problema de salud pública desatado por el accidente hasta hoy".

La zona de exclusión ha sufrido varios cambios a lo largo de los años y los niveles de contaminación dentro de sus límites varían constantemente. Aun así, sigue estando predominantemente deshabitada, salvo por algunos vecinos que han vuelto y una comunidad *okupa*, todos ellos sin permiso oficial para residir allí, pero aprovechando la tolerancia de las autoridades. Esparcidos por la zona hay por lo menos 800 desguaces para vehículos contaminados abandonados. Su perímetro está patrullado constantemente por la policía y el ejército, y los visitantes deben mostrar su documentación en los diferentes puntos de control. La mayoría de los que entran son científicos que llevan a cabo una investigación o empleados de la central que trabajan en el largo proceso de desmantelamiento.

# La estación de radio UVB-76

**UBICACIÓN:** noroeste de Rusia.
**CIUDAD MÁS PRÓXIMA:** Pskov, Rusia.
**MOTIVO DE INCLUSIÓN:** es una emisora que transmite desde una misteriosa estación de radio de onda corta. Su localización es incierta.

La UVB-76 es conocida entre los radioaficionados como *the buzzer* (el zumbador) y no es lo que se entiende por una típica emisora de radio. Lleva transmitiendo sin parar desde 1982, pero no emite animadas tertulias o los últimos éxitos musicales, sino un zumbido que se repite una media de 25 veces por minuto, cada minuto, de cada hora, de cada día. Muchos están auténticamente fascinados con ella. ¿Qué está transmitiendo y de qué va todo eso?

Hasta los directivos de la UVB-76 saben que en la variedad está el gusto, de modo que a principios de los años noventa decidieron cambiar el pitido que llevaban emitiendo los últimos diez años por el zumbido que se oye en la actualidad. A la hora en punto suena un doble zumbido para llamar la atención, e incluso cada pocas semanas más o menos, ya que no es muy regular, una voz masculina recita un estribillo de cifras o palabras, que a menudo es una lista de nombres rusos.

Se cree que la estación de radio desde la que emite UVB-76 se trasladó en 2010. En esa época, se oyó una voz que daba la nueva clave de identificación MDZhB, aunque sus seguidores siguen usando el alias UVB-76 (los más fans han monitorizado la señal y la transforman en llamativos dibujos). Hasta ese momento se creía que la emisora se encontraba cerca de Povarovo, una localidad próxima a Moscú que una vez tuvo una fuerte presencia militar pero que ahora está desierta. Hoy se cree que la estación está ubicada cerca de Pskov, en el noroeste del país. El traslado podría estar relacionado con una amplia reorganización de las fuerzas de defensa rusas.

Nadie parece saber qué significa ese insistente zumbido. Ni el Gobierno de Rusia ni las autoridades de radiodifusión del país han explicado jamás para qué sirve la señal. Algunos dicen que los mensajes ocasionales sirven para comprobar que las estaciones que deben recibirlos siguen manteniendo el nivel de vigilancia necesario. Otros aseguran que la emisora transmite información a una red de espías internacionales. Podría tratarse de lo que se conoce como emisora de números, diseñada para mandar mensajes encriptados a oyentes que poseen un código para descifrarlos. Algunos observadores más prosaicos sospechan que simplemente puede tratarse de un vestigio de la época soviética, y que su propósito original, perdido en la burocracia de la Guerra Fría, ya ha sido olvidado.

# La sede del Servicio Federal de Seguridad

**UBICACIÓN:** plaza Lubianka, Moscú, Rusia.
**CIUDAD MÁS PRÓXIMA:** Moscú, Rusia.
**MOTIVO DE INCLUSIÓN:** la sede de los servicios de seguridad rusos lo fue también del temido KGB y su actividad es secreta.

El edificio de la plaza Lubianka, en el centro de Moscú, que una vez estuvo ocupado por el KGB y ahora alberga el Servicio Federal de Seguridad (SFS), fue diseñado por Alexander V. Ivanov a finales del siglo XIX para una compañía de seguros. Tras la revolución bolchevique se adaptó para su uso más conocido y sigue siendo el núcleo de los servicios secretos rusos.

En la actualidad, Lubianka consta de tres edificios, y el SFS ocupa buena parte de un bloque de color gris situado a la izquierda del icónico edificio amarillo del centro. Esta construcción de estilo neobarroco albergó las actividades de la aseguradora Rossiya desde 1898 y hasta que los bolcheviques la requisaron 20 años después. Pasó entonces a ser la sede de la Cheka, la antecesora del KGB. El edificio fue ampliado de manera significativa en los años cuarenta, bajo la dirección del arquitecto Alexéi Schusev.

Desde su creación en 1954, el KGB era el responsable de la seguridad interna, la inteligencia y la policía secreta de la Unión Soviética. Rápidamente creó un clima de miedo y paranoia que se apoderó de la URSS durante la mayor parte del siglo XX. El edificio Lubianka y su prisión fueron un imponente símbolo de ese terror. Cualquiera que tuviera la mala suerte de que le llevaran allí en contra de su voluntad sabía que su futuro era muy negro. De hecho, un antiguo chiste ruso describe el edificio como el más alto de la ciudad, ya que se podía ver Siberia desde el sótano.

Desde la caída de la Unión Soviética se ha trabajado mucho para conseguir que la plaza Lubianka presente un aspecto un poco más agradable. Por esta razón, se retiró la estatua de Felix Dzerzhinsky —fundador de la Cheka— y en su lugar se levantó un monumento a las víctimas del gulag.

A pesar de no tener la misma reputación que su predecesor, el Servicio Federal de Seguridad sigue siendo una organización temida y opaca. En 1995 definió su imagen actual y se involucró en el control de aduanas, el contraespionaje y el antiterrorismo con una reputación de conseguir siempre "la aniquilación de los objetivos". Cuando en 2006 Alexander Litvinenko fue asesinado con polonio radiactivo hubo quien apuntó a su pasado como agente del SFS y a su posterior crítica a los servicios secretos rusos (aunque eso todavía está por demostrar ante un tribunal).

Puede que la época soviética sea ahora un recuerdo lejano, pero se puede asegurar que el edificio Lubianka todavía oculta muchos secretos.

**LA CASA DEL TERROR** *El edificio Lubyanka fue construido en 1898 siguiendo el diseño de Aleksandr V. Ivanov y 5 décadas más tarde Aleksey Shchusev le hizo unos cambios significativos. Muchos de los que llegaron a ver su interior nunca más vieron la luz del sol.*

GeoEye

### EL CENTRO DEL PODER
*Vista aérea de la plaza Lubyanka. Desde 1926 hasta 1990 fue la plaza Dzerzhinsky, nombrada así por Felix Dzerzhinsly, fundador de la temida Cheka y padrino de la policía secreta rusa y todas sus distintas formas.*

# El metro clandestino de Moscú

**UBICACIÓN:** bajo las calles Moscú, Rusia.
**CIUDAD MÁS PRÓXIMA:** Moscú, Rusia.
**MOTIVO DE INCLUSIÓN:** su existencia no ha sido reconocida. Es una red de metro secreta creada en la época soviética.

La Guerra Fría está llena de historias de trucos ingeniosos y engaños escandalosos, pero pocas historias se parecen a la de la red secreta de transporte subterráneo para uso de los funcionarios del Gobierno, construida bajo las calles de Moscú y separada por completo de la red de metro oficial. El Kremlin y el SFS (el Servicio Federal de Seguridad) se niegan todavía hoy a confirmar o desmentir su existencia.

Se dice que esta red de metro secreta, conocida como Metro-2, fue un proyecto instigado por Stalin al principio de la Guerra Fría, una época caracterizada por la paranoia en ambos bandos. Se han propuesto varias fechas para señalar el inicio de su construcción; la más antigua es 1947, cuando supuestamente se construyó una vía estrecha para conectar el Kremlin con una de las dachas de Stalin.

El nombre de Metro-2 se popularizó cuando en 1992 apareció en la novela *El submundo* de Vladimir Gonik. El autor dijo que estuvo investigando la existencia de una red subterránea que conectaba los búnkeres del gobierno desde los años setenta. Según Gonik, la red se creó para que la jerarquía soviética pudiera seguir ejerciendo el mando en caso de guerra. Es posible que el KGB le hubiera dado a la red el nombre clave de D-6.

Los que creen en la existencia del Metro-2 sostienen que consta de cuatro líneas (la más larga de ellas tendría unos 60 kilómetros) a una profundidad de entre 50 y 200 metros por debajo de la ciu-

dad. Los túneles, insisten, son casi de la misma medida que los del metro oficial, pero sin tercer raíl, lo que sugiere que los trenes funcionaban con motores diésel. Los raíles estarían colocados sobre cemento, quizá para permitir el tránsito por los túneles a otros vehículos, como coches, camiones o tanques.

Se dice que el Metro-2 conecta varios lugares importantes como el Kremlin, las oficinas centrales del SFS y el aeropuerto de Bykovo, al suroeste de la ciudad. Algunas fuentes también indican que llega hasta Ramenki, donde supuestamente se encuentra un enorme búnker con capacidad para acoger a 15.000 personas durante 30 años en caso de ataque nuclear. Para algunos, la palabra búnker se queda corta: es más bien una ciudad subterránea que podría servir como centro de mando en caso de emergencia.

Por supuesto, hay muchos escépticos dispuestos a aguarles la fiesta a los que creen que existe una red subterránea tan sofisticada. Su primer argumento es que para crear un sistema de estas ca-

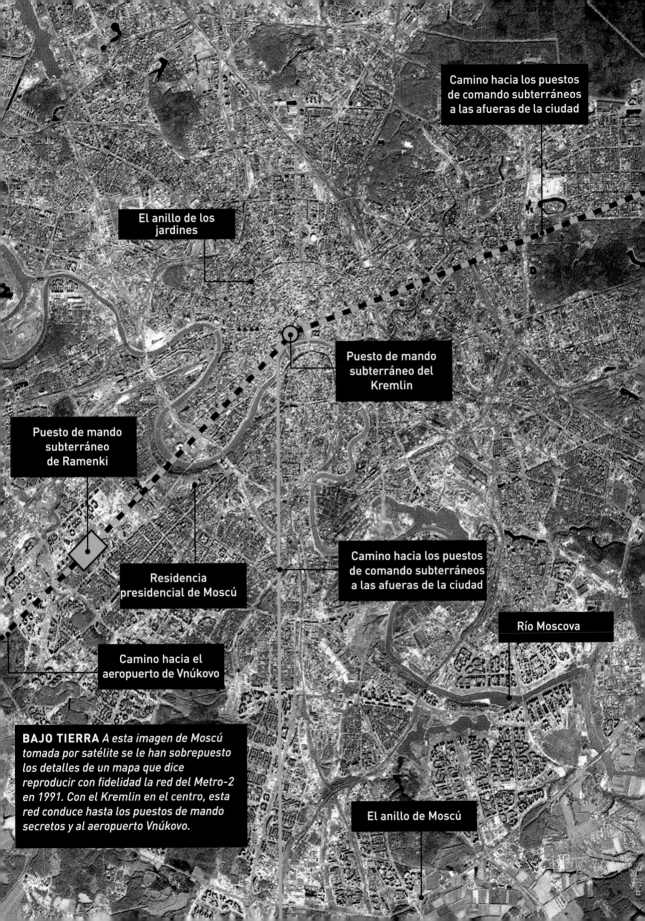

Camino hacia los puestos de comando subterráneos a las afueras de la ciudad

El anillo de los jardines

Puesto de mando subterráneo del Kremlin

Puesto de mando subterráneo de Ramenki

Residencia presidencial de Moscú

Camino hacia los puestos de comando subterráneos a las afueras de la ciudad

Río Moscova

Camino hacia el aeropuerto de Vnúkovo

**BAJO TIERRA** *A esta imagen de Moscú tomada por satélite se le han sobrepuesto los detalles de un mapa que dice reproducir con fidelidad la red del Metro-2 en 1991. Con el Kremlin en el centro, esta red conduce hasta los puestos de mando secretos y al aeropuerto Vnúkovo.*

El anillo de Moscú

**EL TREN MISTERIOSO**

*La red de metro de Moscú es conocida por sus impresionantes estaciones pero ¿hubo alguna vez una segunda red clandestina paralela a la pública? y ¿podría ser que algunos de sus trenes todavía funcionasen hoy?*

racterísticas se necesita una cantidad increíble de mano de obra y generar toneladas de escombros. ¿Dónde se han metido todos esos escombros para que ni un satélite los encuentre? Luego está la cuestión del calor. Cuanto más profundo se excava debajo de Moscú, más calor hace. Si el Metro-2 se acerca a las profundidades que se dicen, debería ser un infierno para los pasajeros y un peligro constante. Otro argumento es que el nivel freático de Moscú es muy poco profundo, y si las aguas subterráneas ya son un problema crónico en el metro oficial, ¿cómo lo sería en el Metro-2 si es aún más profundo? Se dice también que las aperturas de ventilación de estos túneles son relativamente pocas y que están muy separadas. Si aceptamos que los trenes usan diésel, la falta de ventilación no solo haría que respirar fuera desagradable, sino que también sería nocivo.

No obstante, hay pruebas significativas que demuestran que sí se construyó una segunda red de metro, y que de alguna forma todavía existe. Por ejemplo, en

1991 el Departamento de Defensa de EE UU publicó un informe sobre los cambios en el clima político mundial y concluía: "Los rusos han construido bajo tierra, tanto en la ciudad de Moscú como en las afueras. Estas instalaciones están conectadas entre sí por una red de profundas líneas de transporte subterráneo que ofrecen a sus líderes una manera rápida y segura de escapar". Además, en los últimos años antiguos funcionarios soviéticos han dejado entrever que existe algo parecido al Metro-2. Sin embargo, otros han comentado que si el sistema efectivamente existe, debe necesitar mantenimiento e importantes reparaciones para que pueda ser útil en la actualidad.

Últimamente se tiende a creer que sí existe algún tipo de red subterránea, aunque los detalles siguen abiertos a debate. Puede que fuera precisamente eso lo que los soviéticos querían, ¿de qué sirve construir un mundo subterráneo secreto si no es para mantener al enemigo ocupado devanándose los sesos sobre lo que pueda haber ahí abajo?

# 73 El monte Yamantau

**UBICACIÓN:** al sur de los Urales, República de Bashkortostán, Rusia. **CIUDAD MÁS PRÓXIMA:** Magnitogorsk, región de Chelíabinsk, Rusia. **MOTIVO DE INCLUSIÓN:** es un misterioso complejo subterráneo del Gobierno.

El monte Yamantau, en los Urales meridionales, tiene una altura de 1.640 metros y el complejo militar que se encuentra en su interior se ubica a unos 1.000 metros por debajo de la cima. La existencia de esta instalación se conoció en los años noventa gracias a unas imágenes captadas por espías estadounidenses, pero la comunidad internacional sigue sin saber con qué propósito se diseñó.

Yamantau se encuentra en una zona salpicada de complejos defensivos rusos. Cerca de allí, por ejemplo, está el pueblo de Mezhgorye, un asentamiento militar aislado que se creó alrededor de 1995 a partir de las dos guarniciones de tropas Beloretsk 15 y 16, y donde ha habido población militar permanentemente desde los años setenta. Aunque la información sobre Mezhgorye es escasa, se calcula que tiene unos 30.000 habitantes.

Se cree que la construcción del complejo del monte Yamantau se inició durante el mandato del líder comunista Leónidas Breznev (1964-82). Algunos apuntan que el recinto podría tener una extensión de más de 1.000 kilómetros cuadrados. Se dice también que tiene capacidad para alojar a 60.000 personas durante varios meses y que el enorme búnker es capaz de resistir casi cualquier tipo de ataque moderno, ya sea nuclear, químico o biológico.

En los años noventa todavía seguía en construcción y puede que el trabajo se prolongara hasta el nuevo siglo. El proyecto recibió millones del Gobierno en un tiempo en el que la Rusia poscomunista estaba recibiendo ayuda internacional para desmantelar su programa de armas nucleares. Era comprensible, por tanto, que Washington se sorprendiera cuando Rusia admitió que Yamantau estaba bajo la supervisión del Ministerio de Defensa de Moscú. El Kremlin se niega a dar más detalles sobre el propósito de esta construcción, aunque insiste en que no representa amenaza alguna para EE UU.

El lugar está bien comunicado por carretera y ferrocarril, y se le han atribuido diferentes usos: centro de minería, cámara secreta para los tesoros de la nación, depósito de comida y ropa para emergencias y hasta búnker nuclear. Otros expertos en defensa han declarado que podría ser un almacén de armas nucleares y un centro de mando alternativo. Algunos afirman que forma parte del sistema ruso llamado "la mano muerta", con el que se podría activar un ataque nuclear defensivo de forma automática. La entrada a periodistas u observadores internacionales está prohibida en toda la zona del monte Yamantau, por lo que será muy difícil confirmar cualquiera de estas teorías.

# 74 Hobyo

**UBICACIÓN:** región de Galmudug, centro de Somalia.
**CIUDAD MÁS PRÓXIMA:** Galkayo, Somalia.
**MOTIVO DE INCLUSIÓN:** acceso restringido (bajo riesgo de muerte o lesión). Es un enclave controlado por piratas en Somalia.

Hobyo es un pequeño pueblo situado en la costa este de Somalia que se ha convertido en sinónimo de piratería, un problema endémico en la región. Además de ser el hogar de muchos de los piratas, también se usa como puerto para atracar las naves secuestradas. Es un lugar sin ley donde los forasteros no son bienvenidos.

Situado en la región semiautónoma de Galmudug, Hobyo fue una vez la capital de un próspero sultanato que empezó a decaer el entrar bajo la jurisdicción del África Oriental Italiana en 1936. Hoy tiene una población de unos 12.000 habitantes. El pueblo es un conjunto de edificios destartalados y mantiene una lucha eterna para no hundirse bajo las arenas de la costa. El abastecimiento de agua es irregular, no hay ni escuelas ni hospitales en funcionamiento, los cultivos han muerto y el turismo es totalmente impensable. Para algunos, la piratería es la única solución (aunque solo unos pocos habitantes parecen beneficiarse de sus increíbles rentas). Algunos estiman que este negocio ilícito da empleo a un 10 por ciento de la población.

Los casos de piratería en aguas de Somalia han aumentado rápidamente en el siglo XXI, ya que la guerra civil ha dejado el país sin un gobierno estable capaz de desarrollar su economía. Muchos de los piratas son antiguos pescadores, y varias organizaciones internacionales han puesto de relieve el impacto que la pesca en aguas internacionales y del vertido de basuras al mar ha tenido en sus formas tradicionales de ganarse la vida. El efecto económico de los piratas en el comercio global se cuenta en miles de millones de dólares, ya que los navíos que son abordados van desde pequeños yates privados a enormes buques de carga.

Los piratas de Hobyo se parecen más a milicianos modernos que a Jack Sparrow, aunque la mayoría de los que han hablado con los medios asegura que su único interés es el dinero y no hacer daño a sus víctimas, aunque eso no sirva de consuelo a los que han caído en sus manos. También se ha especulado con que los piratas son, de algún modo, una defensa contra una posible invasión de los temidos militantes islamistas del grupo Al Shabab. Sea cual fuera el motivo, las calles de Hobyo se hallan patrulladas a menudo por niños de diez años armados con fusiles Kaláshnikov.

Las armadas de varios países envían buques de guerra a patrullar las aguas próximas a Somalia para proteger a los buques de carga. Aunque esto ha tenido algo de impacto en la capacidad de los piratas para secuestrar navíos, esta sigue siendo la única salida para muchos.

PENÍNSULA ARÁBICA

**TODOS A LA MAR** *Estos sospechosos de piratería fueron apresados por el buque USS Vella Gulf en el Golfo de Adén. El Vella Gulf forma parte de una flota internacional encargada de luchar contra la piratería y mantener el orden en una parte enorme del océano.*

Golfo de Adén

MAR ARÁBIGO

SOMALIA

ETIOPÍA

**LA ISLA DEL TESORO** *En los últimos años los piratas de Somalia han sido autores de cientos de ataques a barcos internacionales. Hobyo es tan solo uno de los pueblos costeros que viven con temor a estos bucaneros modernos y también a posibles represalias militares por parte de potencias extranjeras movidas por la frustración.*

Ataques pirata registrados

KENIA

OCÉANO ÍNDICO

# 75 La capilla del Arca de la Alianza

**UBICACIÓN:** norte de Etiopía.

**CIUDAD MÁS PRÓXIMA:** Axum, Etiopía.

**MOTIVO DE INCLUSIÓN:** es el lugar donde supuestamente se encuentra el Arca de la Alianza. El acceso está restringido.

El Arca de la Alianza se describe en el libro del Éxodo como un arcón que contenía las tablas de piedra con los Diez Mandamientos que Moisés bajó del Monte Sinaí. El Arca desapareció de Jerusalén hace mucho tiempo en circunstancias desconocidas y algunos creyentes aseguran que llegó a Axum durante el reinado de Menelik I, a mediados del siglo X a.C.

El Arca tiene un inmenso valor simbólico documentado no solo en la Biblia, sino también en las escrituras judías e islámicas. Lo que le ocurrió tras su desaparición se debate desde hace largo tiempo, pero las autoridades etíopes afirman que el Arca de la Alianza está en Axum desde hace siglos y que ahora se guarda en un erario construido especialmente para ella al lado de la iglesia de Nuestra Señora de Sion. El erario está estrechamente vigilado y rodeado de vallas, y todo ello bajo el ojo atento del sumo sacerdote, que es el único hombre a quien se le permite la entrada en la capilla.

Este virtuoso y anciano monje ocupa el cargo de forma vitalicia y no nombrará a su sucesor hasta que se encuentre en el lecho de muerte. Antaño, el Arca solía salir en procesión una vez al año, pero en los últimos tiempos la inestabilidad del clima geopolítico (en particular, las tensas relaciones de Etiopía con el estado vecino de Eritrea) ha obligado a encerrar el Arca permanentemente en su santuario, que también contiene otros tesoros, como las coronas reales de Etiopía.

El libro del Éxodo cuenta que el Arca se construyó siguiendo las instrucciones de Dios. Mide poco más de un metro de largo y 70 centímetros de ancho y alto. Está hecha de madera de acacia y cubierta de oro. Para transportarla se usaban dos varas de acacia cubiertas de oro, y dos querubines colocados encima de la tapa ejercían de guardianes.

De acuerdo con la Biblia, el Arca (cubierta de pieles y telas para que nadie pudiera posar sus ojos en ella) viajaba con los israelitas en su éxodo de Egipto. El libro de Josué también describe el papel clave que tuvo en la caída de Jericó. Más tarde, se apoderaron de ella los filisteos, mientras Salomón la veneraba después de haber tenido un sueño en el que Dios le prometía el don de la sabiduría. Los filisteos la devolvieron a los israelitas tras sufrir el azote de una serie de plagas.

Las crónicas reales de Etiopía, escritas en el siglo XIII y que sin duda sirvieron como propaganda a la dinastía que regentaba el trono en aquel entonces, sostienen que el Arca llegó a Etiopía con Menelik, de quien se dice que fue hijo del

EL MAR ROJO

## UNA RELIQUIA SAGRADA

*Este dibujo de la obra de 1728 Figures de la Bible (publicado por P. de Hont en la Haya) muestra el Arca de la Alianza en una representación del levantamiento del santuario y los utensilios sagrados tal y como lo describe la Biblia en el libro de Éxodo.*

SUDÁN

DJIBOUTI

ETIOPÍA

## UN HOGAR SAGRADO

*Un diácono de la iglesia axumita sostiene un sistro (un tipo de instrumento musical) delante del erario que se dice contiene el Arca de la Alianza. El erario está pegado a la iglesia de Nuestra Señora de Sión que se cree fue construida en el siglo IV.*

**UNA CIUDAD HISTÓRICA** *Vista aérea de Axum, capital del comercio desde el siglo IV antes de Cristo al siglo X después de Cristo. Axum está immersa en la historia y plagada de zonas de interés arqueológico. También es famosa por sus enormes obeliscos conocidos como estelas.*

región entre mediados del siglo II a.C. y el siglo X d.C. En la actualidad aún se pueden contemplar grandes obeliscos de granito, las construcciones más altas hechas en la antigüedad con un solo bloque de piedra, lo que nos habla de la importante que tuvo esta zona. Si el Arca está realmente en Etiopía, Axum es el mejor hogar que puede tener.

Ezana, el rey axumita, se convirtió al cristianismo en el año 331 d.C. y construyó la primera iglesia de Nuestra Señora unos 40 años después. Siguiendo con el relato tradicional, el Arca permaneció en Axum hasta el siglo XVI, cuando fue ocultada para protegerla del ataque de los musulmanes. Fue devuelta a la ciudad en el siglo siguiente, y en 1965 Haile Selassie, el líder etíope del que se decía que era descendiente de Menelik, construyó el erario para guardarla. Evidentemente, hay mucha gente que no cree de ningún modo que el tesoro de Axum sea la verdadera Arca. Existen otras teorías en relación a su paradero, y lo sitúan en una cueva en el monte Nebo (Jordania), en la catedral de Chartres o en Rennes-le-Château (Francia), en Temple Herdewyke (Inglaterra), en la basílica de San Juan de Letrán (Roma) o en las montañas Dumghe (Sudáfrica). Y en la película *En busca del arca perdida*, Indiana Jones la localizaba en Egipto.

Quizá sea poco realista querer saber con certeza si Axum posee el Arca verdadera. Lo que sí es verdad es que los contenidos del erario son considerados sagrados por muchísimas personas, y nadie ha podido aportar pruebas concluyentes de que esa no es el Arca original. Desafortunadamente, hay muy pocas posibilidades de entrar en el erario para comprobarlo, aunque uno se llame Indiana Jones. Lo mejor que se puede esperar es que algún día la situación política de Etiopía se calme y se estabilice lo suficiente como para que el Arca vuelva a salir en procesión.

rey Salomón y la reina de Saba. Esta versión asegura que en su lugar, en el templo de Salomón, se dejó una falsificación y que al parecer fue destruida cuando los babilonios saquearon Jerusalén en el año 586 d.C.

De esta forma, la ciudad de Axum se convirtió en la capital del reino del mismo nombre, que fue el más poderoso de la

# La central de enriquecimiento de uranio de Fordo

76

**UBICACIÓN:** provincia de Qom, norte de Irán.
**CIUDAD MÁS PRÓXIMA:** Qom, Irán.
**MOTIVO DE INCLUSIÓN:** estas instalaciones para el enriquecimiento de uranio son la mayor preocupación de la comunidad internacional.

Las instalaciones nucleares de Fordo se construyeron en la ladera de una montaña no muy lejos de la ciudad sagrada de Qom. Irán reconoció su existencia en septiembre de 2009, asegurando que tan solo eran para uso civil. Las sospechas de la comunidad internacional de que sus fines no fueran pacíficos fueron confirmadas por el Organismo Internacional de la Energía Atómica (OIEA) en enero de 2012.

Ese mes, el OIEA anunció que la central había empezado a enriquecer uranio hasta un 20 por ciento, lo cual es un paso indispensable en el proceso de fabricación de armas nucleares. Irán sigue sosteniendo que su programa de enriquecimiento de uranio no tiene como objetivo la obtención de armas nucleares (un informe de la inteligencia estadounidense en 2007 concluyó que su programa de armamento nuclear terminó en 2003), sino que el uranio enriquecido se usará como combustible en reactores de investigación y en la producción de isótopos para la lucha contra el cáncer.

Las agencias de inteligencia occidentales fueron las primeras en identificar las instalaciones en Fordo en septiembre de 2009; en ese momento Teherán reconoció que el proyecto para construirlas se inició en 2007 (aunque posteriormente el OIEA sugirió 2006 como fecha más probable). Para cumplir con sus obligaciones hacia el OIEA, Teherán debería haber informado de forma voluntaria de las características de la central mucho antes de lo que lo hizo.

La central está excavada en la montaña para reducir la posibilidad de ataques aéreos, está bien fortificada y se encuentra también cerca de unas instalaciones militares equipadas con defensas antiaéreas y un depósito subterráneo de misiles. Irán reivindica que estas medidas de precaución son para proteger su legítimo programa nuclear de posibles ataques de Estados Unidos o Israel.

Algunas fuentes aseguran que el poblado de Fordo fue el que más porcentaje de población perdió en la guerra con Irak que tuvo lugar entre 1980 y 1988. No es fácil imaginar lo que deben de pensar ahora sus habitantes al encontrarse otra vez en medio de una disputa con trasfondo militar. Fordo está a 30 kilómetros al norte de Qom, que a su vez se encuentra a 150 kilómetros al suroeste de Teherán, y es un lugar de peregrinaje y un importante centro de formación para los musulmanes chiíes.

El programa nuclear de Irán se ha usado unas veces como amenaza y otras como moneda de cambio durante un largo pulso entre Teherán y Occidente. El Gobierno del

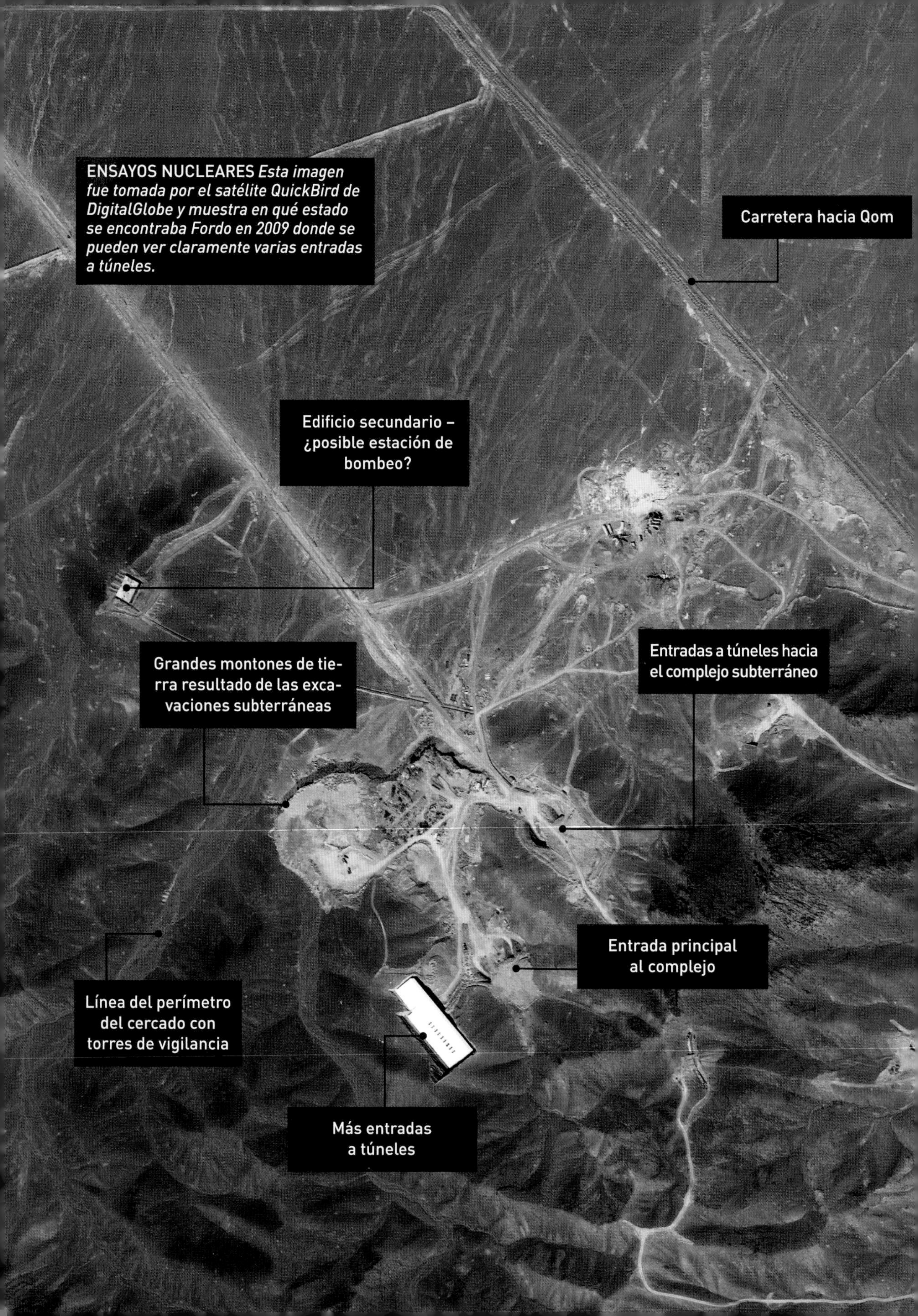

ENSAYOS NUCLEARES *Esta imagen fue tomada por el satélite QuickBird de DigitalGlobe y muestra en qué estado se encontraba Fordo en 2009 donde se pueden ver claramente varias entradas a túneles.*

Carretera hacia Qom

Edificio secundario – ¿posible estación de bombeo?

Entradas a túneles hacia el complejo subterráneo

Grandes montones de tierra resultado de las excavaciones subterráneas

Entrada principal al complejo

Línea del perímetro del cercado con torres de vigilancia

Más entradas a túneles

*El Presidente de Irán, Mahmoud Ahmadinejad (tercero por la izquierda), hizo una visita a la planta nuclear en Bushehr en 2006. Desde su ascensión al poder Ahmadinejad ha defendido duramente el derecho de Irán a desarrollar un programa nuclear pacífico.*

presidente Mahmoud Ahmadinejad comunicó a los inspectores del OIEA que su intención era producir uranio enriquecido al 5 por ciento (el nivel usual en la producción de energía nuclear), pero en 2011 anunció que se estaba trabajando con un enriquecimiento de hasta un 20 por ciento, tomando así el relevo a la polémica central de Natanz, en la provincia de Isfahán.

Fordo no es el único lugar del país que preocupa a la comunidad internacional. Entre otros está la central eléctrica nuclear de Bushehr —se creó en 1974 como un proyecto conjunto entre el Sha y Alemania Occidental, pero se abandonó después de la revolución islámica en 1979 y se retomó en 1990 con la ayuda de Rusia—, la planta de producción de agua pesada en Arak (operativa en 2013), una mina de uranio en Gachin (abierta en 2004) y, quizá lo más inquietante, el complejo militar de Parchin, donde se cree que puede haber un laboratorio de desarrollo de armas nucleares.

Las sospechas alrededor de los propósitos nucleares de Irán se ven incrementadas por la actitud reacia del país a colaborar con las inspecciones del OIEA, a los que debe someterse como firmante del Tratado de No Proliferación Nuclear. En noviembre de 2011 la OIEA hizo público que Irán había iniciado actividades "relacionadas con el desarrollo de un artefacto explosivo nuclear", aunque no confirmó si Irán podría acabar produciendo esa bomba, ni cuándo. Como resultado de su negativa a acogerse a las normas establecidas por el OIEA, Teherán ha sufrido varias sanciones por parte de la ONU, EE UU y la UE.

Irán asegura no tener interés en desarrollar su capacidad para construir armas nucleares e insiste en que está ejerciendo su derecho a tener un programa nuclear para uso civil. Ahmadinejad ha declarado: "No necesitamos una bomba atómica. Los iraníes somos sabios. No construiremos dos bombas atómicas mientras ustedes [EE UU] tienen 20.000 cabezas nucleares". Por otro lado, el líder supremo de Irán, el ayatolá Alí Jamenei, emitió una *fatua* contra las armas nucleares.

Aun así, Irán, como Corea del Norte, se ha dado cuenta de que mantener un poco de misterio alrededor de sus capacidades nucleares puede ser una buena moneda de cambio a la hora de negociar a nivel internacional. Y para ello, ¿qué mejor que construir instalaciones bajo las montañas?

# Las cuevas de Tora Bora

**UBICACIÓN:** provincia de Nangarhar, Afganistán.
**CIUDAD MÁS PRÓXIMA:** Jalalabad, Afganistán.
**MOTIVO DE INCLUSIÓN:** el acceso a la supuesta red de cuevas que sirvió de escondite a Osama Bin Laden está restringido.

Las cuevas de Tora Bora acapararon la atención mundial en 2001, cuando fueron el blanco de los ataques de EE UU contra los talibanes y la Al Qaeda de Osama Bin Laden. Después de una batalla feroz, Bin Laden consiguió escapar de las fuerzas estadounidenses y evitó su captura durante otros diez años. Tora Bora se convirtió en objeto de rumores, mitos y confusión, entre los cuales aún es difícil distinguir la verdad.

Las cuevas de Tora Bora se formaron de forma natural por el agua que atravesaba la piedra caliza de las Montañas Blancas al este de Afganistán. La cordillera alcanza los 4.000 metros de altura y sus picos escarpados están a menudo cubiertos de nieve. Las cuevas se hallan cerca de la frontera con Pakistán y durante la década de los ochenta su forma laberíntica sirvió de base a los insurgentes muyahidines que luchaban contra la ocupación soviética del país, que empezó en 1979. Los rebeldes ampliaron las cuevas usando dinero de la CIA y fue entonces cuando Bin Laden entró en contacto con la organización estadounidense. Se dice que más tarde usó parte de su propia fortuna (y sus conocimientos como ingeniero) para ampliarlas aún más y hacer unas mejoras en profundidad.

Después de idear el ataque terrorista del 11 de septiembre contra EE UU, Bin Laden se refugió en el complejo secreto, parece ser que junto a un pequeño ejército de combatientes talibanes y de Al Qaeda. A principios de diciembre, tres meses después de los ataques, las fuerzas afganas de la Alianza del Norte, apoyadas por un pequeño número de tropas estadounidenses, empezaron a asaltar las cuevas. Por aquel entonces Tora Bora ya llevaba varias semanas siendo bombardeada y sufriendo ataques aéreos. La batalla fue dura y se alargó varias semanas más hasta que los hombres de Bin Laden abandonaron el lugar. Se cree que el líder terrorista escapó alrededor del 16 de diciembre. En 2009, el Comité de Asuntos Exteriores del Senado de los EE UU declaró que la batalla de Tora Bora representó una oportunidad de oro para capturar a Bin Laden y que si el asalto a las cuevas hubiera estado mejor coordinado, no se habría escapado hasta 2011 *(véase p. 196)*.

Cuando tuvo lugar la batalla, los medios de comunicación occidentales describieron Tora Bora con tintes extraordinarios y a menudo dijeron que era "impenetrable". Un periódico de gran reputación como *The Times*, por ejemplo, publicó el esquema de una auténtica fortaleza, digna de un villano de James Bond. Estaba abastecida por una planta de energía hi-

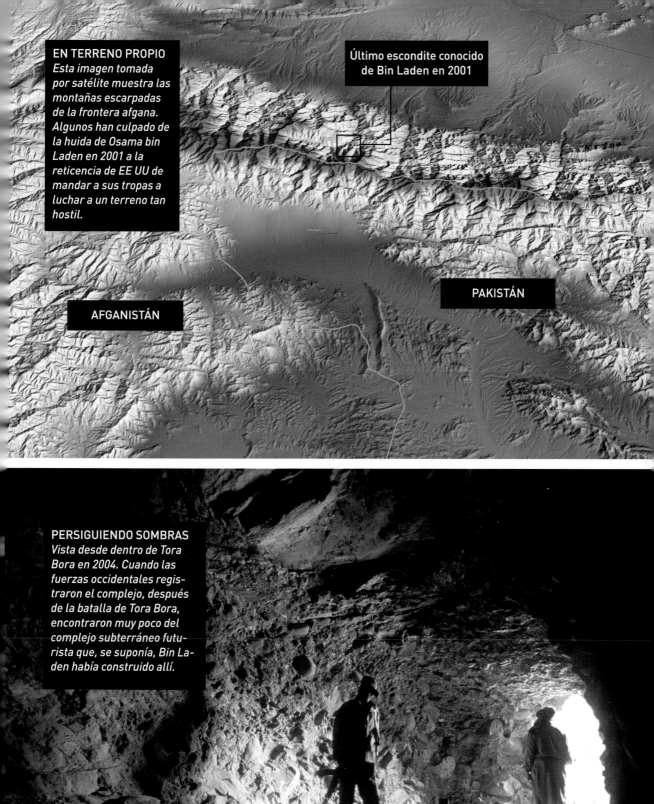

**EN TERRENO PROPIO**
*Esta imagen tomada por satélite muestra las montañas escarpadas de la frontera afgana. Algunos han culpado de la huida de Osama bin Laden en 2001 a la reticencia de EE UU de mandar a sus tropas a luchar a un terreno tan hostil.*

Último escondite conocido de Bin Laden en 2001

PAKISTÁN

AFGANISTÁN

**PERSIGUIENDO SOMBRAS**
*Vista desde dentro de Tora Bora en 2004. Cuando las fuerzas occidentales registraron el complejo, después de la batalla de Tora Bora, encontraron muy poco del complejo subterráneo futurista que, se suponía, Bin Laden había construido allí.*

*Un grupo de combatientes afganos anti talibán mira las columnas de humo producidas durante el bombardeo de EE UU en Tora Bora en 2001. El ataque de EE UU se llevó a cabo con bombas BLU-82 apodadas "daisy cutter" pero a pesar de la intensidad del ataque Bin Laden logró escapar.*

droeléctrica, tenía cableado para la iluminación, la ventilación y los enchufes, y disponía de despachos, dormitorios y salas comunes, arsenales subterráneos y salidas secretas con puertas de acero con trampas. En otras publicaciones se describían túneles lo suficientemente grandes para que los cruzaran los tanques. Fue como si los editores hubieran dado a sus periodistas libertad total para ser imaginativos en tanto que produjeran algo atractivo que encajara con las imágenes bélicas.

Lo que realmente se encontraron las fuerzas de la Alianza del Norte en el interior de las cuevas poco tenía que ver con lo que se decía en los medios de comunicación. Efectivamente, no era la guarida subterránea de un villano de cómic. Encontraron búnkeres excavados de manera precaria en la montaña, algunos sostenidos por trozos de madera y otros que no eran lo suficientemente altos como para estar de pie. El suelo estaba cubierto de barro y escombros (ni rastro de las paredes suaves y enyesadas que algunos se habían inventado). Había restos de munición repartida por el suelo (tanto nueva como usada).

No era fácil saber cuántos combatientes habían acampado dentro de Tora Bora, pero parecía difícil que fueran efectivamente los miles de guerreros bien armados que habían sido descritos en los periódicos. No hubo una captura masiva de combatientes de Al Qaeda y algunos empezaron a decir que quizá se había malinterpretado el concepto de Al Qaeda como organización. Cuando a Donald Rumsfeld, el secretario de Estado de Defensa de EE UU, se le presentaron los planos imaginarios de Tora Bora, dijo en referencia al complejo: "No tienen uno como este, tienen muchos". Finalmente, solo la primera parte de su declaración era correcta.

En 2010 las tropas de la OTAN aún luchaban contra las fuerzas insurgentes dentro de Tora Bora, pero esta vez ya no se imaginaban que dentro hubiera una fortaleza del siglo XXI. Sigue siendo un misterio cómo los medios de todo el mundo pudieron equivocarse tanto en 2001. Se podría decir que era un síntoma inicial de la guerra contra el terrorismo, que, como la Guerra Fría, estaba a menudo llena de suposiciones, paranoias y mitos.

# 78

# Diego García

**UBICACIÓN:** archipiélago de Chagos, océano Índico.
**CIUDAD MÁS PRÓXIMA:** Malé, Maldivas.
**MOTIVO DE INCLUSIÓN:** es una isla en la que el ejército de EE UU lleva a cabo importantes operaciones militares.

Diego García es oficialmente territorio británico en el océano Índico, y desde principios de los años setenta ha servido de base estratégica para el ejército estadounidense. Aunque la isla es de facto un territorio de EE UU, los chagosianos que vivían aquí siguen luchando por su derecho a volver. Mientras tanto, la entrada a la isla está prohibida, salvo para militares y personal autorizado.

La isla es un atolón —una isla de coral con una laguna interior— situado en el océano Índico, al sur de las Maldivas, y tiene un área de 174 kilómetros cuadrados. Fue bautizada así en honor a Diego García de Moguer, un marinero español que, se dice, avistó la isla alrededor de 1550. Esta permaneció deshabitada hasta que los franceses establecieron allí un asentamiento a finales del siglo XVIII. Durante un tiempo estuvo en manos de la Compañía Británica de las Indias Orientales, antes de que los franceses la reclamaron para usarla como leprosería hasta 1793, cuando empezó a funcionar la primera plantación de coco.

En 1814, después de la derrota de Napoleón, se firmó el Tratado de París que concedía la isla a Inglaterra, que la gobernaba desde Isla Mauricio. La población residente de trabajadores de las plantaciones fue creciendo en los siglos posteriores. Durante un breve periodo de tiempo, desde 1942 a 1946 hubo una base británica de hidroaviones al este de la isla.

En 1966, EE UU, ansioso por tener una posición estratégica en el océano Índico durante la Guerra Fría, logró un acuerdo con Reino Unido para utilizar a largo plazo el territorio británico en la región. Fue un acuerdo que beneficiaba a ambas partes: los ingleses estaban encantados de reducir sus compromisos militares y ahorrar dinero (también obtuvieron un interesante descuento de 14 millones de dólares en la compra de misiles Polaris), mientras que EE UU ganaba un punto estratégico a cambio de relativamente poco dinero y menos molestias.

Diego García parecía la isla perfecta, con un gran puerto natural y suficiente espacio para una pista de aterrizaje, pero Washington puso una condición: quería una isla deshabitada y no deseaba tener problemas con los nativos. Desafortunadamente, en Diego García había una población permanente de varios cientos de chagosianos (también conocidos como îlois), descendientes de generaciones de trabajadores de las plantaciones. Algunos tenían raíces familiares que se remontaban al siglo XVIII. De acuerdo con la ley internacional, sus intereses deberían haber prevalecido.

**OBSERVANDO A LAS ESTRELLAS** *La isla acoge uno de los tres GEODSS de EE UU (sistemas electro-ópticos de observación del espacio profundo en tierra) para rastrear objetos hechos por el hombre en la órbita de la tierra hasta 32.000 kilómetros de distancia.*

**GUERRA Y PAZ** *Bombarderos de las Fuerzas Aéreas de EE UU en la pista 13 de Diego García preparados para entrar en acción sobre Afganistán a finales de 2001. Lo que una vez fue un remanso de paz en medio del océano Índico se ha convertido en un elemento clave para las estrategias militares de los EE UU*

Para evitar este problema, se recurrió a una triquiñuela legal: los habitantes de Diego García pasaron a ser "trabajadores de paso", desposeyéndoles así de sus derechos. Reino Unido les informó de que eran residentes ilegales, a no ser que pudieran aportar una documentación, por supuesto inexistente, que acreditara su derecho a residir en la isla. Los británicos comenzaron así el proceso para su traslado, que algunos aseguran que fue a la fuerza. Las plantaciones fueron desmanteladas, y las provisiones de comida y medicinas se terminaron y no fueron repuestas. En 1971, la mayoría de los residentes fueron reubicados en otras islas del archipiélago, a Isla Mauricio o a Seychelles, mientras contemplaban su futuro con incertidumbre.

**CARGA MORTÍFERA** *Un caza B-2 Spirit Northrop Grumman lanza misiles durante una sesión de entrenamiento. En Diego García hay unos hangares especialmente diseñados para acoger estos bombarderos furtivos de última generación. Los EE UU llevan usando los B-2 Spirit en sus operaciones militares desde finales de los años 90.*

Los norteamericanos ya tenían la isla desierta que querían para empezar a usarla de inmediato. En 1977 se había construido una base naval, y además se construyeron unas instalaciones portuarias para flotas navales y se instaló una base aérea militar junto con un complejo de comunicaciones y rastreo de última generación. Todo esto costó varios miles de millones de dólares y quedaba claro que los norteamericanos se instalaban en la isla a largo plazo. Desde entonces, la isla ha estado siempre protegida por un silencio hermético. Fue una base clave para los bombarderos del ejército norteamericano en las guerras de Afganistán e Irak durante la primera década del siglo XXI y se usó, no sin crear polémica, como lugar de paso en el traslado aéreo ilegal de prisioneros hacia Guantánamo *(véase p. 94)*. Ningún periodista ha obtenido jamás un permiso para visitar la isla.

En la actualidad, la población residente se sitúa entre las 3.000 y las 5.000 personas, entre militares y funcionarios, y Washington no tiene intención, ahora menos que nunca, de reducir su presencia en la región. Pero, contra todo pronóstico, la nación chagosiana sigue luchando por volver a su isla. Su causa recibió un notable empuje cuando el Tribunal Supremo británico sentenció que la expulsión había sido ilegal.

Posteriormente, dictámenes de otras cortes parecieron anular esa decisión, pero el proceso legal sigue abierto hasta hoy y el Tribunal Europeo de Derechos Humanos sigue considerando el caso. En 2010, WikiLeaks reveló que el Gobierno británico estaba pensando en declarar el territorio británico del océano Índico una reserva marina, eliminando así cualquier posibilidad de repoblación. Hasta que se tome una decisión final, la isla que una vez fue un paraíso en el océano ahora es un enclave militar secreto vital para la política exterior de Estados Unidos.

# El escondite de Osama Bin Laden en Abbottabad

**79**

**UBICACIÓN:** Khyber Pakhtunkhwa, Pakistán.
**CIUDAD MÁS PRÓXIMA:** Islamabad, Pakistán.
**MOTIVO DE INCLUSIÓN:** fue el largamente buscado escondite de Osama Bin Laden, y en 2011, el lugar de su muerte.

El 2 de mayo de 2011, el presidente estadounidense, Barack Obama, anunció al mundo que las fuerzas especiales Navy Seal habían encontrado y matado a Osama Bin Laden, el hombre más buscado de la Tierra. Más tarde se supo que Bin Laden había vivido durante años en un pueblo de clase media de Pakistán, pasando desapercibido a pesar de residir cerca de una base militar.

Abbottabad es un próspero pueblo situado en el valle Orash, al norte del país. Es un destino popular para el turismo de montaña y está rodeado de un paisaje de colinas ondulantes, desde donde se accede a la carretera del Karakórum, que forma parte de la Ruta de la Seda.

El pueblo fue fundado en 1853 por el comandante James Abbot, miembro del ejército británico, durante la anexión del Punjab. A lo largo de muchos años ha albergado la Academia Militar de Pakistán (donde se forman los oficiales del ejército de la nación) y entre su población se encuentran numerosos militares retirados. Sus residentes podrían decir que Abbottabad es un lugar tranquilo y seguro para vivir.

Aquí es donde vivió el responsable de los ataques terroristas de 11 de septiembre de 2001, entre otros crímenes, sin ser descubierto durante por lo menos cinco años. Cómo pudo suceder esto sigue siendo un misterio por resolver y es una de las razones que han tensado las relaciones entre Washington e Islamabad.

**A PUERTA CERRADA** *Esta imagen muestra que los habitantes del complejo estaban bien protegidos y escondidos. A pesar de ello los servicios de inteligencia internacionales cuestionan que Bin Laden pudiera permanecer escondido sin la ayuda de personajes poderosos dentro de Pakistán.*

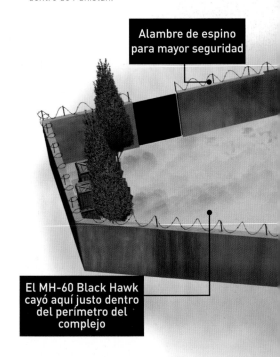

Alambre de espino para mayor seguridad

El MH-60 Black Hawk cayó aquí justo dentro del perímetro del complejo

Se cree que la construcción de lo que acabaría siendo el complejo fortificado de Bin Laden finalizó en 2005 y el dueño era un tal Abu Ahmed al-Kuwaiti. Se encuentra a pocos metros de la Academia Militar y consta de tres pisos con al menos ocho habitaciones y 3.500 metros cuadrados en total. Está rodeado por un muro de entre cuatro y seis metros coronado con alambre de espino. El edificio tiene relativamente pocas ventanas y el tercer piso (donde vivía Bin Laden) está rodeado con su propio muro para darle "intimidad". La entrada al recinto se hacía a través de una puerta de seguridad y había instala-das numerosas cámaras de vigilancia, aunque no disponía de línea de teléfono ni acceso a Internet.

Varias fuentes indican que Bin Laden probablemente se mudó a este recinto el 6 de enero de 2002. La dirección oficial es: casa número 3, calle número 8-A, Garga Road, Thanda Chowa, Colonia Hashmi, Abbottabad, pero los vecinos lo llamaban Waziristan Haveli. Haveli significa "mansión" en la lengua local, mientras que Waziristan, irónicamente, es el nombre de una región de Pakistán donde se creyó durante años que se escondía Bin Laden.

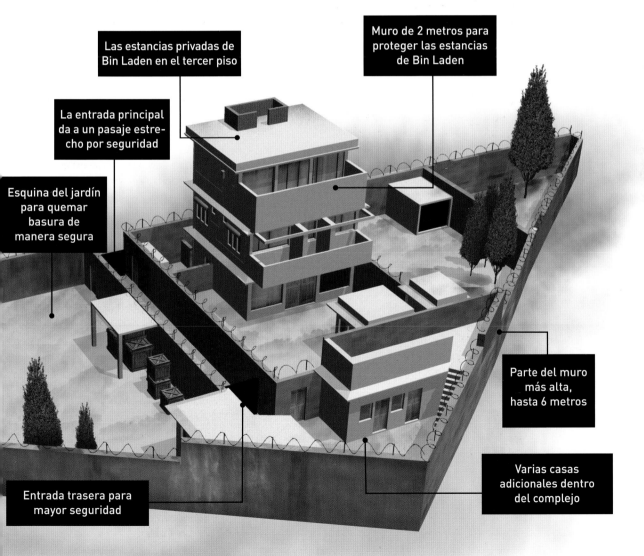

Las estancias privadas de Bin Laden en el tercer piso

Muro de 2 metros para proteger las estancias de Bin Laden

La entrada principal da a un pasaje estrecho por seguridad

Esquina del jardín para quemar basura de manera segura

Parte del muro más alta, hasta 6 metros

Entrada trasera para mayor seguridad

Varias casas adicionales dentro del complejo

Los servicios de inteligencia estadounidenses seguían desde hacía tiempo a Al-Kuwaiti, a quien habían identificado como el mensajero de Bin Laden. Una vez que descubrieron que vivía en Abbottabad, no fue difícil ver que su casa reunía todas las características de un escondite. Comenzó así una larga operación de vigilancia hasta que se comprobó que quien se escondía dentro de la mansión era efectivamente Bin Laden. El 2 de mayo de 2011, en una operación llamada Lanza de Neptuno, 24 comandos Seal procedentes de Afganistán llegaron a Abbottabad en dos helicópteros Black Hawk (uno de los cuales sufrió un accidente y tuvo que ser abandonado). Tras destruir el muro exterior del complejo con explosivos, entraron en el edificio y se enfrentaron a varios residentes, con los que mantuvieron intensos tiroteos antes de localizar a Bin Laden y matarle de un disparo a la una de la madrugada. Después de confirmar su identidad, se llevaron su cuerpo, que posteriormente fue sepultado en el mar.

El complejo hoy está bajo la protección de las fuerzas policiales de Pakistán. A los curiosos se les permite acercarse a lo que queda del muro externo, pero la entrada al recinto no está permitida. Parece ser que los servicios secretos de Pakistán tienen la intención de destruir el edificio para que no se convierta en un santuario para yihadistas. Antes de que eso ocurra, será analizado minuciosamente para descubrir cómo pudo ocultar a un personaje tan buscado durante tanto tiempo.

La estructura del edificio era bastante atípica pero no levantó ninguna sospecha. Los vecinos notaron que los habitantes del complejo eran muy reservados y que el recinto no estaba muy cuidado. Si los niños del barrio colaban una pelota en su parcela sin querer mientras jugaban al críquet, desde dentro se les daba una compensación económica muy generosa, pero la pelota nunca era devuelta, lo cual, visto ahora, era una medida de seguridad. Los ocupantes tampoco se deshacían de sus residuos de una manera normal, sino que tenían una zona exterior en la que quemaban las basuras, aunque todo esto se pudo considerar en su momento como un rasgo de una cierta excentricidad, más que como algo siniestro.

# La Línea de Control

**UBICACIÓN:** norte del subcontinente indio.
**CIUDAD MÁS PRÓXIMA:** Islamabad, Pakistán/ Srinagar, India.
**MOTIVO DE INCLUSIÓN:** es la línea que separa India y Pakistán en el conflictivo territorio de Cachemira.

Cuando los británicos abandonaron el control de la India en 1947 el país estaba dividido en dos estados independientes y en dos grandes grupos religiosos: la India hindú y el Pakistán musulmán. Como resultado de los caprichos de la política, Cachemira se convirtió en el centro de una amarga disputa que ya dura siete décadas. Mientras tanto, el acceso a la zona está prohibido a forasteros.

Una de las consecuencias de la Segunda Guerra Mundial fue el fin del dominio británico sobre India. A partir de entonces, cada estado pudo elegir entre formar parte de la nueva India o formar parte de Pakistán. Con una población predominantemente musulmana, se asumió que tanto Jammu como Cachemira escogerían la segunda opción. Sin embargo, ante las dudas de Hari Singh, el marajá hindú del estado, el territorio sufrió ataques por parte de Pakistán. El marajá pidió apoyo militar a los británicos y se le ofreció a cambio de la promesa de que se unirían a la nueva India. Jammu y Cachemira pasaron así a ser un único estado indio con mayoría musulmana, dando pie a un encarnizado e inevitable conflicto armado.

La ONU supervisó el alto el fuego entre ambas partes y exigió que se hiciera una consulta sobre el futuro del estado que nunca se llevó a cabo. El escenario ya estaba listo para un prolongado tira y afloja entre India y Pakistán que culminó en sangrientas ofensivas militares en 1965, 1971 y 1999, y estallidos de violencia algo menores en los periodos intermedios.

India controla la parte sur de Cachemira —que para su administración es el estado de Jammu y Cachemira—, que alberga dos tercios de la población total de la región (unos nueve millones de personas). Por otro lado, Pakistán administra la parte norte del territorio, las provincias de Gilgit-Baltistán y Cachemira Azad, con una población conjunta de unos tres millones de personas. Ninguna de las dos partes reconoce la jurisdicción de la otra. Para complicar aún más las cosas, China reclama como suya Aksai Chin y el paso Trans-Karakorum en el nordeste de la región. India y China se enfrentaron por este motivo en 1962.

La Línea de Control tal y como está ahora se extiende a lo largo de 734 kilómetros a través de densos bosques, montañas imponentes y otros terrenos accidentados. Aunque no es una frontera internacionalmente reconocida, funciona como tal entre India y Pakistán, y sus orígenes se remontan a la línea de alto el fuego establecida por la ONU después de los conflictos de 1947-1948 (aunque se modificó ligeramente según los tér-

AFGANISTÁN

CHINA

Parte del norte
(controlada por
Pakistán)

Srinagar

Jammu y Cachemira
(controladas por India)

PAKISTÁN

INDIA

### PAZ INTRANQUILA
*Un soldado indio vigila desde la Línea de Control en el puesto de Baraf a unos 165 kilómetros al norte de Srinagar. Aún en los periodos de calma prevalece una tensión latente a lo largo de la frontera, una disputa agravada por el hecho de que tanto India como Pakistán poseen un arsenal nuclear.*

minos del Acuerdo de Simla de 1972, que puso fin a las renovadas hostilidades).

La Línea de Control se instauró con la esperanza de que se respetara hasta que se encontrara una solución a largo plazo. Aunque la ONU se mantiene en la Línea como agente observador, India no reconoce su jurisdicción, pero tolera su presencia. Tanto India como Pakistán coinciden en que hay que llegar a un acuerdo bilateral sin intervención internacional.

A pesar de las negociaciones que tuvieron lugar mientras se dibujaba la Línea, las diferentes interpretaciones siguen causando enfrentamientos. En los momentos de mayor tensión, se han llegado a acumular 80.000 soldados a lo largo de la Línea, a veces acampados en las montañas, a menos de cien metros de distancia del enemigo. La situación, que ya es de por sí delicada, se ha visto agravada por la aparición de un grupo armado separatista entre los musulmanes del lado de India que no quiere pertenecer a ninguno de los dos estados.

En los años noventa India empezó a construir una barrera diseñada, según se afirmó, para cortar de raíz el abastecimiento de armas a militantes del lado indio y evitar incursiones desde el lado pakistaní. Fue terminada en 2004 y está formada en dos hileras de alambre de espino con multitud de alarmas y de una altura que varía, según el tramo, entre 2,5 y 4 metros. El terreno entre las dos vallas está plagado de minas. Pakistán sostiene que la barrera rompe varios acuerdos bilaterales e internacionales y que la frontera debería seguir sin delimitar. Islamabad asegura que las minas han mutilado y matado a muchos civiles que solo llevaban a cabo sus actividades laborales diarias. India dice que el número de ataques por parte de pakistaníes se ha visto reducido en un 80 por ciento en tan solo un año tras terminar la construcción de la barrera.

El resultado sigue siendo una zona cerrada al mundo exterior y totalmente estancada. La economía es paupérrima y tiene pocas perspectivas de recibir inversiones significativas mientras las fuerzas indias, pakistaníes y separatistas continúen intentando resolver el conflicto a tiros. Se calcula que en los peores periodos de lucha el territorio ha sufrido hasta 400.000 bombardeos en un mes. Las relaciones indo-pakistaníes del nuevo siglo han estado lejos de ser cordiales y, con ambos países presumiendo de su arsenal nuclear, Cachemira nunca lo ha tenido peor. Como en la mayoría de guerras modernas, es la población civil la que paga el precio más alto, obligada a vivir en tierra de nadie.

**SIEMPRE ALERTA** *Un grupo de militantes armados en una base del lado pakistaní de la Línea de Control en 1999. La disputa no es tan solo entre aquellos que quieren pertenecer a India o Pakistán si no que también hay otros grupos reclamando su autonomía y además están los intereses de China sobre la región que aún complican más la situación.*

# Las cámaras del templo Sri Padmanabhaswamy

**UBICACIÓN:** distrito de Thiruvananthapuram, Kerala, India.
**CIUDAD MÁS PRÓXIMA:** Thiruvananthapuram, India.
**MOTIVO DE INCLUSIÓN:** es el lugar donde se descubrieron en 2011 multitud de tesoros de valor incalculable.

El templo Sri Padmanabhaswamy fue construido en el siglo XVIII. Cuando en 2011 se abrieron sus cámaras por primera vez después de un siglo se encontró oro, plata y joyas cuyo valor se estima en más de 15.000 millones de dólares. Parte del tesoro se gastó inmediatamente en mejorar la seguridad del templo.

El templo está dedicado al dios hindú Visnú y fue construido por los gobernantes del reino de Travancore (que se unió a Cochin en el siglo XX convirtiéndose así en la moderna Kerala). La construcción contiene seis grandes cámaras de granito en las que se depositaron ofrendas a Visnú durante varios cientos de años.

Después de que la India consiguiera la independencia en 1946, el control del templo pasó a manos de una fundación administrada por descendientes de la dinastía Travancore. Sin embargo, había dudas sobre la capacidad de la fundación para proteger el templo y su contenido, y en 2011 el Tribunal Supremo de la India formó un organismo independiente para inventariar las riquezas y hacer los cambios necesarios para garantizar su seguridad. Se cree que varias de las cámaras subterráneas estaban cerradas desde hacía más de 130 años.

Algunas de las cámaras contenían más riquezas que otras, pero pocos esperaban hallar la cantidad de objetos valiosos que acabó apareciendo. El tesoro oculto contenía ídolos de oro macizo, una cadena de oro que se dice que pesa más de tres kilogramos, diamantes antiguos a puñados y hasta dos cáscaras de coco doradas adornadas con esmeraldas y rubíes.

El templo se convirtió de la noche a la mañana en el más rico del estado, lo que obligó a revisar los sistemas de seguridad, que hasta entonces habían sido más laxos. Antes, el templo disponía de unos 50 guardias para gestionar la seguridad del día a día y controlar las multitudes, pero ahora cuenta con unos 250 oficiales de policía que patrullan la zona e impiden el paso a posibles intrusos. Se han hecho cambios para instalar cierres de última generación en las cámaras, al tiempo que se han cambiado las ventanas y las puertas del templo por unas nuevas con cristal reforzado y barras de acero. Además, se han instalado cámaras de vigilancia, detectores de metales, escáneres de rayos X y un sistema de alarmas sensibles al movimiento.

El descubrimiento del tesoro, quizá de forma inevitable, abrió inmediatamente un debate sobre quién era el dueño de las riquezas, pero muchos dijeron que debían ser consideradas un bien público.

# La isla Sentinel del Norte

**UBICACIÓN:** islas Andamán en la bahía de Bengala.
**CIUDAD MÁS PRÓXIMA:** Port Blair, Gran Andamán.
**MOTIVO DE INCLUSIÓN:** una isla remota poblada por gente que rechaza todo contacto con el mundo exterior. Acceso restringido.

La isla Sentinel del Norte tiene una extensión de 72 kilómetros cuadrados y una población de entre 50 y 400 sentineleses, un pueblo indígena de piel oscura y escasa estatura que es uno de los pocos que ha logrado evitar el contacto con el mundo moderno. Los sentineleses defienden ferozmente su aislamiento y cualquier intento de poner un pie en la isla será recompensado con una lluvia de flechas.

La isla Sentinel del Norte está situada al oeste del extremo meridional de las islas Andamán del Sur, y es una de las 572 islas repartidas en un arco de 800 kilómetros. Los sentineleses son cazadores y recolectores y no parecen haber desarrollado ninguna forma de agricultura. Su dieta incluye frutas, nueces, tubérculos, pescado, cerdos salvajes, miel, huevos de gaviota y tortugas. Su idioma es diferente a cualquier otro hablado en el conjunto de islas, lo que ha llevado a los expertos a deducir que han debido de evitar el contacto incluso con vecinos cercanos durante varios miles de años. La isla no tiene puertos naturales y está rodeada de arrecifes de coral inexplorados que han contribuido a mantener alejados a los visitantes y aislados a los sentineleses, ya que sus barcas rudimentarias solo pueden navegar en lagunas tranquilas.

En 1880, Maurice Portman, un administrador del Raj británico, lideró una expedición hasta Sentinel del Norte. Después de algunos días de exploración, Portman y su equipo capturaron a seis nativos (dos adultos y cuatro niños) y los llevaron a Port Blair, la capital administrativa de las islas. La iniciativa acabó en desastre cuando los adultos murieron por enfermedad. Los huérfanos fueron enviados de vuelta a casa con un montón de regalos, una pobre compensación para su pérdida.

Desde los años sesenta ha habido varios intentos de contacto con los sentineleses, pero sin éxito. Incidentes como el de 1974, cuando un equipo de documentalistas fue atacado y el director recibió una flecha en el muslo, no son raros. Después de muchos años de visitas a la isla y de ofrecer regalos, el primer contacto amistoso filmado se consiguió en 1991.

En cualquier caso, intentos similares para acercarse a otros grupos indígenas de las islas terminaron en tragedia cuando sus poblaciones se vieron severamente diezmadas al verse expuestas a enfermedades para ellos desconocidas. Debido a la presión que recibieron las autoridades por parte de grupos que creen que no se debería forzar a los sentineleses a entrar en contacto con el mundo moderno, el Gobierno abandonó toda estrategia de acercamiento en 1996.

INDIA

BIRMANIA
(MYANMAR)

BAHÍA DE BENGALA

ISLAS ANDAMÁN
Y NICOBAR

**LOS VISITANTES NO SON
BIENVENIDOS** *En 2004 un nativo recibe a un helicóptero con una muestra de hospitalidad tradicional senti-
nelesa. Un helicóptero de la guardia
costera india sobrevoló la isla para
comprobar el estado de esta después del devastador tsunami del
océano índico. La isla salió milagro-
samente indemne, como siempre.*

# 83 Naypyidaw

UBICACIÓN: entre las cordilleras de Bago Yoma y Shan Yoma, Birmania.
CIUDAD MÁS PRÓXIMA: Pyinmana, Birmania.
MOTIVO DE INCLUSIÓN: es la nueva capital del Gobierno birmano, conocido por su secretismo.

En 2006 Naypyidaw, cuya traducción aproximada es "morada de reyes", fue declarada la nueva capital de Birmania (también conocida como Myanmar). Los motivos por los cuales la hermética administración birmana ha decidido llevar la capital a un polvoriento y aislado lugar situado a 320 kilómetros de su predecesora Yangon (Rangún) siguen siendo un misterio.

La ciudad consta de 8 distritos, tiene un área de 7.000 kilómetros cuadrados y presume de casi un millón de habitantes. Se empezó a construir a principios de 2002 y a finales de 2005 se inició el proceso de traslado de las estructuras principales de la administración desde Yangon a su nuevo emplazamiento, que se ha convertido en Naypyidaw. De hecho, empezó exactamente a las 6.37 h de la mañana del 6 de noviembre, momento escogido por su particular relevancia astrológica por los asesores del militar y máximo líder del país, el general Than Shwe. Se esperaba que la mudanza estuviera terminada a principios de 2006, pero la falta de infraestructuras en Naypyidaw hizo que muchos de los funcionarios prefirieran no trasladar a sus familias, con lo que todo el proceso se vio retrasado.

La ciudad está diseñada para que todo el mundo sepa cuál es su lugar. Hay una zona dedicada a los vendedores y un distrito entero (donde el acceso a civiles está prohibido) para militares. Los pisos se reparten entre los ciudadanos por edades y por estado civil. Hasta los tejados están codificados por colores, dependiendo del departamento del Gobierno para el cual trabajen sus habitantes. Parece ser que los funcionarios no pueden tener líneas de teléfono privadas, sino que deben usar teléfonos públicos. Un sector escogido de trabajadores de rango superior vive en mansiones y hay un palacio presidencial. También hay rumores no confirmados que sugieren la existencia de túneles subterráneos y búnkeres.

La primera vez que la ciudad se mostró públicamente como tal fue el 27 de marzo de 2006 —el Día de las Fuerzas Armadas, que conmemora la fecha en que Birmania se rebeló contra la ocupación japonesa—. Después de un desfile espectacular de 12.000 trabajadores, fue en esa jornada cuando la ciudad tuvo su ceremonia de nombramiento en la que fue oficialmente declarada como capital del país. Se dice que las imágenes de la nueva metrópolis se limitan a mostrar qué sucedió en el desfile.

El motivo que llevó al Gobierno a cambiar de capital sigue siendo objeto de debate.

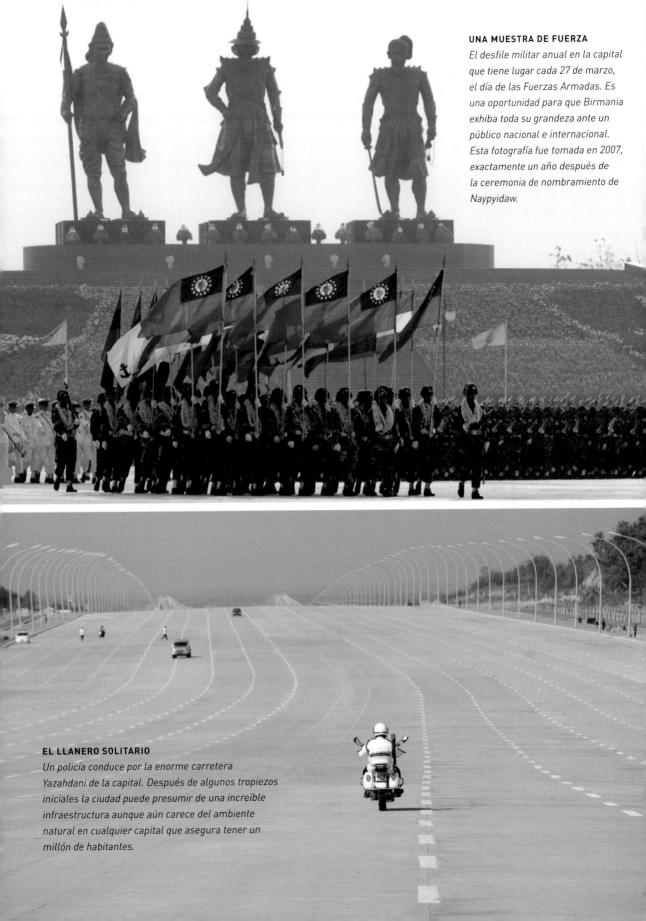

**UNA MUESTRA DE FUERZA**

*El desfile militar anual en la capital que tiene lugar cada 27 de marzo, el día de las Fuerzas Armadas. Es una oportunidad para que Birmania exhiba toda su grandeza ante un público nacional e internacional. Esta fotografía fue tomada en 2007, exactamente un año después de la ceremonia de nombramiento de Naypyidaw.*

**EL LLANERO SOLITARIO**

*Un policía conduce por la enorme carretera Yazahdani de la capital. Después de algunos tropiezos iniciales la ciudad puede presumir de una increíble infraestructura aunque aún carece del ambiente natural en cualquier capital que asegura tener un millón de habitantes.*

**LA PAGODA DORADA**

**LA PAGODA DORADA**

*La pagoda Uppatasanti de la capital (también conocida como "la pagoda de la paz") es uno de sus puntos de referencia más importantes. Abrió en 2009, mide casi 100 metros de altura y recuerda la pagoda Schwedagon de Yangon, la antigua capital. En su interior se encuentra un diente de Buda, donado por el líder militar General Than Shwe.*

La versión oficial es que Yangon estaba demasiado superpoblada y colapsada para un gobierno con planes de expansión. Además, Naypyidaw tiene una localización más céntrica y puede ejercer influencia para estabilizar una de las regiones más turbulentas del país.

También es cierto que Birmania tiene experiencia en cambiar la ubicación de la sede del Gobierno, como por ejemplo en 1859, cuando la capital se trasladó de Amarapura a Mandalay (otra capital construida de la nada), y otra vez más a Yangon (más conocida como Rangún) en 1885, después de la conquista británica. Puede que con Naypyidaw el líder autócrata del país, Than Shwe, viera una oportunidad de dejar atrás ese legado.

Otros creen que el traslado es simbólico en un gobierno que hace tiempo que mira hacia el interior. Yangon estaba situada en la costa y estaba lejos de ser una fortaleza impenetrable. La administración birmana lleva tiempo evitando una relación cercana con el exterior y así Naypyidaw ofrece mejores posibilidades a la hora de defenderse de cualquier ataque exterior. Aún más importante es el hecho de que el traslado puede evitar una revuelta interna. Yangon era una ciudad próspera que veía el Gobierno al mismo nivel que los civiles, pero cuesta imaginar que se pueda desatar una revolución en el ambiente estéril y antinatural de Naypyidaw. Por el contrario, algunos observadores piensan que el Gobierno no ha jugado bien sus cartas al distanciarse físicamente (y también psicológicamente) de la población a la que gobierna y que además ha aumentado las probabilidades de una revuelta popular en el futuro. De todos modos, solo el tiempo dirá si habrá o no una revolución en el país donde la líder demócrata más popular, Aung San Suu Kyi, ha pasado la mayor parte de su vida en prisión o bajo arresto domiciliario.

Lo que sí es cierto es que los gobernantes de Birmania hace tiempo que actúan lejos de la vigilancia de la comunidad internacional. Ahora tienen una capital donde los extranjeros necesitan permisos para entrar y donde los agentes de viajes se ponen nerviosos hasta para vender billetes de tren.

# La prisión central de Bang Kwang

**UBICACIÓN:** al lado del río Phraya, provincia de Nonthaburi, Tailandia. **CIUDAD MÁS PRÓXIMA:** Bangkok, Tailandia. **MOTIVO DE INCLUSIÓN:** es una de las prisiones con peor fama del mundo, un lugar de alta seguridad.

A unas pocas millas al norte de Bangkok, la prisión central de Bang Kwang es conocida irónicamente como "el Hilton de Bangkok". Construida en los años treinta, es una instalación de máxima seguridad que nunca deja de preocupar a los observadores internacionales. Los internos son todos hombres condenados a muerte o que cumplen condenas de larga duración (normalmente 25 años).

Muchos de sus internos están condenados por crímenes relacionados con las drogas; entre ellos hay un pequeño pero significativo grupo de extranjeros. Las condenas por drogas son especialmente severas en Tailandia como parte de la dura estrategia del país para luchar contra el contrabando que asedia al Triángulo de Oro de Asia (al que Tailandia pertenece, junto con Birmania, Laos y Vietnam). A los que están condenados a muerte se les avisa por lo general solo dos horas antes de ser ejecutados por inyección letal.

La prisión está permanentemente masificada (hay más de 8.000 internos, varios miles por encima de su capacidad) y con falta de personal, con un ratio de un guardia por cada 50 reos. En una celda puede haber hasta 30 internos durmiendo en el suelo. Una bombilla desnuda queda encendida toda la noche y hay un inodoro en una esquina de cada celda. El sustento se limita a un cuenco de arroz con un caldo pobre y sin proteínas.

Se dice que se obliga a los prisioneros a llevar grilletes por lo menos durante los primeros meses en la prisión, aunque los representantes de Bang Kwang siempre lo han negado. Y los internos que tienen la mala suerte de acabar en la enfermería (a menudo por causa de graves enfermedades como resultado de la falta de higiene y la malnutrición) son encadenados a las camas. Durante las horas de visita, los reos se sientan en bancos de cara a los visitantes, pero entre ellos hay dos vallas separadas por un metro de distancia que impiden cualquier comunicación normal. Varios organismos internacionales alertan a menudo de los riesgos que estas normas tienen para con el bienestar psicológico de los internos.

# Las extrañas estructuras del desierto de Gobi

**UBICACIÓN:** frontera entre provincia de Gansu y región autónoma de Xinjian, China. **CIUDAD MÁS PRÓXIMA:** Dunhuang, provincia de Gansu. **MOTIVO DE INCLUSIÓN:** actividades secretas; formas misteriosas captadas por satélite.

En una extensión remota del desierto de Gobi, en medio de una red de centros de investigación chinos, unas imágenes por satélite captaron una serie de estructuras y objetos extraños el año 2011. En seguida empezaron a surgir diversas teorías para explicar qué podrían ser, algunas más plausibles que otras. Sin embargo, a día de hoy sigue sin haber una explicación concluyente.

El desierto de Gobi se encuentra entre el norte de China y el sur de Mongolia, y tiene una extensión de más de un millón de kilómetros cuadrados. En resumen, es el lugar perfecto si necesitas un montón de espacio y un poco de intimidad. Como tal, se ha convertido en un centro para programas espaciales y de defensa de China.

En 2011 aparecieron una serie de fotos aéreas que mostraban peculiares estructuras gigantes en medio del desierto y que avivaron la curiosidad de la comunidad internacional. Las imágenes mostraban:
• Estructuras rectangulares cuyos lados miden más de un kilómetro y medio.
• Una red de líneas blancas en intersección, dispuestas de manera aparentemente aleatoria.
• Una serie de círculos concéntricos en cuyo centro había tres aviones.
• Un círculo hecho con bloques de color naranja, cada uno del tamaño de un contendor de transporte.
• Una estructura en forma de cuadrícula con una extensión de casi 30 kilómetros.
• Una acumulación artificial de agua.

• Cuadrados metálicos cubiertos de unos restos sin identificar.

No hay zonas residenciales cerca del área afectada, pero varios observadores han apuntado que en un radio de 600 kilómetros se hallan la base aérea militar de Ding Xin —conocida por el desarrollo de programas secretos— y los lagos de agua salada de Lop Nur —donde se llevaron a cabo varias pruebas nucleares hasta mediados de la década de 1990—. Por otro lado, la base de Jiuquan *(véase pág. 212)* está a menos de 150 kilómetros de distancia.

Algunos han insinuado que las formaciones han sido diseñadas para simular la distribución de calles o quizá para actuar como diana para pruebas con misiles. Otros han sugerido que podría ser una enorme planta de energía solar o una potabilizadora de agua. La verdad sigue siendo que nadie fuera de China parece saberlo y se mantiene como un auténtico misterio de la era moderna. También seduce mucho la idea de que sea una travesura ideada en Pekín para mantener ocupadas a las agencias de inteligencia de la comunidad internacional.

GeoEye

# Base de lanzamiento de satélites de Jiuquan

**UBICACIÓN:** frontera entre la provincia de Gansu y Mongolia Interior, China.
**CIUDAD MÁS PRÓXIMA:** Jiuquan, China.
**MOTIVO DE INCLUSIÓN:** actividades secretas; es la base de lanzamiento del programa espacial chino.

En 2003 Yang Liwei se convirtió en el primer hombre que China ponía en órbita. Con su despegue desde la base de Jiuquan, China pasó a ser el tercer país en conseguir esta proeza. El recinto, alejado del foco mediático gracias a su aislada localización en el desierto, tiene como centro del programa espacial la base de lanzamiento sur. No obstante, la mayor parte del complejo queda fuera del ojo público.

La construcción de un centro para cohetes se inició en 1958 con la ayuda de la Unión Soviética. Al principio parecía que Jiuquan serviría para probar misiles tierra-aire y tierra-tierra, noticia que hizo saltar la alarma en Washington en 1963. Originalmente se llamó Base 20 y fue el centro más importante de China para el desarrollo y test de misiles hasta 1980. Esta tarea se desarrollaba en lo que se conoce como base de lanzamiento norte, una instalación que empezó a ser desmantelada en 1996.

La base de lanzamiento sur, con su torre de 105 metros de altura, emergió de las arenas del Gobi en los años noventa como sede del programa espacial de China. Las condiciones climatológicas de la región aseguran el éxito de los lanzamientos un 80 por ciento del año, mientras que su aislada localización reduce el riesgo de caída de cohetes sobre áreas habitadas.

El primer lanzamiento se hizo a finales de la década y el gran acontecimiento de la misión de Yang Liwei, llamada Shenzhou 5, tuvo lugar en 2003. Tras orbitar el planeta catorce veces, el primer *taiko-nauta* regresó a tierra convertido en héroe y comprobó que el nombre de Jiuquan estaba ya grabado en la conciencia nacional.

Del mismo modo que la carrera espacial se desarrolló durante la Guerra Fría entre las dos superpotencias mundiales —Estados Unidos y la URSS— en la segunda mitad del siglo XX, la exploración espacial para la poderosa China del siglo XXI tampoco pretende únicamente superar las barreras científicas. Quizá tan importante como ese objetivo es el papel que un programa espacial puede jugar en la candidatura de China como nueva superpotencia (en especial cuando recientemente su único rival, Estados Unidos, se ha visto obligado a pelear para conseguir financiar sus misiones).

La ambición de China en este campo se ha estado gestando durante mucho tiempo. Por ejemplo, Deng Xiaoping, el líder de facto del país entre 1978 y 1992, declaró: "Si China no es capaz de desarrollar una bomba nuclear ni lanza ningún satélite, tal vez no debería llamarse a sí misma 'una gran potencia'".

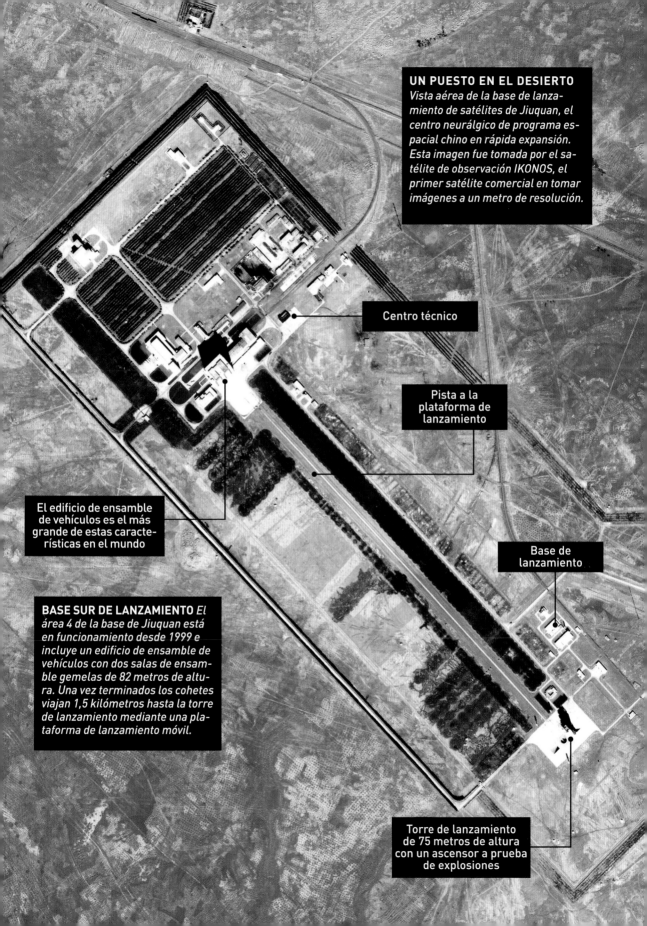

**UN PUESTO EN EL DESIERTO**
*Vista aérea de la base de lanzamiento de satélites de Jiuquan, el centro neurálgico de programa espacial chino en rápida expansión. Esta imagen fue tomada por el satélite de observación IKONOS, el primer satélite comercial en tomar imágenes a un metro de resolución.*

Centro técnico

Pista a la plataforma de lanzamiento

Base de lanzamiento

El edificio de ensamble de vehículos es el más grande de estas características en el mundo

**BASE SUR DE LANZAMIENTO** *El área 4 de la base de Jiuquan está en funcionamiento desde 1999 e incluye un edificio de ensamble de vehículos con dos salas de ensamble gemelas de 82 metros de altura. Una vez terminados los cohetes viajan 1,5 kilómetros hasta la torre de lanzamiento mediante una plataforma de lanzamiento móvil.*

Torre de lanzamiento de 75 metros de altura con un ascensor a prueba de explosiones

**DESPEGUE** *Lanzamiento de un cohete* Larga Marcha 2F *desde Jiuquan el 25 de setiembre de 2008 llevando la nave* Shenzhou 7. *Esta fue la tercera operación espacial dirigida por China y puso una tripulación de 3 personas en órbita. La polémica se desató cuando* Shenzhou 7 *pasó a unos escasos 45 kilómetros de la Estación Espacial Internacional.*

Una segunda misión tripulada, Shenzhou 6, se lanzó desde Jiuquan en 2005, esta vez con dos *taikonautas*. La siguió la Shenzhou 7 en 2008, yendo un paso más allá con la incorporación de actividad extravehicular (un paseo espacial, en lenguaje llano). Mientras que los pioneros americanos y soviéticos de la carrera espacial probaban cada pequeño avance con frecuentes misiones, el método chino es más esporádico, pero cada nueva misión representa un paso de gigante. En última instancia, China aspira a poner en órbita la primera estación permanente con tripulación, a establecer una base en la Luna y, quizá, incluso a enviar una misión tripulada a Marte.

En un gesto sin precedentes por parte de Pekín, periodistas de todo el mundo han sido invitados a presenciar el trabajo altamente tecnológico que se lleva a cabo en Jiuquan —o al menos a ver ciertas áreas concretas, como la base sur y la ciudad espacial de Donfeng—, que es el centro de trabajo de varias decenas de miles de empleados (tanto militares como científicos) y sus familias. Equipado con modernos servicios, como escuelas, cines, centros de belleza y establecimientos de comida rápida, no es extraño pensar en todo el proyecto como en una especie de parque temático espacial, y, de hecho, incluso los fuertemente controlados grupos de turistas han sido bien recibidos en algunas zonas de Jiuquan. Por lo que parece, el programa espacial chino se desarrolla en medio de una apertura poco usual.

Sin embargo, sigue habiendo sospechas de que las intenciones en Jiuquan vayan más allá de la exploración espacial. La base es enorme, con un área de 2.800 kilómetros cuadrados y línea propia de ferrocarril que enlaza con la red nacional. Mientras la base sur pone en evidencia el empeño incansable de la humanidad por convertirse en dueña del universo, lo que ocurre en el resto del recinto es bastante más misterioso. Casi todas las áreas se hallan cerradas al público y disponen de personal militar que patrulla permanentemente para asegurarse de que se respetan las zonas de exclusión. Se dice que los lugares en los que las miradas curiosas no son bienvenidas corresponden a una base aérea, una estación de radares de seguimiento y un centro de desarrollo de misiles balísticos. Como muy bien saben en Estados Unidos y la antigua URSS, la tecnología espacial genera gran cantidad de avances científicos aplicables a otras disciplinas, y numerosos observadores opinan que el papel de Jiuquan en los progresos militares de China podría muy bien llegar a ser tan importante como lo son sus proyectos espaciales.

# La tumba de Qin Shi Huang

UBICACIÓN: provincia de Shaanxi, China.
CIUDAD MÁS PRÓXIMA: Xian, China.
MOTIVO DE INCLUSIÓN: enclave de un misterio histórico, ya que es la legendaria tumba del primer Emperador de China.

Qin Shi Huang reinó desde el año 221 a.C en un vasto imperio de estados —en aquel momento desunidos— que sería la base del estado chino moderno. Con objeto de levantar un monumento funerario en su propio honor, el Emperador ordenó la construcción de un mausoleo espectacular. Aunque en las últimas décadas ha visto la luz una parte del recinto —como el increíble Ejército de Terracota—, casi todo sigue aún enterrado.

Qin Shi Huang ascendió al trono en el estado chino de Qin en 246 a.C. a la edad de trece años. Personaje ambicioso y con un gran ego, pasó buena parte de su vida planeando su legado, y la construcción de su mausoleo se inició poco después de su llegada al trono. De algún modo también encontró tiempo para unir un dispar grupo de reinos en guerra imponiendo el orden con gigantescos proyectos para crear infraestructuras (entre otros, el precursor de la Gran Muralla China), al tiempo que acometía reformas económicas y políticas radicales, como la estandarización de divisas, pesos y medidas. Por este motivo se le conoce popularmente como el Primer Emperador de China.

A medida que su éxito como líder aumentaba, también lo hacía su ambición en los planes para su vida después de la muerte. Se ha dicho que en un intento de descubrir el elixir de la vida consumió todo tipo de sustancias que poco a poco le hicieron perder la cordura. Desoyendo los consejos de sus asesores geománticos (que ofrecían guía espiritual basándose en la interpretación de los accidentes geográficos), eligió las montañas Li como el lugar

idóneo para su proyecto. Hoy tienen el mismo tamaño que la gran Pirámide de Guiza, pero en tiempos de Qin Shi Huang eran bastante más grandes. Se encuentran a 35 kilómetros al este de Xian, entre las montañas Lishan y el río Wei.

El Emperador dedicó una zona de varios kilómetros de ancho alrededor de la montaña al gran proyecto. El mausoleo fue diseñado para que plasmara los planes que tenía para la gran capital dinástica, Xianyang, donde su "palacio" estaría en el centro de "las murallas de la ciudad", que estarían cercadas por una segunda muralla. Sima Qian, conocido como el Gran Historiador de China, escribió sobre la construcción de la tumba unos cien años después de la muerte del Emperador. En sus memorias, Sima Qian explica que 700.000 personas trabajaron en su construcción. Algunos expertos han declarado que esta cifra puede ser exagerada, pero en cualquier caso nos da la medida de la magnitud de la empresa.

Sima Qian también describe cómo tres ríos fueron excavados y llenados de bronce. En el suelo se talló un mapa del Impe-

**EL GRAN SECRETO** *La reconstrucción del interior de la tumba se basa en varias fuentes de información que a menudo se contradicen entre sí y difieren en datos básicos como la altura de la tumba. Sin embargo todas afirman que nadie jamás consiguió adentrarse en el sepulcro, ni siquiera ningún profanador de tumbas en la antigüedad.*

**La tumba original seguramente medía 115 metros de altura**

**Complejos que rodeaban el templo (ahora desaparecidos)**

**Pirámide empinada con 4 escalinatas para procesiones**

**"La entrada intermedia" cámara que contiene el ataúd del Emperador**

**Las fosas que contienen los guerreros de Xian están repartidas por los alrededores**

**Cámara externa que replica un mapa del mundo entonces conocido**

**Las entradas a la tumba están selladas y se han perdido. Hay trampas antiguas como ballestas automáticas que aún podrían funcionar**

**SIEMPRE PRESENTE** *Hoy el mausoleo de Qin Shi Huang aún forma un impresionante montículo de 43 metros de altura. Las estructuras de alrededor ya no están y la antigua pirámide está cubierta de árboles. Aunque la tumba sigue atrayendo miles de turistas cualquier iniciativa arqueológica no oficial está estrictamente prohibida.*

**UNA GUARDIA DE HONOR** *Los magníficos guerreros del Xian con más de 8.000 soldados, 650 caballos y 130 carros, fueron redescubiertos a mediados de los años 70 después de llevar más de 2.000 años escondidos. Esto nos da una idea del gusto por los excesos que adquirió Qin Shi Huang.*

rio Qin en su totalidad y en el techo se incrustaron piedras preciosas para simular al cielo nocturno. Ríos de mercurio fluyeron por montañas de bronce. Para añadirle un toque lúgubre a la historia, se dice que para proteger su localización, el Emperador hizo matar a todos y cada uno de los trabajadores una vez terminada la construcción, y muchos fueron enterrados en la misma montaña. Esta historia suena muy poco creíble, pero se han extraído más de 4.000 muestras de tierra que han mostrado niveles de vapor de mercurio sorprendentemente elevados, con lo que puede que esté basada en hechos reales después de todo.

En 1974 un grupo de poceros encontró por casualidad un hoyo en el terreno que supuso el primer indicio de lo que podría contener la tumba. Se halló la primera prueba de los guerreros de terracota, la guardia de honor del Emperador esculpida en tamaño natural. Este gran ejército —formado por tropas a pie y carros tirados por caballos— se estima que está compuesto por 8.000 figuras. Posteriormente se hallaron otros hoyos con figuras de actores, bailarines, músicos, acróbatas y funcionarios. Todo el personal que se puede necesitar en la otra vida.

Otras excavaciones arqueológicas han descubierto alrededor de 180 lugares de interés dentro del complejo funerario,

desde torres hasta oficinas, y a la lista se siguen añadiendo nuevas estancias. Se cree que la tumba de Qin Shi Huang pueda estar revestida de bronce dentro de una sala construida ex profeso y repleta de tesoros. El Emperador llenó el mausoleo de trampas para disuadir a posibles intrusos, y se dice que hay una red de ballestas preparada para disparar en el caso de que alguien consiga entrar. Se han llevado a cabo estudios no invasivos del terreno y al parecer las cámaras principales, sorprendentemente, no han sido profanadas. Eso es todo un logro en un país donde el saqueo de tumbas es un negocio organizado y muy lucrativo. En 2010, por ejemplo, se saqueó la tumba del rey Zhuang Xiang, padre de Qin Shi Huang. La tumba de su hijo puede que sea el tesoro arqueológico más importante del mundo junto con, en todo caso, la de Tutankamón. Como tal, el mausoleo se encuentra bajo la más estricta vigilancia y a día de hoy haría falta un ladrón experto o temerario para saquearla.

Las autoridades chinas han denegado todas las peticiones de equipos científicos para excavar el área donde se encuentra la tumba propiamente dicha, entre otras razones porque en el pasado este tipo de excavaciones ha tenido consecuencias nefastas a causa de los malos métodos de trabajo. Al menos por el momento, el Emperador seguirá descansando en paz.

# La base de submarinos de Hainan

**UBICACIÓN:** provincia de Hainan, al sur de China.
**CIUDAD MÁS PRÓXIMA:** Haikou, China.
**MOTIVO DE INCLUSIÓN:** desarrollo de actividades secretas; se trata de una base subterránea de submarinos.

A pesar de que los rumores circulaban desde 2002, no fue hasta 2008 cuando los satélites confirmaron que la fuerza naval del Ejército Popular de Liberación estaba construyendo una base en la isla de Hainan. Esta se encuentra en la costa sur del territorio chino y da acceso al mar de China Meridional. Se cree que se está construyendo la base para albergar gran parte de la flota de submarinos nucleares.

China construyó esta base naval en Hainan lejos de la mirada pública, a pesar de no estar muy lejos de la ciudad de Sanya, un popular destino turístico. Pekín se ha negado a dar detalles del motivo de tal construcción, pero una revista muy respetada, *Janes Intelligence Review,* que fue el primer medio en confirmar la existencia de la base, afirma que podría ser usada para "operaciones tanto de expedición como de defensa".

El complejo incluye un puerto lo suficientemente grande como para alojar submarinos nucleares y también portaaviones, ya que cuenta con muelles de casi 1.000 metros. Más intrigante aún es la existencia de una red de once túneles construida en colinas de alrededor con unas entradas de 20 metros de altura. Se ha sugerido que estos túneles podrían esconder de los satélites espía hasta 20 submarinos nucleares. Además de esto, las aguas que rodean la isla en varios kilómetros tienen una profundidad que alcanza los 5.000 metros, lo que permitiría a las naves sumergirse rápidamente, siendo así prácticamente imposibles de detectar.

La construcción representa para China una base desde la que poder ejercer una mayor influencia sobre las rutas de transporte del mar de China Meridional y que son vitales para conseguir el petróleo y los minerales que sostienen la economía del país. También podría ofrecer a China la oportunidad de aumentar su presencia militar en la disputa por los grupos de islas Spratly y Paracelso, y de paso poner nervioso a Taiwán.

Los archipiélagos de Spratly y Paracelso han sido el centro de disputas acerca de su soberanía durante siglos, pero la carrera por asegurarse las influencias adecuadas se ha avivado en décadas recientes con la intervención no solo de China y Taiwán, sino también de Vietnam, Malasia y Filipinas. En realidad el foco del conflicto tiene poco que ver con las islas y mucho con sus aguas territoriales, ya que se cree que podrían albergar enormes reservas de petróleo y gas. Además de todo esto, la base podría contribuir a posibles planes del Gobierno para convertirse en una "armada de agua azul", con presencia más allá del mar de China Meridional.

Provincia de
Guangxi

VIETNAM

MAR DEL SUR
DE CHINA

FILIPINAS

UN MONSTRUO MARINO *Imagen de un submarino nuclear del Ejército de Liberación Popular chino en 2009. El potencial económico de las aguas alrededor de Asia ha llevado a la flota de submarinos del continente a una impresionante expansión mientras que las naciones luchan por establecer su soberanía sobre las aguas.*

ALBERGANDO GRANDES AMBICIONES
*Vista aérea de la impresionante construcción que se puede ver en la base de Hainan. Ha sido claramente construida para acomodar construcciones navales pesadas y ha suscitado preocupaciones entre varios competidores regionales de China.*

# La tumba de Genghis Khan

**UBICACIÓN:** se cree que está en la provincia de Khentii, Mongolia.
**CIUDAD MÁS PRÓXIMA:** Ulan Bator, Mongolia.
**MOTIVO DE INCLUSIÓN:** ubicación incierta; es la última morada del legendario líder mongol.

Bautizado con el nombre de Temujin al nacer, Genghis Khan consiguió construir el imperio mongol uniendo diferentes tribus nómadas, ganándose así la reputación de ser uno de los más temidos guerreros de la historia. Siguiendo sus deseos, fue enterrado con un secretismo total: la ubicación de su tumba sigue siendo hoy un enigma, a pesar de los numerosos intentos realizados por localizarla.

Genghis Khan tenía poco más de 40 años cuando se convirtió en el líder de los mongoles a principios del siglo XIII. Durante su reinado sentó las bases de un enorme imperio que acabaría extendiéndose desde China hasta Hungría. Su título, Genghis Kan, causaba pavor tanto entre sus súbditos como entre sus enemigos. Pero fue mucho más que un tirano sanguinario: introdujo un sistema de escritura y trabajó por el acercamiento entre las culturas orientales y occidentales.

Murió en 1227 a la edad de 67 años. La causa exacta de su muerte es polémica y hay teorías que barajan un accidente a caballo, una enfermedad y hasta un escándalo sexual. En cualquier caso, siguiendo una tradición tribal, quiso ser enterrado en secreto y que el lugar no estuviese señalizado. Para este fin se tomaron medidas y precauciones poco populares. Dice la leyenda que los miembros de su séquito funerario degollaron a todo el que tuvo la mala suerte de cruzarse en su camino. Los esclavos que cavaron su tumba fueron asesinados al finalizar su trabajo para que no revelaran el lugar y, a su vez, los soldados que los mataron también murieron. Se dice que el lugar donde Genghis Khan fue enterrado se disimuló haciendo que caballos lo pisotearan, plantando árboles encima y hasta desviando un río para esconder la entrada a la tumba.

El debate respecto a la ubicación del cuerpo del Emperador sigue más que abierto. Muchos creen que seguramente esté en la provincia de Khentii, en Mongolia, quizá cerca de Burkhan Kaldun, la montaña sagrada donde nació Temujin. En 2004 un grupo de arquitectos aseguró haber encontrado el buscadísimo palacio perdido en la región que muchos expertos decían debía encontrarse cerca de su tumba. A su vez, el Dr. Albert Yu-Min Lin, de la Universidad de California en San Diego, sigue buscando su tumba y ha creado un pequeño ejército de aficionados entusiastas para estudiar las imágenes de satélite de Khentii.

Aun así la tumba sigue siendo escurridiza y no hay duda de que así lo hubiera querido el Emperador. De acuerdo con la tradición mongola, mientras su tumba permanezca inalterada, su alma seguirá a salvo.

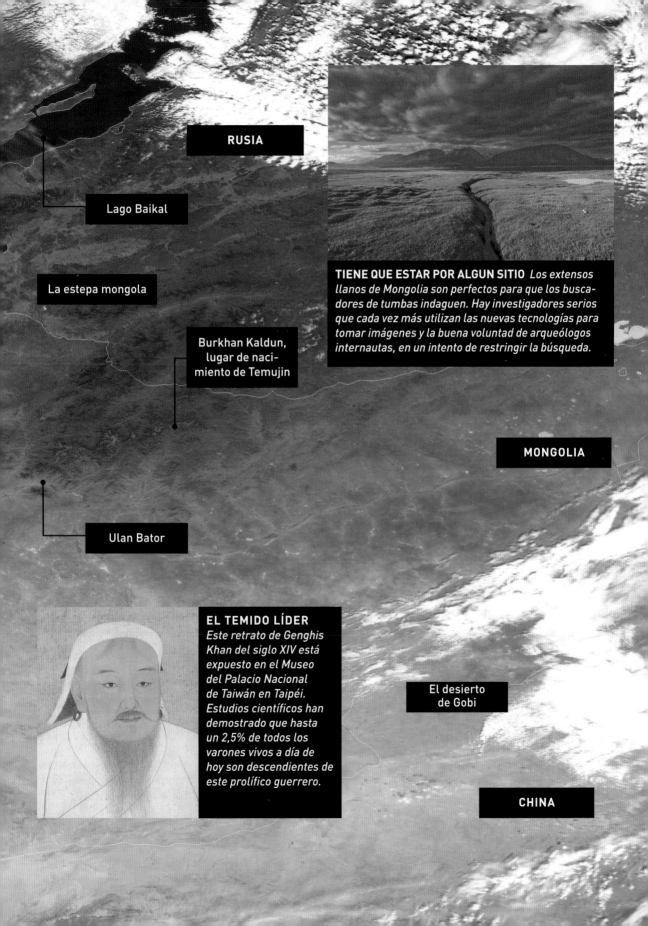

RUSIA

Lago Baikal

La estepa mongola

Burkhan Kaldun, lugar de naci-miento de Temujin

**TIENE QUE ESTAR POR ALGUN SITIO** *Los extensos llanos de Mongolia son perfectos para que los busca-dores de tumbas indaguen. Hay investigadores serios que cada vez más utilizan las nuevas tecnologías para tomar imágenes y la buena voluntad de arqueólogos internautas, en un intento de restringir la búsqueda.*

MONGOLIA

Ulan Bator

**EL TEMIDO LÍDER**
*Este retrato de Genghis Khan del siglo XIV está expuesto en el Museo del Palacio Nacional de Taiwán en Taipéi. Estudios científicos han demostrado que hasta un 2,5% de todos los varones vivos a día de hoy son descendientes de este prolífico guerrero.*

El desierto de Gobi

CHINA

# La base militar cibernética de China

**UBICACIÓN:** Pekín, China.
**CIUDAD MÁS PRÓXIMA:** Pekín, China.
**MOTIVO DE INCLUSIÓN:** desarrollo de actividades secretas; es la primera línea de fuego de China en la era de la guerra cibernética.

Desde la llegada de Internet, los futurólogos han predicho que las guerras que una vez se lucharon en los campos de batalla y se ganaron con artillería, en el futuro se librarían en el mundo virtual con los clics del ratón como telón de fondo. En 2010 China pareció acercarnos más a esa realidad cuando anunció la creación de una base del Gobierno para la defensa cibernética.

Los hay que sostienen de manera muy convincente que ya vivimos en un mundo de ciberguerras, donde un fallo electrónico se utiliza con fines comerciales, políticos o hasta militares. Se sospecha, por ejemplo, que el virus Stuxnet, que se infiltró en las instalaciones nucleares de Irán en 2010, se creó en Israel. India también afirma que algunas de sus redes informáticas han sido atacadas desde bases chinas. No obstante, es imposible saber con seguridad si estos ataques nacen de agencias gubernamentales o si provienen de grupos o individuos con intenciones particulares. Los recientes actos de colectivos piratas como Anonymous y Lulzsec no han hecho más que enturbiar el asunto.

Sea como fuere, la Comisión de Supervisión Económica y de Seguridad de EE UU y China concluyó en 2009 que "ha habido un marcado incremento en las intrusiones cibernéticas originadas en China cuyo objetivo es el Gobierno de EE UU y sus sistemas de defensa". A su vez, China ha acusado a la Casa Blanca de lanzar ciberataques, una acusación que Washington ha negado enérgicamente.

En realidad muchas de las naciones más poderosas del mundo están desarrollando divisiones de protección militar ante una eventual guerra cibernética. Washington creó el Comando Militar Cibernético de EE UU en 2009 para contrarrestar toda actividad virtual criminal o de espionaje. Un año después aumentó significativamente la tensión entre ambos países cuando el Ejército Popular de Liberación de China anunció que había montado una base militar cibernética bajo la jurisdicción del Departamento de Estado, cuyo cuartel general está en Pekín, lo que elevó la tensión un grado más si cabe.

El hecho de que el anuncio diera más bien pocos detalles sobre la base y sus operaciones contribuyó muy poco a apaciguar los ánimos, a pesar de que un portavoz del Gobierno chino aseguró que "es una base 'defensiva' para la seguridad de la información, no un cuartel general para la guerra cibernética". En cualquier caso, no esperes poder darte una vuelta por este cuartel para decidir por ti mismo si eso es o no cierto.

# La Oficina 39

**UBICACIÓN:** Pyongyang, Corea del Norte.
**CIUDAD MÁS PRÓXIMA:** Pyongyang, Corea del Norte.
**MOTIVO DE INCLUSIÓN:** desarrollo de actividades secretas; centro financiero responsable de mantener a la élite gobernante del país.

La periodista Kelly Olsen describió la Oficina 39, también conocida como Despacho 39, como "la organización más secreta del que podría decirse que es el estado más reservado del mundo". Los analistas creen que se dedica a conseguir financiación para el régimen a través de una mezcla de iniciativas legales e ilegales, y que la mayoría del dinero que genera se usa para mantener el apoyo de oficiales veteranos.

Se constituyó en la década de los setenta y al parecer se encuentra en el edificio del Comité Central del Partido, situado en el centro de Pyongyang. Desde aquí, unos 130 trabajadores coordinan las operaciones internacionales (se ha comparado con un banco de inversiones), aunque la mayor parte del trabajo sucio lo llevan a cabo pandillas de criminales locales. El objetivo principal de la Oficina 39 es acumular dinero en efectivo para el uso privado de los altos cargos del Gobierno. Fue el fondo personal para sobornos de Kim Jong-il hasta su muerte en 2011.

Se calcula que la Oficina 39 genera entre 500 y 1.000 millones de dólares cada año a través de operaciones ilegales. Entre otros negocios ilegítimos, se la acusa de estar involucrada en falsificación y blanqueo de dinero, exportación de falsificaciones de cigarrillos y productos farmacéuticos, y contrabando de narcóticos (especialmente heroína y metanfetamina en cristales). Otros de sus negocios son aparentemente legales, aunque pocos no están relacionados con el blanqueo (desde cadenas internacionales de restauran-

tes a minería y agricultura). Los tentáculos de la Oficina 39 llegan a muchos sitios y parece que tiene intereses en al menos 100 compañías de comercio exterior. No obstante, Pyongyang niega que su partido esté involucrado en ninguna actividad irregular.

Se dice que Kim Jong-il usó el dinero generado por la Oficina 39 para llenar de regalos a miembros clave de su gabinete, dirigentes del Partido de los Trabajadores y militares. Parece ser que cada año se gastaba millones en regalos muy lujosos como coñac, coches de lujo y los últimos aparatos electrónicos, para poder asegurarse su apoyo. Otra parte del dinero pudo haber sido utilizada para aumentar la inversión en armas nucleares y programas de misiles balísticos.

Uno de los fraudes de más éxito de la Oficina 39 ha sido la falsificación de dólares americanos. Durante muchos años el gobierno de los EE UU ha estado al corriente de la circulación de los llamados "superdólares", unos billetes de cien dólares falsos de tal calidad que solo pueden ser reconocidos tras examinar-

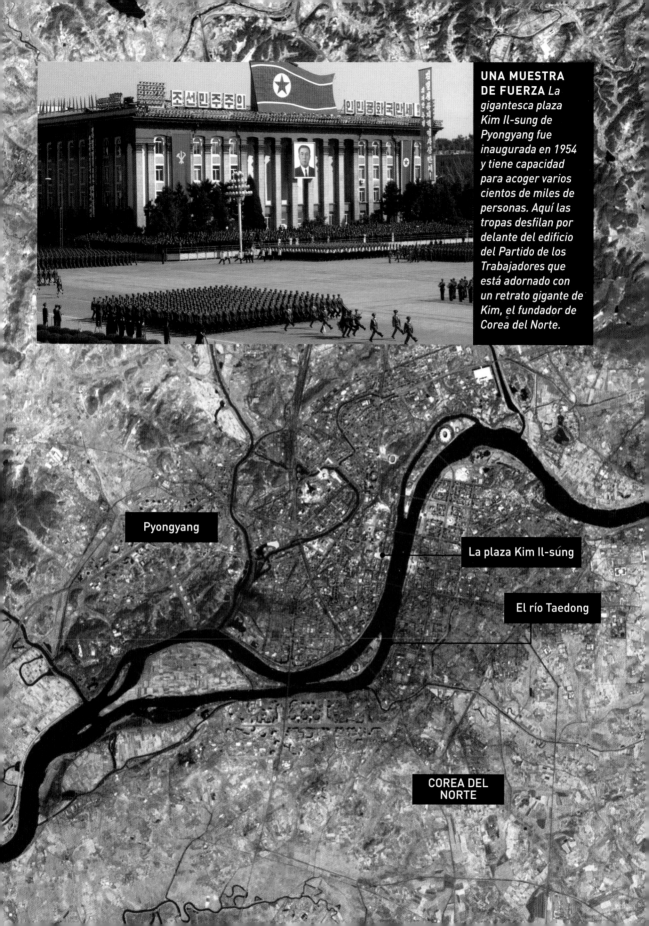

**UNA MUESTRA DE FUERZA** *La gigantesca plaza Kim Il-sung de Pyongyang fue inaugurada en 1954 y tiene capacidad para acoger varios cientos de miles de personas. Aquí las tropas desfilan por delante del edificio del Partido de los Trabajadores que está adornado con un retrato gigante de Kim, el fundador de Corea del Norte.*

Pyongyang

La plaza Kim Il-súng

El río Taedong

COREA DEL NORTE

**DINERO FALSO** *El "súper dólar" (billetes falsos de 100 dólares) estaba en circulación por todo el mundo ya a finales de los 80. Estas falsificaciones están muy bien hechas y copian muchas de las marcas de seguridad de la divisa auténtica. Aunque hay varios posibles culpables todo apunta a que es más que probable que la oficina 39 esté involucrada en el negocio.*

Star Bank en Viena, ya que pertenecía a Corea del Norte y se sospechaba que participaba en operaciones de blanqueo de dinero. Más significativo aún fue un año después el caso del Banco Delta Asia en Macao (propiedad de China), acusado por el Departamento de Hacienda de EE UU de blanquear dinero, lo cual llevó a la congelación de bienes por valor de 25 millones de dólares directamente relacionados con Kim Jong-il.

Otra estrategia a gran escala de la Oficina 39 para ganar dinero es el fraude relacionado con los seguros, que se hizo popular después de que la comunidad internacional intentara poner fin a las operaciones de falsificación de Pyongyang. De acuerdo con las pruebas que han aportado varios desertores norcoreanos, la Compañía Nacional de Seguros (KNIC por sus siglas en inglés) vendió un gran número de seguros a terceros a compañías en otros lugares del mundo. Parece ser que siguiendo las instrucciones de la Oficina 39 se simularon graves accidentes. Uno de los ejemplos que se han referido es el del helicóptero estrellado contra un almacén del Gobierno en la capital. También se habla de accidentes provocados en transbordadores y trenes. De este modo el KNIC cobraría muchos millones de compañías extranjeras propietarias de estos seguros. Se cree que estos tejemanejes han estado generando unos beneficios a Corea de entre 50 y 60 millones de dólares anuales.

Considerando que Corea del Norte es un país que constantemente tiene unas pérdidas económicas enormes, la Oficina 39 tiene que haber trabajado muy duro para mantener los hábitos tan espléndidos del dictador y ayudarle a continuar con su "economía de corte", un sistema que protege las inversiones del Gobierno a pesar del fracaso de su economía. Cómo afectará la muerte de Kim Jong-il al futuro de la Oficina 39 aún está por ver.

los en laboratorios con instrumental muy sofisticado. Estos billetes llegan de contrabando al país para ser blanqueados y proporcionan al régimen de Corea un montón de dinero auténtico. Se estima que la Oficina 39 puede haber creado entre 45 y varios cientos de millones de "superdólares".

La comunidad internacional y en particular los EE UU han intentado afrontar la amenaza que supone la Oficina 39. En 2004, por ejemplo, Austria —bajo presión de Washington— cerró el Golden

# Centro de Investigación Científica Nuclear

**UBICACIÓN:** Yongbyon, provincia de Pyongan del Norte, Corea del Norte.
**CIUDAD MÁS PRÓXIMA:** Kaechon, Corea del Norte.
**MOTIVO DE INCLUSIÓN:** actividades secretas; centro del polémico programa nuclear de Corea del Norte.

El Centro de Investigación Científica Nuclear de Yongbyon ha sido motivo de fricción entre Corea del Norte y la comunidad internacional desde que empezó a ser operativo en la década de los ochenta. La negativa de Corea del Norte a someterse a inspecciones por parte del Organismo Internacional de la Energía Atómica (OIEA) ha provocado varios enfrentamientos con el resto del mundo, que tiene mucho interés en saber cuál es la capacidad nuclear de Pyongyang.

Mientras que Corea está en su derecho de desarrollar programas nucleares para fines civiles, la comunidad internacional (sobre todo Corea del Sur, con quien jamás firmó la paz después de la guerra de 1950-1953) teme que el programa sirva en realidad para construir bombas.

Yongbyon se encuentra en un terreno abierto entre las montañas en la provincia de Pyongan del Norte, unos 100 kilómetros al norte de Pyongyang. El centro contiene un reactor de cinco megavatios y una planta de reprocesado de combustible donde se puede extraer plutonio de calidad armamentística a partir de las barras de combustible. La historia de Yongbyon va muy ligada al cambio de tono en las conversaciones diseñadas para disuadir a Pyongyang de llevar a cabo un programa de armamento nuclear.

El complejo se construyó a principios de los años ochenta pero no se informó de su existencia a la comunidad internacional, tal y como debiera haberse hecho. Al llegar los años noventa la inteligencia estadounidense tenía pruebas de que el centro tenía capacidad para producir combustible de calidad armamentística. En 1991 Corea del Norte firmó una declaración conjunta con Corea del Sur para la desnuclearización de la península coreana y al año siguiente accedió a las inspecciones de la OIEA (como debiera haber hecho ya en 1985 cuando firmó el Tratado de No Proliferación Nuclear). Sin embargo, en 1993 Pyongyang se opuso a ciertas peticiones por parte de la OIEA, reavivando así las preocupaciones por sus intenciones nucleares.

En seguida Corea del Norte amenazó con abandonar el Tratado de No Proliferación Nuclear, aumentando así la tensión con Corea del Sur y EE UU. En 1994 volvió a haber esperanza gracias a un nuevo marco de acuerdos entre Pyongyang y Washington. Yongbyon sería desmantelada a cambio de una rebaja en las sanciones impuestas y la oportunidad de presentar fuentes de energía alternativas.

Sin embargo, las cosas volvieron a empeorar en 2002 cuando Corea del Norte reconoció por primera vez la existencia

**CHINA**

**COREA DEL NORTE**

Pyongyang

Seúl

**COREA DEL SUR**

**EL LUGAR DE LA POLÉMICA** *Imagen por satélite del reactor nuclear de Yongbyon tomada en 2005. El régimen de Corea del Norte ha negado siempre a la comunidad internacional acceder a las instalaciones usando el tema como moneda de cambio en las relaciones internacionales.*

**REACTOR EXPERIMENTAL** *Una imagen detallada muestra la torre del reactor experimental 5MW en Yongbyon. Esta genera mucho del material radioactivo que se usa en los ensayos nucleares de Corea del Norte. La torre de refrigeración que se desmanteló en 2008 se puede ver en la esquina superior izquierda. Ya se está construyendo un nuevo reactor en su lugar.*

de su programa de armamento nuclear y el presidente de los EE UU, George W. Bush, declaró que el país pertenecía al "eje del mal". En febrero de 2003 Pyongyang anunció que Yongbyon había sido reactivada y que abandonaba el Tratado de No Proliferación Nuclear.

En 2005 hubo conversaciones a seis bandas entre Corea del Norte, Corea del Sur, China, Japón, Rusia y EE UU, y pareció establecerse un acuerdo en el que Corea del Norte abandonaría sus ambiciones nucleares a cambio de una ayuda financiera más que necesaria y algunas concesiones políticas. Sin embargo, cuando las conversaciones llegaron a un punto muerto, Corea del Norte llevó a cabo su primera prueba nuclear. Al año siguiente Pyongyang suavizó su postura permitiendo que los inspectores de la OIEA visitaran Yongbyon y prometiendo cerrar el reactor a cambio de dejar de constar como país patrocinador del terrorismo. El proceso para desmantelar Yongbyon empezó en junio de 2008 con la destrucción de la torre principal de refrigeración.

Aun así las dudas sobre la honestidad de Corea del Norte en relación a sus instalaciones nucleares seguían presentes y las relaciones volvieron a dar otro giro negativo. Corea del Norte prohibió a la OIEA seguir con sus inspecciones y en 2009 terminó toda comunicación y llevó a cabo otra prueba nuclear. En 2010 Pyongyang fue acusado del hundimiento de un buque surcoreano y del bombardeo de una de sus islas. La tensión seguía aumentando.

En noviembre de 2010 unas fotografías tomadas por satélite confirmaron que el régimen de Kim Jong-il estaba construyendo un nuevo reactor en Yongbyon donde antes estaba la torre de refrigeración. Otras fotos en 2011 confirmaron las declaraciones de Pyongyang acerca de que la construcción avanzaba "a buen ritmo". Los expertos concluyeron que aunque estaba diseñada para fines civiles se podría adaptar fácilmente para producir uranio enriquecido. Durante 2010 Pyongyang aprovechó un desfile militar para mostrar un nuevo modelo de misil balístico de medio alcance capaz de llevar carga nuclear. Sin embargo todavía no se sabe si Corea del Norte ha desarrollado ya una cabeza nuclear en la que encaje el misil.

Durante muchas décadas el régimen de Corea del Norte se ha caracterizado por la paranoia en relación a su posición en el mundo y por ello su programa nuclear ha sido una herramienta útil para conseguir concesiones. Sin embargo, manteniendo a los observadores internacionales alejados de Yongbyon durante largos periodos, Pyongyang está jugando un juego político muy arriesgado del que no se conocen las consecuencias. Aislado como está internacionalmente y con una economía empobrecida, puede que el país se esté quedando sin cartas.

**TODOS TRANQUILOS** *Las autoridades norcoreanas destruyeron la torre de refrigeración en 2008 en un gesto de acercamiento a occidente. Sin embargo la esperanza de unas mejores relaciones se vió frustrada cuando Pyongyang ordenó un nuevo ensayo nuclear.*

# El escondite del monte Baekdu

**UBICACIÓN:** provincia de Ryanggang, Corea del Norte.

**CIUDAD MÁS PRÓXIMA:** Hyesan, Corea del Norte.

**MOTIVO DE INCLUSIÓN:** existencia no reconocida; es la guarida secreta del exlíder norcoreano Kim Jong-il.

De todos es sabido que Kim Jong-il era un gran amante de las películas de James Bond, y lo único que le faltaba para completar su transformación en perfecto villano del cine era construir un centro secreto de comando militar dentro de la montaña más sagrada de su país, el monte Baekdu. Fue descubierto por analistas de defensa internacionales en 2010 y se cree que tardó años en construirse.

El monte Baekdu (que en coreano significa "montaña de cumbre blanca") tiene una altura de 2.700 metros y se encuentra en la frontera entre Corea del Norte y China. Es un estratovolcán que tiene por costumbre entrar en erupción una vez cada siglo (y a día de hoy va con retraso). De acuerdo con la historia de la fundación de Corea, su primer reino nació aquí en el tercer milenio antes de Cristo y como tal es un lugar muy venerado.

Se dice que desde su espeso bosque, el fundador de Corea del Norte, Kim Il-sung, lideró hasta 1945 la resistencia contra la invasión japonesa. Con posterioridad se convirtió en una base importante para las fuerzas comunistas durante la Guerra de Corea. La historia oficial de Corea del Norte afirma que Kim Jong-il nació en esta montaña bajo un arcoíris doble, aunque la mayoría de pruebas apuntan a que su lugar de nacimiento estaba cerca de Khabarovsk, en Rusia.

La base secreta fue descubierta en 2010 desde la sede del Centro de Información Kanwa en Hong Kong. Se dijo que se había construido en la ladera de la montaña para servir de puesto de mando en el caso de que Corea se viera atacada por Corea del Sur, Estados Unidos o ambos, y también en el supuesto de que la dinastía Kim se viera amenazada por un golpe interno. Se halla cerca de uno de los palacios del "querido líder" y tiene un campo de aviación muy cercano, además de espacio de almacenamiento para helicópteros y aviones de guerra. Las pruebas de la existencia de la guarida se basan en fotos obtenidas por satélite y testimonios de desertores.

Si el mundo esperaba un cambio de tercio en Corea del Norte después de la muerte de Kim Jong-il en noviembre de 2011, una proclama atribuida a la comisión de Defensa Nacional en diciembre de 2011 sugirió lo contrario: "Declaramos solemne y firmemente a los insensatos políticos de todo el mundo, incluido el ejército títere de Corea del Sur, que no deben esperar ningún cambio por nuestra parte". Mientras esta nación aislada mantenga su agresiva actitud, es probable que la base del monte Baekdu permanezca en estado de alerta.

CHINA

El lago Chon

COREA DEL NORTE

**LA MONTAÑA DEL MITO** *Una foto oficial de Corea del Norte muestra a Kim Jong-il, el líder de la nación desde 1994 hasta su muerte en 2011, posando de forma desenfadada en la cima del monte Baekdu. La versión oficial de que nació en este venerado lugar, muy probablemente no sea más que un mito.*

COREA DEL SUR

# La zona desmilitarizada de Corea

**94**

**UBICACIÓN:** franja de terreno que divide la península coreana por el paralelo 38.
**CIUDAD MÁS PRÓXIMA:** Kaesong (Corea del Norte)/ Uijeonbu (Corea del Sur)
**MOTIVO DE INCLUSIÓN:** acceso restringido; frontera más militarizada del mundo.

La zona desmilitarizada de Corea (también conocida como ZDC) fue descrita en 1993 por el entonces presidente Bill Clinton como "el lugar más horripilante de la tierra". Se trata de la zona intermedia entre las dos Coreas y se dice que es la frontera con más presencia de armas en el mundo. Casi toda su enorme extensión es de acceso restringido.

La ZDC se encuentra a lo largo del paralelo 38, la línea de latitud que se usó para demarcar las nuevas naciones del norte y sur de Corea en 1948. Se extiende 248 kilómetros desde el nacimiento del río Han, en la costa oeste de la península, hasta la costa este. Tiene 4 kilómetros de ancho, con hasta un millón de tropas desplegadas en la parte del norte y bastante más de medio millón en el sur (incluyendo un efectivo de EE UU de varias decenas de miles). El territorio que cubre la ZDC está desfigurado por alambres de espino, armamento pesado, innumerables torres de vigilancia, trampas escondidas para tanques y minas terrestres.

Cuando Corea del Norte cruzó el paralelo 38 para atacar en 1950 se desencadenó una amarga guerra de tres años en la que murieron dos millones de personas. La lucha terminó en 1953 con la firma de un armisticio, aunque nunca se llegó a una paz definitiva. La ZDC se estableció bajo los términos de un acuerdo orquestado internacionalmente con una Línea de Demarcación Militar que indica el centro. Cada lado puede patrullar por la ZDC hasta esa línea, pero no puede poner un pie sobre ella.

La ZDC continúa siendo un terreno rodeado de peligros. Según los acuerdos de 1954, si el norte decidiera invadir el territorio del sur, los EE UU deberían acudir en defensa de Corea del Sur y podríamos encontrarnos en medio de una tercera guerra mundial. Seis décadas después de que la Guerra de Corea haya finalizado de manera tan poco definitiva, las relaciones entre el norte y el sur siguen siendo tensas, a veces hasta el punto de romperse. Las escaramuzas en la frontera han sido muy comunes en la historia de la ZDC, muchas de las veces con escasa provocación. Desde los años setenta Corea del Sur ha ido descubierto una serie de túneles que cruzan la ZDC desde el norte, lo que levanta sospechas sobre las intenciones de invasión de su vecino.

Por su parte, el norte ha acusado al sur de construir un enorme muro de cemento a lo largo de la ZDC adornado con carteles militares de todo tipo. Pyongyang asegura que el muro supone una ventaja para el sur, al adentrarse en el territorio del norte. El sur y los EE UU niegan la existencia de tal construcción aunque admiten que se han levantado secciones con barreras antitanques.

**VIGILANCIA VECINAL** *Dos tropas de Corea del Norte vigilan la parte del Área de Seguridad Conjunta que pertenece a Corea del Sur (más conocida como 'el pueblo de la tregua'). A pesar de la presencia de observadores internacionales para asegurar que se mantenga la paz, ha habido conflictos esporádicos.*

**UN LUGAR IDEAL** *Gijeong-dong es el "pueblo propaganda" de Corea del Norte y se puede ver desde el sector sur de la ZDC. Según Pyongyang 200 familias disfrutan allí de una calidad de vida envidiable en una granja colectiva, aunque algunos creen que no es más que una mentira muy elaborada.*

Pyongyang

COREA DEL NORTE

Zona desmilitarizada

Seúl

COREA DEL SUR

**UNA GUERRA FRÍA** *Unos soldados de infantería del sur en uniforme de invierno patrullan por una valla con alambre de espino colocada en paralelo a la Línea de Demarcación Militar que divide el norte y el sur de Corea por el paralelo 38.*

**FRENTE UNIDO** *Este monumento a la reunificación se encuentra en una de las entradas de Corea del Norte a la ZDC. El eslogan dice: "Dejemos a la próxima generación un país unido". Este parece ser un deseo condenado a no cumplirse ya que las relaciones entre los dos vecinos no dejan de ser como poco, tensas.*

En el extremo oeste de la ZDC se halla Panmunjeon, un enclave extrañamente normal (aunque este es un término muy relativo). Aquí se encuentra el Área de Seguridad Conjunta, a veces conocida como "el pueblo de la tregua". Ni el norte ni el sur pueden declarar su soberanía sobre él, pero ambos contribuyen a su vigilancia.

En Panmunjeon tienen lugar innumerables sesiones de negociación entre las dos partes y fue aquí donde se mantuvieron miles de conversaciones antes de firmar el armisticio en 1953. Hoy, representantes suecos y suizos de la Comisión Supervisora de Naciones Neutrales están presentes de forma permanente para asegurar que los acuerdos de la ZDC se siguen respetando.

A pesar de todo Panmunjeon se ha visto involucrado en algunos incidentes. En 1976 varios trabajadores surcoreanos y estadounidenses fueron asesinados a golpes de hacha cuando un intento de poda de unos arbustos provocó un enfrentamiento con las tropas del norte. A pesar de ser el único sitio de la ZDC en el que se permite la entrada a visitantes, hay que puntualizar que solo se aceptan grupos que hayan sido autorizados previamente y todos los visitantes deben firmar un documento de renuncia que empieza de la siguiente manera: "La visita al Área de Seguridad Conjunta de Panmunjeon conlleva entrar en un territorio hostil y la posibilidad de lesión o muerte".

No muy lejos de Panmunjeon se encuentra Daesong-dong (que traducido quiere decir "pueblo de la libertad"), el único asentamiento en la ZDC gestionado por Corea del Sur. A dos kilómetros de este se halla Gijeong-dong en la parte del norte, y es el único otro pueblo de la ZDC. Este es supuestamente un pueblo modélico, con una escuela, un hospital, una granja colectiva y viviendas de alta calidad, diseñado para demostrar que la ideología del norte es la mejor (durante un tiempo hasta proclamaba tener el mástil más alto del mundo, sobre el que ondeaba una enorme bandera de Corea del Norte). Sin embargo se sospecha que no tiene residentes permanentes, aparte de unos cuantos militares.

Curiosamente, no deja de ser irónico que mientras la ZDC es un lugar altamente peligroso para los humanos, la falta de intervención del hombre la ha convertido en una reserva natural única que hoy alberga numerosas especies animales raras, entre las que se encuentran grullas y grandes felinos.

# 95 Campo 22

UBICACIÓN: noreste de Corea del Norte
CIUDAD MÁS PRÓXIMA: Hoeryong, Corea del Norte
MOTIVO DE INCLUSIÓN: existencia no reconocida. Una prisión con cincuenta mil convictos, en su mayoría por criticar al gobierno.

Aunque Corea del Norte niega su existencia y no aparece en ningún mapa, el Campo 22 se encuentra cerca de la frontera entre Corea del Norte, Rusia y China. Varios internos y miembros del personal han afirmado que en este centro de detención para presos políticos y sus familias se da la brutalidad extrema y se violan los derechos humanos.

Haengyong-ni es un pueblo en las montañas donde se sospecha que se encuentra el Campo 22, que se parece más a un campo de concentración que a una prisión. Parece ser que el campamento se abrió en 1959 y la mayoría de sus cincuenta mil presos están condenados por criticar el régimen o por ser familiares de alguien que lo haya hecho. Se cree que hasta tres generaciones de una sola familia se retienen en este lugar siguiendo las proclamas de Kim Il-Sung, el tirano fundador de Corea del Norte: 'La semilla de los enemigos de clase, quienes quiera que sean, debe ser eliminada por tres generaciones'.

Fotos tomadas por satélite muestran que el campamento tiene una extensión de unos 48 por 40 kilómetros, que los prisioneros están dispersos por ese espacio y que está rodeado de vallas bajo una estrecha vigilancia. Informes de otros campos norcoreanos indican que seguramente las vallas están electrificadas. La mayoría de lo que sabemos sobre lo que ocurre en su interior viene de los testimonios de desertores de Corea del Norte incluido el que una vez fue jefe de dirección del campo.

Estos han descrito como a los presos se les obliga a trabajar entre doce y quince horas diarias con el sustento de una dieta precaria. La muerte por malnutrición y otras dolencias es muy común, junto con accidentes de trabajo y durante interrogatorios. La mayoría de los presos llega al campamento sin pasar por el debido proceso legal y se les impide el contacto con el mundo exterior. Cualquiera que sea capturado intentando escapar puede ser ejecutado delante de los demás prisioneros. El suicidio se castiga con una extensión de las condenas de los familiares del muerto.

Los guardias maltratan a los prisioneros con impunidad y varias fuentes les acusan de violaciones y asesinatos de niños. Quizá lo más escalofriante de todo sea que antiguos empleados han asegurado que algunos internos eran sujetos de experimentos químicos mientras otros eran asesinados en masa en cámaras de gas. Entre tales acusaciones no es de extrañar que Pyongyang niegue la mera existencia del campamento.

# El santuario de Ise

**UBICACIÓN:** Honshu, Japón.
**CIUDAD MÁS PRÓXIMA:**
Ise, Japón.
**MOTIVO DE INCLUSIÓN:** el
acceso está restringido;
se trata del santuario más
sagrado de la religión
sintoísta.

El sintoísmo, que asegura tener más de 120 millones de adeptos en Japón, es un sistema de creencias y tradiciones que fomenta la devoción a los espíritus pero no tiene una deidad como figura central. El santuario de Ise es tan sagrado para el sintoísmo que el acceso está estrictamente regulado. De hecho, solo el sumo sacerdote o sacerdotisa puede entrar, y además debe ser miembro de la familia imperial.

La ciudad de Ise se encuentra en la prefectura de Mie., en la isla de Honshu, y tiene una población cercana a 150.000 habitantes, aunque acoge unos seis millones de peregrinos cada año. Contiene un complejo de unos 120 santuarios sintoístas conectados con los dos santuarios más importantes a seis kilómetros de distancia el uno del otro: el Santuario Imperial (Kotai Jingu) —también conocido como Naiku o Santuario Interior— y el santuario Toyouke o Geku (Exterior). Naiku está dedicado a Amaterasu Omikami (la diosa del sol y supuestamente un antepasado de la familia imperial japonesa), mientras que Geku venera a Toyouke Omikami (diosa de la agricultura).

El Santuario Interior se encuentra a la sombra de los montes Kamiji y Shimaji y junto al río Isuzu, en un bosque espeso de cedros y cipreses japoneses. De acuerdo con el texto *Nihon Shoki* (crónicas de Japón) del siglo VIII el santuario se construyó hace unos 2.000 años y el lugar lo escogió Yamtohime-no-mikoto, la hija de Suinin, el decimoprimer Emperador de

Japón. Se dice que Yamtohime-no-mikoto pasó años buscando un lugar adecuado para adorar a Amaterasu. La diosa le dijo que Ise era "un lugar apartado y agradable", y que deseaba "vivir en esta tierra".

La fecha que tradicionalmente se ha considerado para la fundación del santuario es el año 4 a.C., pero otros opinan que fue más tarde. Se cree que el santuario se pudo erigir en el siglo VII. Desde el siglo VII hasta el XIV se escogieron sumas sacerdotisas (conocidas como Sai) entre las mujeres solteras de la familia imperial. La primera fue la princesa Oku. Más tarde, durante la era imperial de Japón en los siglos XIX y XX, el papel de sumo sacerdote fue asumido por el emperador de turno. Después de la Segunda Guerra Mundial ese honor pasó a los descendientes de la familia imperial japonesa, tanto hombres como mujeres.

También se dice que el santuario contiene el Yata-no-Kamagi, un espejo sagrado que forma parte de los tres tesoros imperiales de Japón (los otros son una espada

**UNA LUZ SAGRADA** *Unos sacerdotes sintoístas con los trajes tradicionales preparan la ceremonia de Tsukinamisai en la que se hacen plegarias por una buena cosecha. La diosa Toyouke Omikami, a quien está dedicado el santuario exterior, es la diosa de la agricultura.*

y una joya), y se dice que representa la sabiduría. Tradicionalmente estos tesoros son presentados a cada nuevo emperador en una ceremonia privada de coronación. Supuestamente, estos llegaron a Japón de la mano de Ninigi-no-Mikoto, nieto de Amaterasu y antepasado de la dinastía imperial japonesa.

Tanto Naiku como Geku están construidos con madera de hinoki (ciprés japonés) y los tejados están hechos con ramas de kaya, un árbol autóctono. Naiku, el santuario principal, mide unos 11 metros por 5,5 metros y tiene el suelo elevado. Cada veinte años desde el año 692 antes de Cristo, el santuario se reconstruye totalmente en uno de los dos terrenos adyacentes.

Incluso cuando uno de los dos terrenos está en sus dos décadas de desuso, sigue siendo terreno sagrado y contiene una pequeña cabaña donde se halla un poste de madera de más de dos metros alrededor del cual se reconstruirá el santuario.

El poste se llama *sin-no-mihashira*, lo cual quiere decir más o menos "pilar sagrado del corazón". Este ciclo de reconstrucción se considera un reflejo mismo de la creencia sintoísta de que todo muere, se renueva y es temporal. La próxima reconstrucción tendrá lugar en 2013 y tardará ocho años en terminarse.

Para llegar a Naiku hay que cruzar el puente Uji por encima de el río Isuzu. A cada lado del puente hay unas espectaculares puertas *tori* (de tradición japonesas). Las estructuras principales de los dos santuarios están rodeadas de vallas altas que solo permiten a los curiosos atisbar los techos de paja. La prohibición de tomar fotografías se aplica rigurosamente. Los peregrinos deben lavarse las manos y la boca con agua de una charca sagrada y pueden hacer sus plegarias en una entrada cercana, pero nadie puede acercarse más, a no ser que posea dotes de convicción para persuadir a alguien de que tiene lazos familiares con la dinastía imperial y hacerse así con el puesto de sumo sacerdote o sacerdotisa.

# La central nuclear de Fukushima Daiichi

**UBICACIÓN:** Okuma, prefectura de Fukushima, Japón.
**CIUDAD MÁS PRÓXIMA:** Fukushima, Japón.
**MOTIVO DE INCLUSIÓN:** acceso restringido (bajo riesgo de muerte o lesión); lugar del desastre nuclear de 2011.

En marzo de 2011 un gran terremoto desencadenó un tsunami que arrasó gran parte de la costa este de Japón y que afectó gravemente a la central nuclear situada cerca de la ciudad de Fukushima. El caos reinaba mientras las autoridades intentaban saber que había pasado exactamente y cómo afrontar lo sucedido. La catástrofe resultó ser la segunda mayor tragedia nuclear civil en la historia.

La central de Fukushima está gestionada por la compañía Tokyo Electric Power, tiene una extensión de más de 340 hectáreas y contiene seis reactores de agua. La construcción de la central se inició en 1967 sobre un terreno que estaba originalmente elevado sobre el nivel del mar, pero se acabó excavando para poder anclar la estructura al lecho rocoso —haciéndola así más resistente a terremotos—. Sus seis reactores se fueron poniendo en marcha uno a uno durante los años setenta. Cuando estuvieron todos en funcionamiento, Fukushima se convirtió en una de las centrales nucleares más grandes del mundo.

La prefectura de Fukushima, en el noreste de Japón, es mayoritariamente rural, con un paisaje precioso en el que se encuentran espectaculares montañas verdes. El nombre de Fukushima, paradójicamente, significa "isla afortunada". Pocos pueden decir que este haya sido el caso —por cierto, *dai-ichi* significa "número uno"—. El 11 de marzo de 2011, a una corta distancia de la isla, tuvo lugar un terremoto de magnitud 6,6. El temblor desencadenó un enorme tsunami que barrió la costa este de Japón y dejó a su paso 20.000 muertos.

La central de Fukushima Daiichi fue diseñada para soportar olas de hasta 6 metros, y se ha dicho que unos años antes de la catástrofe el Organismo Internacional de la Energía Atómica (OIEA) expresó su preocupación por que ese diseño no fuera el adecuado. Se estima que las olas del 11 de marzo alcanzaron los 14 metros, y frente ellas la estructura de la central fue trágicamente insuficiente. Los sistemas de refrigeración de la central quedaron dañados y a esto siguió una serie de explosiones que llevaron a las fusiones en los reactores 1, 2 y 3, con las consiguientes fugas radiactivas. Fue el peor accidente nuclear desde Chernóbil en 1986 *(véase pág. 172)*.

En un principio, siguiendo la Escala Internacional de Accidentes Nucleares, Fukushima recibió un 7, la máxima categoría. Solo Chernóbil había recibido este grado en el pasado. El impacto en la zona que rodea Fukushima se advirtió con rapidez y se declaró una zona de exclusión de 20 kilómetros a la redonda que más

**TIERRA DE NADIE**
*Una vista aérea de Fukushima Daiichi muestra su proximidad al mar y a zonas de densa población. Aún no se sabe con certeza cuando podrán volver a sus casas los afectados pero las consecuencias de la tragedia durarán años.*

**INDEFENSOS** *Las medidas de prevención antes del tsunami de Fukushima fracasaron al encontrarse con la enorme cantidad de agua que barrió la zona en marzo de 2011. Desde entonces se han hecho públicas declaraciones de que la eficiencia del muro de seguridad había sido cuestionada años antes del desastre.*

Muro de seguridad de 5,7 metros

Reactor 1 – Fusión parcial y daños por explosiones

Reactor 2 – Fusión interna parcial

Reactor 3 – Fusión parcial y daños mayores por explosiones

Reactor 4 – Tanques de combustible irradiado

OCÉANO PACÍFICO

GeoEye

tarde se extendió a 30 kilómetros. A día de hoy la zona sigue estando protegida por cordones policiales. Justo después de la catástrofe se evacuó a 160.000 personas. A finales de 2011, 80.000 de ellas seguían sin poder volver a su vida normal y muy pocos tenían la menor idea de cuándo podrían hacerlo. Algunas de las zonas no serán habitables durante por lo menos veinte años. Por el momento es difícil estimar el número de afectados a largo plazo, pero por lo menos varios cientos de personas se vieron expuestas a niveles preocupantes de radiación. La inquietud respecto a los alimentos cultivados en la zona también ha tenido unas consecuencias devastadores para sus agricultores. Los melocotones, por ejemplo —uno de los productos más afamados de la prefectura— se vendían a mitad de precio en los meses posteriores a la catástrofe.

A finales de 2011, Tokyo Electric Power anunció que la central estaba parada en frío y más tarde, el 16 de diciembre, declaró la central estable. Sin embargo, extraer el combustible de los reactores y descontaminar la zona puede que requiera otros diez años. El desmantelamiento total de la central podría prolongarse varias décadas. El personal de la central debe ahora cubrirse de la cabeza a los pies con un traje de seguridad, una precaución necesaria que ha causado docenas de lipotimias por el calor y que ralentiza el trabajo.

Mientras Japón intentaba volver a la normalidad tras el tsunami, la compañía Tokyo Power y el Gobierno japonés fueron el blanco de críticas desde dentro y fuera del país a causa de su gestión de la tragedia, lo cual tuvo un impacto negativo en la confianza pública en ambos. En un intento de recuperar el terreno perdido —además de apagar la mayoría de los 54 reactores del país, por miedo a que no fueran seguros después de la catástrofe—, Tokio solicitó a la OIEA que formara una base permanente en Fukushima con objeto de contar con supervisión independiente en el proceso de desmantelamiento.

El resultado final de la catástrofe es que la región que una vez fue fructífera ha sido totalmente devastada y ahora afronta una larga batalla para recuperar la normalidad. Las tierras que habían sido fértiles ya no son aptas para el cultivo, mientras que los granjeros de toda la región deben vender sus productos a mitad de precio porque se les asocia con la catástrofe. Las más afectadas, sin embargo, son las personas que una vez vivieron vidas prósperas en lo que es ahora la zona de exclusión, y que no saben si alguna vez podrán volver al lugar que un portavoz del Gobierno calificó de "zona prohibida".

**HUMO POR TODAS PARTES** *Escena en Fukushima 10 días después del tsunami el 11 de marzo de 2011. La columna de humo sale del cuarto de los 6 reactores de la central. Investigaciones independientes descubrieron que Tokyo Electric Power Co. no estaba de ningún modo preparada para una emergencia de esta magnitud.*

# El Área Prohibida de Woomera

**UBICACIÓN:** Woomera, sur de Australia.
**CIUDAD MÁS PRÓXIMA:** Adelaida, sur de Australia.
**MOTIVO DE INCLUSIÓN:** desarrollo de actividades secretas; es la zona más grande del mundo dedicada a ensayos con armas.

El Área Prohibida de Woomera (WPA por sus siglas en inglés) se estableció en 1947 y se conoce sobre todo por ser una enorme zona de ensayo de misiles, aunque a lo largo de los años ha desarrollado varias funciones: base de lanzamiento de cohetes, centro de espionaje y centro de detención, entre otras. Tiene una extensión más grande que Inglaterra y se encuentra en el desierto, lo cual ha ayudado a mantener alejados de sus proyectos altamente secretos a posibles intrusos.

La zona está situada a varios cientos de kilómetros al noroeste de Adelaida y es también la zona de ensayo de las Fuerzas Aéreas australianas, estrictamente cerrada al público. Hoy tiene una extensión de 127.000 kilómetros cuadrados, pero en 1972 llegó a alcanzar la friolera de 270.000 kilómetros cuadrados.

El WPA fue una iniciativa conjunta de los gobiernos australiano y británico. Después de la Segunda Guerra Mundial, Reino Unido estaba muy interesado en desarrollar un programa de pruebas de misiles de última generación pero no disponía del espacio suficiente para hacerlo. La colaboración del Gobierno australiano le ofreció la oportunidad de compartir conocimientos y gastos, lo cual funcionó a la perfección para ambas partes.

Woomera se eligió porque ofrecía una enorme extensión de tierra apenas sin población humana. Es una mezcla de tierras cubiertas de matorrales y desierto, las temperaturas normalmente superan los 35 grados centígrados y pueden ascender bastante más. Por esta razón, nunca se consideró un territorio propicio para la colonización humana. Sin embargo, era ideal para probar armas gracias a sus cielos descubiertos durante casi todo el año y las escasas interferencias electromagnéticas. El nombre de Woomera es de origen aborigen y se refiere a un objeto usado para tirar lanzas.

El lugar antes era conocido como Proyecto Conjunto, y empezó las pruebas con misiles a principios de 1949 con nueve grandes ensayos de bomba atómica que acabaron contaminando una zona de más de 3.000 kilómetros cuadrados. Ese terreno se bautizó como "sección 400" y el acceso a él está terminantemente prohibido por motivos de seguridad. Varios grupos ecologistas han confirmado que los intentos de limpiar la zona han fracasado y que por ello muchos aborígenes que se encontraban allí durante las pruebas siguen sufriendo sus efectos nocivos.

En 1947 se construyó un pueblo, también bautizado Woomera, para impulsar la vida en la WPA. En el mejor momento del Proyecto Conjunto llegó a tener una po-

**HASTA EL INFINITO Y MÁS ALLÁ**
*En 2005 la Agencia de Exploración Aeroespacial Japonesa hizo pruebas con un prototipo de jet supersónico que algún día podría ocupar el lugar del retirado Concorde. Durante este lanzamiento salieron unas llamas espectaculares del acelerador del cohete.*

**PROHIBIDO EL PASO** *Una señal de advertencia en Stuart Highway a la altura del lago Hart ya que es una zona usada por la WPA para bombardeos y pruebas de tiro. Nadie que se encuentre en la zona puede decir que no ha sido informado de los peligros.*

blación de 7.000 habitantes. Durante la mayor parte de su historia, el acceso al pueblo ha estado prohibido a excepción de personas autorizadas. Desde 1982 está abierto al público pero sigue bajo control del Departamento de Defensa australiano. Ninguna de las propiedades de Woomera es privada, sino que el Gobierno las alquila, y cualquier persona considerada indeseable puede ser expulsada.

El Proyecto Conjunto finalizó en 1980. Para entonces la WPA ya se usaba para probar misiles y jugó un papel vital en varios programas espaciales durante los años cincuenta y sesenta. En 1969 Australia llegó a un acuerdo con EE UU para construir el Centro Conjunto de Rastreo de Nurrungar dentro de la WPA. Las tres cúpulas con aspecto de pelotas de golf de Nurrungar contenían enormes antenas parabólicas bajo estricta vigilancia, estaban protegidas por alambre de espino y albergaban salas de seguridad a prueba de balas.

El motivo de tantas medidas de seguridad es que Nurrungar tuvo un papel crucial en el programa espacial de vigilancia y fue imprescindible para alertar a EE UU de ataques con misiles balísticos intercontinentales. Como tal se creyó que sería un blanco de alta prioridad para la Unión Soviética, algo que no sentó muy bien a los australianos, que no tenían ganas de llevar la Guerra Fría a su territorio. Algunos manifestantes sostuvieron que EE UU se sirvió de Nurrungar para definir su estrategia en los bombardeos de Camboya en 1973.

Para cuando Nurrungar cerró en 1999, el futuro de la WPA y el pueblo de Woomera era muy incierto. La población residente había descendido a solo cientos. Durante un tiempo pareció que convertirlo en un centro de detención de inmigrantes sería la solución, pero en la práctica resultó ser una mala idea. Tan solo en cuatro años ya se había ganado una mala reputación por tener detenidos a más de 1.500 inmigrantes ilegales en una prisión que parecía un campo de trabajo. Los internos se amotinaron en varias ocasiones y algunos hasta se cosieron literalmente los labios en signo de protesta por las malas condiciones.

En los últimos años la WPA se ha regenerado y no ha estado nunca tan ocupada como ahora ejerciendo de zona de prueba de misiles más grande del mundo. Con el nuevo siglo, las generosas inversiones del estado le insuflaron vida, y entre sus clientes se encuentran gobiernos y agencias espaciales de todo el mundo (tiene reservado el recinto hasta la década que viene). La zona de pruebas se encuentra en el centro de la WPA, mientras que otras partes del terreno se están abriendo a posibles iniciativas, como la minería (parece que hay cantidades significativas de oro, mineral de hierro, ópalos y uranio).

Cualquiera que se encuentre en la WPA debería andar con cuidado. Como dijo Roger Henwood, director de la zona de Woomera en 2006: "Te puedes encontrar un montón de cosas que no llegaron a lanzarse sobresaliendo del suelo".

# Base de defensa conjunta de Pine Gap

**UBICACIÓN:** desierto Central, centro de Australia.
**CIUDAD MÁS PRÓXIMA:** Alice Springs, Australia.
**MOTIVO DE INCLUSIÓN:** actividades secretas; estación de seguimiento por satélite para la inteligencia conjunta de EE UU y Australia.

La estación de seguimiento por satélite de Pine Gap se halla bajo la jurisdicción conjunta de EE UU y Australia, y en origen se estableció para vigilar las actividades de la Unión Soviética y las naciones del Sureste Asiático. Desde que empezó a funcionar ha despertado recelo entre pacifistas y teóricos de la conspiración, inquietos por el halo de misterio que envuelve la naturaleza de la labor que realiza.

El futuro de Pine Gap se dictó en un tratado entre Camberra y Washington en 1966. El recinto se construyó en una zona donde tradicionalmente había vivido un grupo indígena llamado Arrernte y empezó a funcionar hacia 1970, supuestamente como estación meteorológica. El terreno en el que se construyó pertenecía a un ganadero de reses que se negaba a venderlo hasta que el Gobierno federal al final impuso la venta. A finales de los setenta, Pine Gap había crecido considerablemente, y era una de las estaciones de satélites más grandes del planeta.

El recinto tiene varias cúpulas de radar, enormes salas de ordenadores y una gran red de infraestructuras. Sin embargo, el tipo de labor que se desarrolla en este lugar remoto en medio del desierto nunca se ha explicado. Parece ser que a mediados de los setenta el primer ministro Australiano Gough Whitlam insinuó que cerraría Pine Gap debido a sus inquietudes respecto a las actividades que se desarrollaban allí.

La legislatura de Whitlam fue muy accidentada y culminó en el bloqueo de la oposición ante su presupuesto, que paralizó el Gobierno. En 1975 el gobernador general de Australia, John Kerr, inició una crisis constitucional con la destitución de Whitlam. Algunos dicen que las acciones de Kerr (un oficial no electo, nombrado por la Reina de Inglaterra) fueron un reflejo de los deseos de la CIA de apartar a este problemático primer ministro.

Aunque las actividades de la base siguen siendo confidenciales, uno de los sucesores de Whitlam en la presidencia, Bob Hawke, hizo unas declaraciones inesperadas sobre Pine Gap en 1988 en las que confirmaba que los datos de inteligencia conseguidos en Pine Gap contribuían "de manera crucial a la verificación de que los acuerdos de control de armas y desarme establecidos se cumplan". Es un hecho aceptado que la base ha tomado el relevo en algunas tareas de vigilancia en el desarrollo de misiles balísticos que llevaba a cabo la operación Nurrungar en Woomera *(véase pág. 242)*. Parece ser que Pine Gap también tuvo un papel muy importante apoyando a EE UU en sus conflictos con Afganistán e Irán al inicio del siglo XXI.

INDONESIA

NUEVA GUINEA

Territorio
del Norte

Alice Springs

AUSTRALIA

**CUIDADO CON PINE GAP**
*Mucho del extenso despliegue de antenas parabólicas gigantescas de Pine Gap se esconde debajo de radomos repartidos sin motivo aparente por el enorme desierto central australiano. Al principio se quisieron hacer pasar por una estación meteorológica pero pronto empezaron a correr rumores sobre el propósito real de estas construcciones.*

Además de todo esto, se dice que Pine Gap es una de las bases principales para recabar datos de inteligencia dentro de la supuesta red de espionaje Echelon *(véase págs. 104 y 109)*. Echelon, si realmente existe, tal y como apuntan las pruebas, es un sistema de escuchas bastante polémico que filtra y analiza todo tipo de comunicaciones públicas y privadas, desde llamadas de teléfono y mensajes de texto a faxes y correos electrónicos. Parece que las naciones que forman parte de esta red son Australia, Canadá, Nueva Zelanda, el Reino Unido y los Estados Unidos, aunque ninguno de sus gobiernos ha reconocido jamás oficialmente su existencia. Asumiendo que así sea, se cree que Pine Gap es el centro que gestiona la parte australiana de la operación.

**PROHIBIDO EL PASO** *Por si alguien tenía dudas, señales a Pine Gap como esta dejan bien claro que los turistas no son bienvenidos. La entrada a Pine Gap está por Hatt Road que es una ramificación de Stuart Highway.*

A día de hoy las instalaciones tienen 800 empleados y la mayor parte del contingente estadounidense está asociado con la Agencia de Seguridad Nacional de EE UU. La entrada a Pine Gap está guarnecida con una bandera australiana y una estadounidense, como símbolo de la relación de aparente igualdad que opera en la base.

Para muchos de los que critican la base, Pine Gap representa claramente cómo Australia se está dejando arrastrar por las maquinaciones e intereses políticos de EE UU. Cada nación veta partes del complejo (incluyendo, por lo que parece, salas de codificación) al personal de la otra, y esto preocupa a los que se preguntan qué tiene que hacer EE UU en territorio australiano que deba ser secreto para sus oficiales.

A lo largo de los años se han sucedido varias protestas en la base de Pine Gap, una de ellas memorable, cuando un grupo de manifestantes alcanzó las pistas de aterrizaje en bicicleta y consiguió entorpecer el aterrizaje de un enorme avión militar. A pesar de estos incidentes aislados, la seguridad es ciertamente muy estricta. Las señales en la carretera que lleva al complejo advierten claramente: "Prohibido el paso – Base de Defensa Conjunta de Pine Gap – Zona Prohibida – Dé la vuelta ahora mismo".

Comparado con los de otros países del mundo, los cielos de Australia destacan por no tener apenas zonas aéreas restringidas; sin embargo, hay una estricta zona de exclusión aérea alrededor de Pine Gap, donde el acceso a aviones que vuelen a menos de 5.500 metros de altitud está prohibido. Cualquiera que quiera infiltrarse en Pine Gap hará bien en recordar que se arriesga a que le caiga encima la ira de las fuerzas de defensa de dos naciones, lo que desde luego no es un presagio muy halagüeño para nadie.

# Sede del Comando de Operaciones Conjuntas

**UBICACIÓN:** Territ. de la Capital Australiana, Australia.
**CIUDAD MÁS PRÓXIMA:** Camberra.
**MOTIVO DE INCLUSIÓN:** actividades secretas; es la sede de todas las operaciones de las Fuerzas Armadas de Australia.

La Sede del Comando de Operaciones Conjuntas (HQJOC por sus siglas en inglés) se fundó en 2004 y se trasladó en 2008 a unas instalaciones construidas ex profeso en Camberra. La HQJOC es la responsable de supervisar las operaciones del Ejército, la Marina y las Fuerzas Aéreas australianas, y por ello no es sorprendente que el edificio donde se encuentra sea uno de los más seguros del país.

El Comando de Operaciones Conjuntas es la organización sucesora del Frente Militar de Australia (HQAST por sus siglas en inglés), que se estableció en 1996 como coordinadora de las diferentes Fuerzas Armadas de Australia mientras están desplegadas. Cuando la HQJOC empezó a funcionar como tal se encontraba en un edificio provisional de Potts Point, un suburbio de Sidney.

En 2005 la organización sufrió una reestructuración que supuso su traslado en 2007 a una sede provisional en Kowen, cerca de las localidades de Bungendore y Quaenbeyan. Para diciembre de 2008 el nuevo y definitivo edificio de la HQJOC estaba listo para empezar a funcionar.

El recinto fue construido por Praeco Pty Ltd y tuvo un coste de 360 millones de

dólares australianos, las instalaciones (que oficialmente se llaman Complejo General John Baker) cuentan con una extensión de 220 hectáreas y proporcionan empleo a 750 personas. El edificio principal, de dos pisos y casi sin ventanas, está rodeado por dos vallas concéntricas de acero con alambre de espino, una a 100 metros y la otra a 500 metros. La sala central presume de tener una pantalla enorme conocida como 'el muro de la sabiduría'. Mide casi 19 metros de ancho y permite a los comandantes ver las maniobras militares de Australia en todo el mundo.

El acceso al recinto se realiza a través de una carretera propiedad del Ministerio de Defensa y está restringido. La zona del centro es de alta seguridad y solo se puede acceder a ella a pie y pasando por varios controles digitales y biométricos. Los vehículos que se utilizan en el interior no salen nunca del perímetro vallado para evitar que puedan ser manipulados. En la zona externa se encuentran otros edificios de oficinas con menor seguridad.

El terreno está vigilado constantemente por compañías de seguridad privadas que usan aparatos electrónicos de vigilancia y alarmas contra intrusos. Los empleados del recinto necesitan tarjetas electrónicas para poder moverse entre las diferentes zonas. El centro neurálgico de esta moderna sede se encuentra abierto solo para un grupo selecto especialmente autorizado, lo cual convierte al Comando de Operaciones Conjuntas de Australia en un lugar altamente seguro.

**CENTRO DE MANDO** *Centro de Comando Conjunto en el Complejo General John Baker donde se encuentra el "muro de la sabiduría" que puede mostrar imágenes en directo de las operaciones australianas por todo el mundo. La viuda de Baker estuvo presente en la inauguración oficial de la base en 2009.*

# Índice

# Agradecimientos

Para hacer este libro estuve investigando con fuentes tanto oficiales como no oficiales. Las fuentes que me fueron más útiles fueron Federation of American Scientists (www.fas.org), Global Security (www.globalsecurity.org) y International Atomic Energy Agency (www.iaea.org).

También pude consultar otras fuentes de noticias, publicaciones y agencias de noticias a las que debo mi gratitud: la BBC, *The Daily Telegraph*, *The Guardian* (que publicó en 2001 un artículo de Jon Ronson del que tomé la cita de Denis Healey's sobre el Grupo Bilderberg), *The Independent*, *National Geographic*, *The New York Times*, *Reuters*, *Der Spiegel*, *Time Magazine*, *The Times of India*, *The Washington Post* y *Wired* (www.wired.com). Para obtener más información de las teorías de la conspiración con más chicha, la web Above Top Secret (www.abovetopsecret.com) fue, como poco, entretenida.

Para las investigaciones históricas, el venerable almanaque anual de asuntos geopolíticos *The Statesman's Yearbook*, demostró ser el valiente compañero de siempre. Y para aquellos a los que se les haya despertado el apetito por los lugares secretos, hay muchas cosas de interés en el libro de Taryn Simon *An American Index of the Hidden and Unfamiliar* (Steidl, 2007) y en www.forbidden-places.net

Debo dar las gracias de todo corazón a mi agente, James Willis, a mi editor Richard Green, y al resto del equipo de Quercus, así como a Giles Sparrow y a Tim Brown de Pikaia Imaging, quienes han tenido la nada agradable tarea de buscar imágenes en alta resolución de lugares que, por su naturaleza, no están muy bien documentados.

Aprecio enormemente a los muchos amigos y familiares que me han ido sugiriendo historias intrigantes y fascinantes para incluir en el libro; me hubiese gustado poder incluirlas todas. Y para terminar, un gracias final, como siempre, a Rosie.

*Para Will, Helena, Noah, Toby, Rowan y Zoë*

## Créditos fotográficos

Las siguientes abreviaturas se han usado con los créditos fotográficos:
bg= en el fondo, t=arriba, b=abajo, l= izquierda, r=derecha, c=centro.

2–3: Steve Rowell; 6 tl: US Department of Defense; tr: © Antonio Serna/Xinhua Press/Corbis; 7 tl: Kirsty Pargeter/Shutterstock; 8 tl: waniuszka/Shutterstock; 8–9 l: © Kimimasa Mayama/Reuters/Corbis; 9 tr: © DigitalGlobe/Handout/Reuters/Corbis; 10 tl: GEOEYE/SCIENCE PHOTO LIBRARY; tr: Satellite image by GeoEye; 11 tl: Corbis © Nathan Benn/CORBIS; tr: Dhaluza; 13 bg: Pikaia; bl: US Department of Defense; cr: Pikaia; 15 bg: Pikaia; b: John Lund/Getty Images; b: Paul Souders/Getty Images; 17: ASSOCIATED PRESS; 18 bg: MODIS Land Group, NASA Goddard Space Flight Center.; t: Lawrence Berkeley National Laboratories Image Library. Photo courtesy of Edward W. Carter.; br: Aarkwilde; 20: Bloomberg via Getty Images; 21: Mike McCune; 23: Getty Images; 24: US Department of Defense; 25 bg: US Department of Agriculture Aerial Photography Field Office; tr: Nevada Division of Environmental Protection; bl: © Ed Darack/Science Faction/Corbis; 26–7: B747/Shutterstock; 27 tr: © George Steinmetz/Corbis; 29 bg: © Antonio Serna/Xinhua Press/Corbis; bl: Sgt. 1st Class Gordon Hyde, US Department of Defense; 31: Satellite image by GeoEye; 32: W-EN; 34: ASSOCIATED PRESS; 35: Getty Images; 37: Pikaia; 38: ASSOCIATED PRESS; 40–1 b: waniuszka/Shutterstock; 41 tr: US Department of Energy; 43 bg: Jacques Descloitres, MODIS Land Rapid Response Team, NASA/GSFC; tl: Fish Cop; tr, bl, br: US Department of Defense; 44: US Department of Defense; 46: Pikaia; 47: US DEPARTMENT OF ENERGY/SCIENCE PHOTO LIBRARY; 48: Forensic Anthropology Center; 49: ASSOCIATED PRESS; 51 bg: NASA; t: Stuart Seeger; bl, br: NASA; 53 bg: US Department of Agriculture Aerial Photography Field Office; tr: US Department of Defense; cl: Cliff; bl: ASSOCIATED PRESS; 54: Kevyn Jacobs; 56: ASSOCIATED PRESS; 57 bl, bc: Janice Haney Carr/US Center for Disease Control; br: US Center for Disease Control; 58: Brett Weinstein; 59: Jim Gathany/US Center for Disease Control; 61 bg: US Department of Agriculture Aerial Photography Field Office; tl, br: © James Leynse/Corbis; bl: US Department of Defense;

63 bg: OFFICIAL FEMA PHOTO/Karen Nutini; tl: United States Coast Guard; br: Mate 2nd Class Daniel J. McLain, US Department of Defense; 64: US Department of Defense; 64–5: Pikaia; 66: US Department of Defense; 68: © Dennis Brack/Pool/epa/Corbis; 69: © Roger Ressmeyer/CORBIS; 71 bg: Coolcaesar; tl: AVX Aircraft Company; tc: DARPA; tr: DARPA; 73: © CORBIS; 74: Pikaia; 76: © Martin H. Simon/Corbis; 77: Pikaia; 79 bg: US Department of Agriculture Aerial Photography Field Office; tr: AFP/Getty Images; bl: Mredden; 81: © Karie Hamilton/Sygma/Corbis; 83 bg: US Department of Agriculture Aerial Photography Field Office; tl: John Bartelstone/New York Federal Reserve; bl: © Chip East/Reuters/Corbis; 85: Dhaluza; 87 bg: US Department of Agriculture Aerial Photography Field Office; br: Yale University Archives; 88–9: Pikaia; 90: White House/Pete Souza; 92 l: Pikaia; tr, cr: D'Arcy O'Connor/oakislandtreasure.co.uk; 93: D'Arcy O'Connor/oakislandtreasure.co.uk; 95 bg: Pikaia; tr: NASA; bl: ASSOCIATED PRESS; 96: © Reuters/CORBIS; 97: Mark Moffett/Minden Pictures/FLPA; 99 bg: PLANETOBSERVER/SCIENCE PHOTO LIBRARY; cr: RAGNAR LARUSSON/SCIENCE PHOTO LIBRARY; b: OMIKRON/SCIENCE PHOTO LIBRARY; 100: © Arctic-Images/Corbis; 103: © Jesse Alexander / Alamy; 105 t: Nilfanion; b: © Skyscan/Corbis; 107 bg: GETMAPPING PLC/SCIENCE PHOTO LIBRARY; br: JAMES KING-HOLMES/SCIENCE PHOTO LIBRARY; 108: TopFoto / UPP; 109: Laurence Gough/Shutterstock.com; 110: Getty Images; 113: © Skyscan/Corbis; 114: Stephen Bures / Shutterstock.com; 116 bg: GEOEYE/SCIENCE PHOTO LIBRARY; tl: Thinkstock; br: Ewan Munro; 117: © Alex Segre / Alamy; 119 bg: © Skyscan/Corbis; tl: Tom Ordelman; tc: Sheila Thomson; tr: alessandro0770/Shutterstock; bl: Tagishsimon; cr: Man vyi; 121: Thinkstock; 122: © Kevin Allen / Alamy; 125: Keystone Archives / HIP / TopFoto; 127 bg: PLANETOBSERVER/SCIENCE PHOTO LIBRARY; tl: © Sandro Vannini/CORBIS; bl: Johanne McInnis; 128: The Centre for Digital Documentation and Visualisation LLP; 129: Justelipse; 130 bg: NASA/Jeff Schmaltz; tl: ChrisO; br: Alertomalibu; 133: CERN; 134–5: Pikaia; 137: SIAG Secure Infostore Ltd. Switzerland; 139 t: Pikaia; b: © Armin Weigel/dpa/Corbis; 141: © Reuters/CORBIS; 142: Ruffery; 144 bg: NASA images by Jesse Allen, Earth Observatory, using data provided courtesy of the NASA/GSFC/MITI/ERSDAC/JAROS, and U.S./Japan ASTER Science Team.; t: Deutsches Bundesarchiv; cr: NCAP (aerial.rcahms.gov.uk); bl: Tonythepixel; 145: Pikaia; 147: © Vittoriano Rastelli/CORBIS; 148: GEOEYE/SCIENCE PHOTO LIBRARY; 151: Pikaia; 152: Mari Tefre/Svalbard Global Seed Vault; 154 bg: PLANETOBSERVER/SCIENCE PHOTO LIBRARY; tr, cl: Bahnhof AB; 155: Pikaia; 157 bg: Jeff Schmaltz, MODIS Rapid Response Team, NASA/GSFC; cl: NASA GSFC Landsat/LDCM EPO Team; br: Julienbzh35; 158: Julienbzh35; 160: © Shawn Baldwin/Corbis; 161: © IBRAHEEM ABU MUSTAFA/Reuters/Corbis; 163 bg: © Nimrod Aronow / Albatross / Alamy; br: Ekaterina Lin/Shutterstock; 165 bg: Jacques Descloitres, MODIS Rapid Response Team, NASA/GSFC; tr: © Reuters/CORBIS; br: US Department of Defense; 169: © DigitalGlobe/Handout /Reuters/Corbis; 171 bg: Jacques Descloitres, MODIS Rapid Response Team, NASA/GSFC; tl: NASA/International Space Station; bl: Bartosz Turek/Shutterstock; 173 bg: NASA image created by Jesse Allen, using EO-1 ALI data provided courtesy of the NASA EO-1 Team. ; bl: Iryna Rasko/Shutterstock; 174: Maksym Dragunov/Shutterstock; 177 t: Bjørn Christian Tørrissen; b: Satellite image by GeoEye; 179: PLANETOBSERVER/SCIENCE PHOTO LIBRARY, Pikaia; 180: Irina Fischer/Shutterstock; 183 bg: Pikaia; t: Mass Communications Specialist 2nd Class Jason R. Zalasky, USN, US Department of Defense; cr: © Badri Media/epa/Corbis; 185 bg: Jacques Descloitres, MODIS Land Rapid Response Team, NASA/GSFC; br: © Dave Bartruff/CORBIS; 186: © Andrew Holt / Alamy; 188: ASSOCIATED PRESS; 189: AFP/Getty Images; 191 t: Martin D. Adamiker; b: Getty Images; 192: © Reuters/CORBIS; 194 bg: © CORBIS; t: US Department of Defense; b: U.S. Air Force photo/Senior Master Sgt. John Rohrer; 195: US Department of Defense; 196–7: Pikaia; 198: © SULTAN MEHMOOD/epa/Corbis; 200 bg: NASA image created by Jesse Allen, using data provided courtesy of the MODIS Rapid Response team. ; bl: © FAYAZ KABLI/Reuters/Corbis; 201: © Reuters/CORBIS; 203: ASSOCIATED PRESS; 205 bg: Pikaia; cl: NASA Earth Observatory image created by Jesse Allen, using data provided by the NASA EO-1 team. ; br: ASSOCIATED PRESS/Indian Coast Guard; 207 t: © SUKREE SUKPLANG/X90021/Reuters/Corbis; b: ASSOCIATED PRESS; 208: Government of Thailand; 209: ASSOCIATED PRESS; 211: Satellite image by GeoEye; 213: GEOEYE/SCIENCE PHOTO LIBRARY; 214: © Li Gang/Xinhua Press/Corbis; 216 bg: Pikaia; b: wit; 217: Thinkstock; 219 bg: Pikaia; tr: NASA images created by Jesse Allen, Earth Observatory, using data obtained from the Goddard Earth Sciences DAAC.; bl: AFP/Getty Images; br: DigitalGlobe; 221 bg: Image courtesy MODIS Science Team; tr: © Ocean/Corbis; 223: china-defense-mashup.com; 225 bg: NASA GSFC Landsat/LDCM EPO Team; t: ASSOCIATED PRESS; 226: Bloomberg via Getty Images; 228 bg: Jeff Schmaltz, MODIS Land Rapid Response Team, NASA GSFC; tr: © DIGITAL GLOBE/Reuters/Corbis; br: © DigitalGlobe-ISIS/Reuters/Corbis; 229: © STR/epa/Corbis; 231 bg: Jeff Schmaltz, MODIS Land Rapid Response Team, NASA GSFC; tl: NASA/International Space Station; bg: ASSOCIATED PRESS; 233 bg: Jeff Schmaltz, MODIS Land Rapid Response Team, NASA GSFC; tl: © YONHAP/epa/Corbis; tr: Isaac Crum; bl: Corbis © Nathan Benn/CORBIS; 234: Annalog; 237: © Kimimasa Mayama/Reuters/Corbis; 238: mti; 240: Satellite image by GeoEye; 241: © AFLO/Nippon News/Corbis; 243: © Japan Aerospace Exploration Agency/Handout/Reuters/Corbis; 244: © Patrick Sahar/Alamy; 246 bg: Pikaia; b: AFP/Getty Images; 247: Schutz; 248–9: Steve Dent, Australian Defence Image Library.

TRADUCCIÓN Míriam Ruiz Durán
COORDINACIÓN EDITORIAL Diana Acero Martínez
EDICIÓN Conbuenaletra
AYUDANTES DE EDICIÓN Laura Tomillo y
Manuel Sequeiros
COORDINACIÓN TÉCNICA Victoria Reyes
MAQUETACIÓN Miguel Ángel Pascual

Primera edición, octubre 2012

Título original: *100 places that you will never visit*

© 2012 Quercus Editions Ltd
© 2012 Santillana Ediciones Generales, S.L.
para la presente edición
Avenida de los Artesanos 6,
28760 Tres Cantos, Madrid
Tel. 91 744 90 60. Fax 91 744 90 93
www.elpaisaguilar.es

ISBN: 978-84-03-51228-3

Impreso y encuadernado en Tailandia.